LE DILEMME DU ROMAN
AU XVIIIᵉ SIÈCLE

DU MÊME AUTEUR

AUX PRESSES UNIVERSITAIRES DE FRANCE

DANS LA MÊME COLLECTION

D'Ovide à Racine, 1949.
Diderot et « La Religieuse », 1954.

CHEZ D'AUTRES ÉDITEURS

Tragédie cornélienne, tragédie racinienne. Étude sur les sources de l'intérêt dramatique. University of Illinois Press, Urbana, Illinois, U.S.A., 1948 (épuisé).

Quatre Visages de Denis Diderot, Paris, Editions contemporaines, Hatier-Boivin, 1951.

Rousseau par lui-même, Ecrivains de toujours, n° 53, Paris, Éditions du Seuil, 1961.

INSTITUT D'ÉTUDES FRANÇAISES DE YALE UNIVERSITY

LE DILEMME DU ROMAN
AU XVIIIᵉ SIÈCLE

ÉTUDE SUR LES RAPPORTS
DU ROMAN ET DE LA CRITIQUE (1715-1761)

PAR

Georges MAY

YALE UNIVERSITY PRESS
NEW HAVEN
(Connecticut)
U. S. A.

PRESSES UNIVERSITAIRES
DE FRANCE
108, Boulevard Saint-Germain
PARIS-VIᵉ

1963

INTRODUCTION

L'histoire du roman français reste à faire : une histoire qui soit plus qu'une simple série de chapitres sans rapports organiques les uns avec les autres ; plus qu'un catalogue descriptif, même détaillé, même illustré ; car une exposition, fût-elle une « rétrospective », n'est pas une histoire : elle n'en est que le film. L'histoire qui nous manque saurait retracer le caractère continu et évolutif qui est le propre de tout développement historique authentique, celui d'un genre littéraire, comme celui d'une doctrine ou d'une institution politique, d'une classe sociale ou d'une province.

Le volume qui serait consacré au roman du XVIIIᵉ siècle fait tout particulièrement défaut. L'absence d'une véritable histoire du roman français au XVIIIᵉ siècle est d'autant plus surprenante que, s'il est un genre littéraire dans lequel le siècle de Louis XV se soit réellement distingué, ait authentiquement innové et frayé des chemins pour l'avenir, c'est certainement dans le roman, et ce n'est peut-être pas ailleurs que dans le roman. « Le roman est le seul genre d'art qui soit en progrès au XVIIIᵉ siècle », affirmait déjà Gustave Lanson (1). La prose fut, en effet, l'instrument préféré du siècle, et le roman fut le genre où la souplesse, la précision et la grâce de cet instrument permirent les jeux les plus subtils, les recherches les plus fines, les variations les plus originales, les réussites les plus riches d'avenir.

On peut cependant comprendre pourquoi le volume en question manque encore, ce volume qui décrirait en l'expliquant la courbe et les méandres du véritable fleuve de romans qui traverse et irrigue tout le siècle, depuis ceux de Robert Chasles, de Lesage et de Courtilz de Sandras, jusqu'à ceux de Bernardin de Saint-Pierre, de Restif de La Bretonne, et du marquis de Sade. La composition d'un pareil volume, en effet, exigerait que fussent remplies certaines conditions préalables. L'une de celles-ci est la connaissance en profondeur du climat culturel

---

(1) Gustave LANSON, *Histoire de la littérature française*, Paris, Hachette, 9ᵉ éd. (1906), p. 659.

dans lequel le genre se développe, en particulier celle des conditions littéraires qui y contribuèrent. Ainsi, l'étude de l'habitat peut-elle aider à comprendre certaines idiosyncrasies des habitants : si l'on ignore tout de la topographie des régions arctiques ou désertiques, on pourra s'étonner du pelage blanc ou fauve des animaux qui les peuplent. Ainsi encore, la connaissance de la géographie sert-elle quelquefois d'utile prélude à la connaissance de l'histoire. On se souvient du *Tableau de la France*.

L'erreur, toutefois, serait de penser que ces travaux d'approche puissent jamais remplacer l'ouvrage proprement dit. Il convient donc de dire nettement ici que les chapitres qui suivent ne constituent en aucune manière une histoire, même fragmentaire, du roman. L'intention qui leur a servi de guide a simplement été d'essayer de retrouver et de préciser certaines des conditions littéraires les plus déterminantes dans lesquelles le roman français s'est développé à un moment particulier de son histoire.

Si cet ouvrage est donc de dimensions modestes, c'est parce que son objectif est ainsi doublement limité : il ne s'agira ici que de valeurs littéraires, et il ne s'agira que d'un nombre soigneusement restreint d'années. Ces bornes, toutefois, n'ont pas été arbitrairement imposées, et ne sont pas aussi rigides qu'on pourrait le penser. Les valeurs littéraires ne se laissent pas isoler artificiellement des autres valeurs culturelles, et le choix de dates initiale et terminale n'implique pas la promesse qu'on ne regardera ni en deçà ni au-delà.

I

Les deux grands romans qui déterminent le cadre chronologique de cette étude sont, en effet, *Gil Blas* et *la Nouvelle Héloïse*. Or, le chef-d'œuvre de Lesage, on se le rappelle, parut en trois tranches : les livres I à VI en 1715, VII à IX en 1724, enfin X à XII en 1735 ; et celui de Jean-Jacques Rousseau, publié en 1761, fut en fait connu plus tôt. Lesage est encore, on l'a souvent dit, un louis-quatorzien, et Rousseau, on l'a dit encore plus souvent, est déjà un romantique. Comme ce sont eux qui nous tiennent lieu de frontières, c'est donc de frontières éminemment perméables qu'il s'agit : elles laissent filtrer, l'une, l'influence hispanique et picaresque, et, l'autre, la sentimentalité préromantique. Disons donc que la période envisagée ici commence vers la mort de Louis XIV et se termine un peu avant la fin de la Guerre de Sept ans. Elle vit paraître les romans de

Prévost, de Marivaux, de Crébillon, de Mouhy, de Duclos, de Mme de Tencin, de Mme de Graffigny, et une bonne partie de ceux de Mme Riccoboni, pour ne nommer que les écrivains les moins oubliés ; elle vit aussi se répandre en France, au cours des années 40 et 50 les plus célèbres des romans de Richardson, de Sarah Fielding, de Henry Fielding, et même l'un de ceux de Smollett (1). Cette période prend fin pendant le tournant capital du siècle, à la veille du moment où les idées nouvelles connurent leur première victoire décisive : c'est entre 1762 et 1765 que s'achève sans fanfare, mais victorieusement l'*Encyclopédie* ; que l'ordre des Jésuites est supprimé par les Parlements puis par le roi ; que l'affaire Calas éclate et aboutit à la réhabilitation de la victime, etc. Autant d'événements célèbres qu'il suffit de rappeler pour qu'on mesure la soudaineté avec laquelle fut ainsi consacré l'avènement d'une ère nouvelle, et le triomphe de cet esprit et de ce goût nouveaux qui avaient pris forme de façon moins retentissante au cours de la période précédente.

Parmi les bénéficiaires du nouvel ordre de choses, le genre romanesque n'est généralement pas mentionné. Or, il est bien clair, que de paria qu'il était, le voilà tout à coup parvenu, anobli (2). Certes, le succès retentissant de *la Nouvelle Héloïse*, qui fut l'œuvre de J.-J. Rousseau la plus adulée du siècle, n'est pas étranger à cette accession aux honneurs du genre tout entier. Mais, à lui seul, ce succès aurait été insuffisant ; il lui fallait, pour agir comme il le fit, l'élan transmis par le plus lent, plus obscur, mais plus efficace travail de préparation et de fermentation accompli au cours de la trentaine d'années précédente. Il semble même à peu près certain que, s'il n'avait pas été sensible à la puissance cachée de ce mouvement de transmutation des valeurs littéraires, J.-J. Rousseau aurait choisi une autre forme que celle du roman pour donner corps à tout ce contenu idéologique et sentimental complexe dont il chargea les lettres de Julie, de Saint-Preux et de Milord Édouard. Malgré sa prédilection personnelle pour la lecture des romans, Rousseau, en effet, comme l'occasion se présentera plus loin de le rappeler et de le préciser, condamnait avec véhémence le genre romanesque.

(1) Cf. Daniel MORNET, Introduction à son édition de *la Nouvelle Héloïse*, collection des Grands Ecrivains, Paris, Hachette, 4 vol. (1925), t. I, pp. 353-354. Cette introduction, qui occupe tout le premier volume de l'édition, sera désormais désignée par les mots : MORNET, *op. cit.* Cf. aussi Harold Wade STREETER, *The Eighteenth Century English Novel in French Translation*, New York, Publications of the Institute of French Studies, Inc., 1936, pp. 20-22.
(2) Cf. Emily CROSBY, *Une romancière oubliée, Mme Riccoboni*, Paris, Rieder, 1924, p. 62 et la note.

On peut même dire que la période d'épreuves et de luttes du roman, cette période cruciale et brillante, ce moment héroïque, auquel sont consacrés les chapitres qui suivent, est d'une importance de loin supérieure pour l'avenir du roman à la période de succès et de stabilité instaurée par le triomphe de *la Nouvelle Héloïse*. En effet, la vogue combinée du roman moralisateur anglais de type richardsonien, et de la sentimentalité rousseauiste devait permettre entre le jugement de la critique, le goût du public et les intentions des romanciers, un accord exceptionnel et défavorable à l'épanouissement du genre romanesque. Un accord aussi inattendu ne pouvait, en effet, se faire que sur la base nécessairement trop étroite du plus petit dénominateur commun à ces trois groupes si différents : les critiques, les lecteurs, les auteurs. Il eut pour conséquence néfaste de réduire le roman au rôle de sermon laïc, et de le priver du même coup de cette liberté d'expérimenter et d'innover, dont l'avenir devait démontrer au cours des XIXe et XXe siècles qu'elle était la condition essentielle à la vitalité du genre et à son développement. A quelques exceptions près, telles, par exemple les œuvres de Restif, de Laclos ou de Sade, le roman, entre 1760 et 1790, ne devait s'engager que dans des voies sans issue. Malgré des réussites intéressantes, ni le roman philosophique de Voltaire, ni le conte moral de Marmontel, ni le roman pastoral de Florian, ni même le roman élégiaque et exotique de Bernardin de Saint-Pierre ne frayèrent pour l'avenir de chemins prometteurs. En revanche, les années qui séparent *Gil Blas* et *la Nouvelle Héloïse* constituent une période héroïque de combats entre, d'une part, les auteurs et les amateurs de romans, et, de l'autre, les ennemis du roman, qu'ils fussent eux-mêmes des écrivains, des critiques ou de simples membres du public lettré. Ces années de campagne et d'escarmouches maintinrent les romanciers dans un état d'alerte et de qui-vive perpétuel, dans un état d'excitation, de stimulation et d'émulation constant. Attaques, manœuvres défensives, retraites, contre-attaques se mêlent et se succèdent. Elles obligèrent les romanciers, pour survivre, à pousser leurs expériences et leurs réflexions dans les directions les plus diverses. L'insécurité même du genre qu'ils cultivaient les contraignit, sous le couvert de prétextes et de raisonnements variés, dont certains n'étaient quelquefois que sophismes édifiés sur une bonne foi plus ou moins douteuse, à revendiquer en fait pour le genre qu'ils constituaient la liberté littéraire intégrale sans laquelle, on le sait aujourd'hui, le roman était condamné à la sclérose, à la stagnation ou à la stérilité.

II

Si des considérations de cet ordre peuvent suffire provisoirement à expliquer l'intérêt particulier de la période ainsi définie, le choix d'un point de vue avant tout littéraire appelle, lui aussi, quelques remarques justificatives. Car c'est bien l'histoire des conditions littéraires alors en cours, et de leur effet sur la production romanesque de l'époque, qui fait le sujet de cette étude. Et c'est en particulier parce que ces conditions littéraires tiraient dans une direction opposée à celle des autres conditions idéologiques et sociales souvent cataloguées, qu'elles offrent un intérêt incomparable. A un moment où les esprits étaient en général tournés vers l'avenir, la critique littéraire, elle, regardait en général vers le passé. La combinaison de forces opposées détermine dans certaines conditions le système que les mécaniciens appellent couple, et l'effet résultant du couple risque de surprendre les observateurs qui n'ont tenu compte que des forces isolées.

Il est bien clair, en effet, que les influences littéraires, tant théoriques que pratiques, ou, comme on le dit quelquefois, tant normatives que formatives, qui s'exercent sur la littérature du temps demeurent fortement imprégnées par les valeurs du classicisme rationaliste victorieux (1). En même temps que les Modernes, avaient paradoxalement triomphé les admirateurs d'une littérature appartenant désormais au passé, et, par conséquent, les partisans d'un conservatisme littéraire volontiers rétrograde. La nostalgie de ce paradis perdu, qu'on avait entrevu pendant quelques décennies de la seconde moitié du XVIIᵉ siècle, cette nostalgie si injuste par les jugements qu'elle engendrait sur les œuvres contemporaines, on la sent chez Fontenelle, dernier survivant anachronique et centenaire des Modernes, et elle devient l'inspiration même du *Siècle de Louis XIV*. On sait combien elle devait avoir la vie dure. Les premières années du « siècle de Louis XV » sont celles où, pour entrer dans la carrière des lettres, le plus sûr est de passer par le portail doré — ou les fourches caudines — de la tragédie en cinq actes et en vers. C'est elle qui ouvre les portes de l'Académie à Crébillon père et à Marmontel. C'est l'époque où Voltaire, « le Sophocle français », cultive le genre épique et médite sur lui ; c'est aussi celle où,

(1) Cf., par exemple, Paul Hazard, *la Pensée européenne au XVIIIᵉ siècle*, Paris, Boivin, 3 vol., 1946. Deuxième Partie, chap. VIII : « Les idées et les lettres ; le pseudo-classicisme », t. I, pp. 293-306.

lorsqu'on parle du *grand* Rousseau, c'est de l'auteur des odes qu'il s'agit.

Lorsque Lesage, en 1715, fait décrire par son héros « le bureau des ouvrages d'esprit » de la marquise de Chaves — que ce personnage soit ou non le masque de Mme de Lambert — il évoque, avec une précision délibérée les préventions littéraires alors en cours et ridiculise la prédilection pour des valeurs déjà anachroniques, mais dont — le snobisme aidant — la vogue n'était pas près de mourir :

> On y lisait chaque jour tantôt des poèmes dramatiques, et tantôt d'autres poésies. Mais on n'y faisait guère que des lectures sérieuses. Les pièces comiques y étaient méprisées. On n'y regardait la meilleure comédie ou le roman le plus ingénieux et le plus égayé que comme une faible production qui ne méritait aucune louange ; au lieu que le moindre ouvrage sérieux, une ode, une églogue, un sonnet, y passait pour le plus grand effort de l'esprit humain (1).

L'atmosphère littéraire de l'époque n'est donc guère propice au roman : en fait elle lui est clairement hostile. En revanche, les conditions sociales et idéologiques, elles, lui sont éminemment favorables. La force ascensionnelle de la bourgeoisie et du non-conformisme, la régression du principe d'autorité et de l'analphabétisme, sont au premier plan de ces conditions propices au roman, et que l'on a souvent décrites. On peut se borner ici à les rappeler sans s'y attarder, non pas pour les sous-estimer — elles font partie du couple évoqué plus haut — mais parce qu'elles sont relativement bien connues. On y a, en effet, beaucoup insisté, sans doute parce que, comme on observait d'une part un essor sans précédent, tout au moins en qualité et en popularité, du genre romanesque, il était satisfaisant et reposant pour l'esprit d'observer, d'autre part, tout un système de conditions historiques favorables à cet essor. Du coup, on pensait avoir suffisamment expliqué pourquoi avait eu lieu, à tel moment de l'histoire, une telle floraison romanesque.

Malgré ce qu'elle contient de vérité, une telle simplification fausse gravement la perspective. Elle permet de comprendre pourquoi, par exemple, un ecclésiastique comme l'abbé Prévost, un auteur comique comme Marivaux, un académicien et historien comme Duclos ou un fils de dramaturge et d'académicien comme Crébillon, se mirent simultanément ou à peu près à écrire des

(1) *Gil Blas*, liv. IV (1715), chap. VIII, éd. R. Etiemble, « Bibliothèque de la Pléiade », p. 746.

romans, ce qui aurait été peu concevable de louis-quatorziens analogues, toutes proportions gardées, comme, par exemple, Bossuet, Molière, Boileau ou Louis Racine. Mais elle ne va pas plus loin, et ne permet aucunement de comprendre pourquoi et comment ils ont écrit les romans particuliers qui sont les leurs. Bref, elle ne peut jeter aucune lumière sur la source des directions particulières dans lesquelles ils ont engagé le roman français pendant cette période si importante pour son avenir. Si, en effet, ce sont les circonstances favorables qui peuvent expliquer pourquoi le roman connut un moment de vogue, ce sont, en revanche, les conditions défavorables qui seules peuvent expliquer les aspects particuliers que prirent les romans du temps. Il suffit d'une source vive pour produire de l'eau, mais ce sont les accidents du terrain, les différences de niveau, les diverses espèces de roches, bref les obstacles, qui en font une rivière.

Si l'on veut trouver un bon exemple des erreurs de perspective auxquelles peut mener la méconnaissance des conditions défavorables au genre romanesque, qu'on lise les remarques que voici. Elles se trouvent dans un ouvrage récent et tout à fait remarquable consacré au roman anglais de la période qui nous intéresse. L'erreur de jugement de l'auteur est simplement due, semble-t-il, aux différences qui existaient alors entre l'Angleterre et la France, moins dans le domaine social que dans le domaine littéraire :

En France, le point de vue de la critique classique, avec son insistance sur l'élégance et la concision, ne fut pas mis totalement en question avant l'avènement du romantisme. C'est peut-être en partie pour cela que le roman français, de la *Princesse de Clèves* aux *Liaisons dangereuses* demeure à l'écart de la grande tradition du roman. Malgré toute sa pénétration psychologique et son habileté littéraire, il nous paraît trop stylisé pour être authentique. A cet égard, Mme de Lafayette et Choderlos de Laclos sont diamétralement opposés à Defoe et Richardson, dont l'imprécision même tend à servir de garantie à l'authenticité de ce qu'ils rapportent ; dont la prose a pour seul objet ce qui est, selon la définition de Locke, la fonction même du langage, « communiquer la connaissance des choses », et dont les romans en général n'ont d'autre prétention que d'être une transcription de la vie réelle — pour parler comme Flaubert, « le réel écrit » (1).

(1) " In France, the classical critical outlook, with its emphasis on elegance and concision, was not fully challenged until the coming of Romanticism. It is perhaps partly for this reason that French fiction from *La Princesse de Clèves* to *Les Liaisons dangereuses* stands outside the main tradition of the novel. For all its psychological penetration and literary skill, we feel it is too stylish to be authentic. In this Mme de La Fayette and Choderlos de

* * *

En fait, le roman ne connut peut-être jamais autant d'obstacles qu'entre 1725 et 1760. De toutes parts pleuvent les attaques contre ce parvenu de la République des lettres. Il est accusé indistinctement de tous les crimes et de tous les maux, tant et si bien qu'au premier coup d'œil, on se perd un peu dans ces vitupérations et on a tendance à les mettre simplement au compte de la mauvaise humeur de leurs auteurs. On ne vilipende ainsi que ce qu'on hait passionnément, et tant de haine risque de compromettre la lucidité des critiques trop passionnés. Et pourtant, si l'on examine attentivement ces intempérances de jugement, on ne tarde pas à remarquer l'étonnante régularité avec laquelle les détracteurs du roman réitèrent contre lui les deux mêmes accusations : la lecture des romans gâte le goût ; elle corrompt les mœurs. Il est même remarquable que les accusations au nom de la morale ne soient pas plus nombreuses que celles fondées sur un jugement esthétique défavorable. Pour avoir un échantillon assez modéré de ces accusations, consultons par exemple un ouvrage savant de 1731. L'auteur, Bruzen de La Martinière, adopte vis-à-vis des romans, une attitude dont la tolérance est inspirée par la condescendance :

> Je les regarde comme un amusement innocent, lorsqu'on ne leur donne que quelques heures où l'on veut se délasser. Mais ce seraient des heures véritablement perdues que celles qu'on leur donnerait de plus au préjudice des études plus solides. La perte de temps n'est pas toujours le plus grand danger qu'il y ait à craindre dans les mauvais romans. On s'y gâte le goût, on y prend de fausses idées de la vertu, on y rencontre des images obscènes, on s'apprivoise insensiblement avec elles ; et on se laisse amollir par le langage séduisant des passions, surtout quand l'auteur a su leur prêter les couleurs les plus gracieuses (1).

Laclos are the polar opposites of Defoe and Richardson, whose very diffuseness tends to act as a guarantee of the authenticity of their report, whose prose aims exclusively at what Locke defined as the proper purpose of language, ' to convey the knowledge of things ', and whose novels as a whole pretend to be no more than a transcription of real life — in Flaubert's words, ' le réel écrit '. " Ian WATT, *The Rise of the Novel*, Berkeley et Los Angeles, University of California Press, Londres, Chatto and Windus, 1957, p. 30. La citation de LOCKE renvoie à *Essai sur l'entendement*, liv. III, chap. 10, section XXIII.

(1) BRUZEN DE LA MARTINIÈRE, *Introduction générale à l'étude des sciences et des belles-lettres*, Partie seconde, § XVI. Nous avons consulté la réédition, à Berlin, de 1756 qui fait suite à l'ouvrage de Formey, *Conseils pour former une bibliothèque peu nombreuse, mais choisie*, pp. 293-294. MORNET, *op. cit.*, cite, p. 8, une partie de la même citation d'après l'édition de 1731 à La Haye comprise dans sa bibliographie, p. 324, nº 40.

Au début de son traité *De l'usage des romans*, qui paraît en 1734 et fut, pendant cette période, le plus influent des écrits critiques favorables au genre incriminé, Lenglet-Dufresnoy passe en revue les principaux adversaires du genre. Il cite, parmi ceux-ci, l'abbé de Villiers qui, dans ses *Réflexions sur les défauts d'autrui*, affirmait dès 1960, plus violemment, mais parallèlement au texte postérieur de Bruzen de La Martinière : « Rien ne gâte plus l'esprit que de lire des mauvais ouvrages ; tous les petits romans et toutes les petites historiettes ne sont pas seulement contraires à la pureté des sentiments et des mœurs ; ces sortes de livres gâtent encore plus l'esprit que le cœur (1). » Le 25 février 1736, le P. Porée prononça au Collège Louis-le-Grand une retentissante harangue contre les romans, dont les deux points, d'après le compte rendu détaillé qu'en donnèrent quelques mois plus tard les *Mémoires de Trévoux*, étaient les suivants : « Par leur contagion, ils gâtent tous les genres de littérature auxquels ils ont quelque rapport. Par leur fécondité, ils étouffent le goût des bonnes lettres, et même des genres auxquels ils ne se rapportent point. [...] Seconde Partie. Elle tend à montrer que les romans nuisent doublement aux mœurs, en inspirant le goût du vice et en étouffant les semences de la vertu (2). » Quant au plus célèbre des anciens élèves du P. Porée, Voltaire, moins soucieux que lui de morale chrétienne ou bourgeoise, il ne perd pas une occasion d'insister sur l'indignité esthétique et littéraire du genre romanesque, auquel, du reste, il ne touchera jamais lui-même que du bout des doigts. « Si quelques romans nouveaux paraissent encore », écrit-il en 1733, « et s'ils font pour un temps l'amusement de la jeunesse frivole, les vrais gens de lettres les méprisent » (3). Et, dans l'article qu'il consacre à Mme de Villedieu dans *le Siècle de Louis XIV*, il réitère : « On est bien éloigné de vouloir donner ici quelque prix à tous ces romans dont la France a été et est encore inondée ; ils ont presque tous été, excepté *Zaïde*, des productions d'esprits

---

(1) C. GORDON DE PERCEL [pseudonyme de Nicolas Lenglet-Dufresnoy], *De l'usage des romans*, Amsterdam, Veuve Poilras, 1734, 2 vol. Le second volume ne contient qu'une liste de romans. La citation de VILLIERS apparaît p. 23 et donne pour référence : t. I, p. 276. On la trouve dans l'édition de 1695, Amsterdam, Brunel, p. 119, chap. XIV : « Des ouvrages d'esprit. »
(2) *De Libris qui vulgò dicuntur* Romanses *Oratio habita die 25. Februarii anno D. 1736. in regio Ludovici magni Collegio Societatis Jesu*, **a** Carolo Porée *societatis ejusdem Sacerdote &c*, Paris, Bordelet, 1736. Cité d'après la traduction procurée par les *Mémoires de Trévoux*, juillet 1736, pp. 1454 et 1475 ; MORNET (*op. cit.*, p. 325, nº 64) mentionne une édition collective des *Orationes* du P. PORÉE, dans laquelle le « Discours sur les romans » apparaît au t. III (1747), pp. 275-326.
(3) VOLTAIRE, *Essai sur la poésie épique*, éd. Moland, t. VIII, p. 362.

faibles qui écrivent avec facilité des choses indignes d'être lues
par les esprits solides (1). »

Véritable lieu commun, dont l'expression contient le plus
souvent des mots-clefs comme *gâter, facile* ou *affaiblir*, ce jugement hostile est dans toutes les bouches et sous toutes les plumes.
Critiquant la lecture habituelle des romans, une femme de lettres
du milieu du siècle, Mme de Benouville, le reprend à son compte
une fois encore : « Il est sûr que quand on en fait [de cette lecture]
son capital et son entière occupation, elle affaiblit le cœur et
dégrade l'esprit (2). »

Cette double accusation d'immoralité et d'inesthétisme se
retrouve jusque dans les ouvrages qu'on jugerait *a priori* peu
suspects d'un esprit aussi rétrograde, comme par exemple
l'*Encyclopédie*. A l'article « Roman », composé sans doute
vers 1762, le chevalier de Jaucourt, après avoir distribué des
couronnes parcimonieuses à Mme de Lafayette et à Hamilton,
écrit : « Mais la plupart des autres *romans* qui leur ont succédé
dans ce siècle, sont ou des productions dénuées d'imagination,
ou des ouvrages propres à gâter le goût, ou ce qui est pis encore,
des peintures obscènes dont les honnêtes gens sont révoltés. »

A peu près au même moment, en 1761, l'abbé Irailh demande,
sans soupçonner qu'on puisse donner à ses interrogations oratoires une réponse autre qu'affirmative à la première et négative
à la seconde : « Le genre romanesque n'est-il pas un genre pernicieux de sa nature ? Peut-il s'allier avec le bon sens, les bonnes
mœurs, le bon goût, et le progrès des lettres (3) ? » Et, la même
année, Diderot, rappelant à deux reprises dans la même phrase
les deux grands chefs d'accusation contre le roman, observe :
« Par un roman, on a entendu jusqu'à ce jour un tissu d'événements chimériques et frivoles, dont la lecture était dangereuse
pour le goût et pour les mœurs (4). »

Cette opinion eut la vie dure : Laclos devait encore éprouver
la nécessité de la combattre en 1784. Remarquant que « De tous
les genres d'ouvrages que produit la Littérature, il en est peu
de moins estimés que celui des romans », l'auteur des *Liaisons
dangereuses* cherche à préciser les raisons d'une opinion selon lui
aussi injuste, et observe qu'il y en a deux, dont l'une ressortit

(1) *Ibid.*, éd. Moland, t. XIV, p. 142.
(2) *Les Pensées errantes ; avec quelques lettres d'un Indien*, Londres, Hardy,
1758, pp. 51-52.
(3) Abbé Augustin-Simon IRAILH, *Querelles littéraires*, Paris, Durand,
4 vol., 1761, t. II, p. 338.
(4) DIDEROT, *Eloge de Richardson*, éd. Assézat-Tourneux, t. V, pp. 212-
213.

à leur forme et l'autre à leur contenu : « Les motifs qu'on en donne sont, d'une part, la facilité du genre, et de l'autre l'inutilité des ouvrages (1). »

Cette remarquable persistance d'un double antagonisme dirigé contre le genre même du roman doit suffire à justifier une étude systématique de la critique, non tant des romans, que du genre romanesque lui-même. Les résultats de cette recherche permettront de hasarder et de commenter quelques-unes des conjectures les plus plausibles sur l'effet quelquefois inattendu de l'hostilité de la critique sur la formation et le développement du roman à l'époque. Si cette critique contemporaine ne fut, en effet, comme on le verra, ni très originale, ni très profonde, elle fut, en revanche, suffisamment éloquente et suffisamment obstinée pour que les romanciers n'aient pu tout à fait manquer d'en subir l'emprise et d'éprouver le besoin de s'en protéger. Elle est donc, malgré sa réelle médiocrité, seule capable d'aider à comprendre certains des traits les plus frappants et quelquefois les plus louables des meilleurs romans de l'époque. C'est ainsi, qu'un siècle plus tôt, les réflexions et coq-à-l'âne des doctes sur la *Poétique* d'Aristote, et les ratiocinations hargneuses de certains auteurs jaloux avaient eu, comme on le sait, une influence décisive sinon entièrement bénéfique sur la formation et le développement d'une littérature dramatique française d'une originalité et d'un éclat sans précédent. Du reste, les débats du XVIIe siècle sur le théâtre et ceux du XVIIIe sur le roman présentent tant d'analogies curieuses que les chapitres qui suivent devront plusieurs fois recourir aux uns pour éclairer les autres.

*
* *

Les historiens de la littérature sont d'ordinairement si fermement convaincus du bien-fondé du « tout est dit et l'on vient trop tard », qu'ils s'étonneront peut-être que l'étude qui suit puisse prétendre à quelque originalité. Il est temps de reconnaître, en effet, l'existence des ouvrages qui nous ont le plus facilité notre tâche, qui sont restés le plus fidèlement à la portée de notre main, et envers lesquels nous avons contracté une dette que nous nous plaisons à reconnaître ici. Quatre de nos prédécesseurs, professeurs et érudits, un Britannique, un

_____

(1) Début du compte rendu de *Cecilia* paru dans le *Mercure de France* du 17 avril 1784. Cité d'après l'édition Maurice Allem des *Œuvres complètes* de LACLOS, Bibliothèque de la Pléiade, p. 523.

Français, un Belge et un Américain, nous ont fourni par leurs œuvres l'appui le plus précieux.

De tous, F. C. Green est sans nul doute, sinon le seul, du moins celui qui s'est le plus directement intéressé à la question des rapports du roman avec la critique au xviiie siècle. Parmi les travaux nombreux et excellents qu'il a consacrés au roman français de cette époque, il faut surtout mentionner ici l'introduction à son ouvrage en français sur le roman de mœurs (1), et un remarquable et bref article publié en 1928 dans une revue britannique (2).

Les autres études indispensables sont centrées soit sur les romans, soit sur la critique. Elles ne se soucient pas autant que les deux qui viennent d'être rappelées d'analyser l'effet de celle-ci sur ceux-là. Au premier rang de ces études figure l'introduction magistrale de Daniel Mornet à son édition critique de *la Nouvelle Héloïse* (3), qui prend pour point de départ la date de 1741. Cet ouvrage est indispensable à tout travail futur sur le roman du xviiie siècle, tant par ses monumentales bibliographies, que par son premier chapitre que s'attache tour à tour à la théorie, puis à la pratique du roman dans les vingt années qui ont précédé *la Nouvelle Héloïse*.

Quant au gros livre irremplaçable de Servais Étienne (4) qui, malgré son titre, s'intéresse à quantité de romans qui parurent avant celui de J.-J. Rousseau, il constitue de loin la meilleure histoire du roman français pendant une partie du xviiie siècle. Il ne s'intéresse, cependant, guère à la critique de l'époque.

Enfin, le petit livre si dense de Moses Ratner (5), qui, lui, s'arrête bien, comme il l'annonce dans son titre, à la date de 1750, est une source inégalée de renseignements et de documentation sur la critique du roman.

Il serait fastidieux d'énumérer ici beaucoup d'autres ouvrages : ils seront mentionnés dans les notes chaque fois qu'ils nous auront rendu service. Mais il va sans dire que, sans dédaigner l'excellence

(1) Frederick Charles Green, *La Peinture des mœurs de la bonne société dans le roman français de 1715 à 1761*, Paris, Presses Universitaires de France, 1924, pp. 1-30.

(2) F. C. Green, « The Eighteenth-Century French Critic and the Contemporary Novel », *Modern Language Review*, XXIII (1928), pp. 174-187.

(3) Cf. ci-dessus, p. 3, n. 1. Chapitre Premier : « Le roman français de 1741 à 1760 », pp. 7-60. Bibliographies pp. 321-385.

(4) Servais Étienne, *Le genre romanesque en France depuis l'apparition de la Nouvelle Héloïse jusqu'aux approches de la Révolution*, Bruxelles, Lamartin, 1922, in *Mémoires de l'Académie royale de Belgique* ; 2e série, t. XVII, premier mémoire.

(5) Moses Ratner, *Theory and Criticism of the Novel in France from « l'Astrée » to 1750*, Thèse de doctorat de New York University, 1938.

et l'utilité pratique de beaucoup de ces études, il est indispensable pour traiter un sujet comme celui qui vient d'être esquissé, de consulter directement un grand nombre de témoignages de l'époque. Dans les assez nombreuses citations que nous avons dû leur emprunter au cours de cet ouvrage, nous avons cru bien faire de nous conformer à l'usage, assez répandu dans des études qui ne s'attachent pas particulièrement aux problèmes d'expression, de moderniser l'orthographe et la ponctuation quelquefois un peu déconcertantes du XVIIIe siècle.

*
* *

Si donc les chapitres qui suivent peuvent prétendre à quelque originalité, celle-ci dépend moins de la nouveauté toute relative de ces témoignages contemporains, que de la manière dont nous avons essayé de les disposer. De même qu'il ne s'agit pas ici d'une histoire du roman, de même il ne s'agit pas d'une histoire de la critique du roman. La question à laquelle cette étude essaye de répondre est tout simplement la suivante : quelle fut, sur le développement du roman entre *Gil Blas* et *la Nouvelle Héloïse*, l'influence des valeurs littéraires en cours ? Le premier chapitre essaiera de dresser un tableau des préjugés littéraires qui, à l'époque, militaient contre le roman ; le second analysera la direction que dut prendre le roman pour se conformer à ces préjugés ou pour y échapper. Cette direction menant à une sorte d'impasse, que nous avons appelée le dilemme du roman, notre troisième chapitre racontera comment, victime de ce dilemme, le roman fut mis au ban du royaume par le chancelier de France. Les chapitres suivants tâcheront de préciser les méthodes pratiques et les arguments théoriques auxquels les romanciers durent recourir pour échapper à cette incroyable proscription, pour sortir de l'impasse ou, si l'on veut, pour résoudre ce dilemme et miser simultanément sur les deux tableaux. On aboutira finalement à une série cohérente de conclusions dont l'une tendra, en particulier, à revaloriser, sinon à réhabiliter, le roman de cette époque.

Il va sans dire que nous n'avons lu ni tous les romans, ni toutes les réflexions critiques sur les romans publiés entre les dates limites précisées plus haut. Un pareil objectif aurait été à la fois immodeste et utopique ; et surtout le point de vue même de cette étude exige que le détail d'opinions fragmentaires et dispersées soit dominé et que les principales directions du roman et de la critique soient dégagées.

Au cours de nos recherches et de nos réflexions un fait nous a paru s'imposer avec une insistance particulière : l'énorme influence du classicisme louis-quatorzien sur les valeurs littéraires du temps. De toutes les hérédités qui pesèrent sur les romanciers pendant la première moitié du xviiie siècle, la plus lourde incontestablement fut celle des valeurs classiques. C'est pourquoi nous n'avons pas hésité, au cours de ces chapitres, à faire plus d'une incursion dans le passé et, en particulier, à revenir à plusieurs reprises sur les querelles du xviie siècle sur le théâtre. La lumière que ces enquêtes nous ont permis de jeter sur le problème central que nous nous étions proposé justifiera peut-être, aux yeux de lecteurs exigeants de rigueur et d'unité, ce qui ne serait autrement que digression.

En mettant les choses au mieux, il ne s'agit dans cette étude que d'un acheminement vers une réelle synthèse historique qui pourrait porter, soit sur le roman, soit sur la critique du roman. Dans la mesure où elle permettra peut-être un jour de réaliser cette synthèse, dans la mesure en tout cas où elle facilitera peut-être la tâche de celui ou de ceux qui la réaliseront, son objectif aura été atteint.

Chapitre Premier

L'OMBRE DU CLASSICISME

Les quelques textes cités au cours des pages qui précèdent témoignent de l'hostilité de la critique littéraire du siècle envers le roman avec à la fois tant de clarté et tant de force, qu'ils invitent à scruter plus attentivement cette hostilité, à essayer d'en découvrir les causes et les effets. Quoiqu'elle soit évidemment fondée sur des préventions à la fois esthétiques et morales, et quoique la plupart des adversaires du roman justifient leur opposition par les unes et les autres simultanément, en les distinguant sans préciser pour autant le rôle relatif des unes et des autres, il est indispensable pour parvenir à une compréhension réelle de leurs causes et de leurs effets de les cerner plus rigoureusement et de les examiner tour à tour.

L'évolution du roman, en effet, n'est intelligible à l'époque que dans la mesure où elle paraît obéir aux préoccupations qu'eurent les romanciers de justifier leurs ouvrages soit du point de vue esthétique, soit du point de vue moral, et dans la mesure où il leur est apparu difficile, sinon impossible, de satisfaire à la fois et par les mêmes œuvres aux exigences impliquées par ces deux systèmes de valeurs. Car les romanciers de l'époque furent bel et bien placés devant un dilemme, et durent user, pour essayer de le résoudre, de toutes les ressources de leur art ou de leur éloquence persuasive. A cet égard, le fait frappant que les romans se publient volontiers en ces années à l'abri d'une préface doctrinale, et le fait surtout que la doctrine exprimée dans la préface paraît souvent incompatible avec celle qui se dégage de la lecture du roman qu'elle précède et auquel elle est censée s'appliquer, ces faits sont significatifs et révélateurs. En même temps qu'ils rappellent que bien des pièces illustres de l'époque classique — *Tartuffe* ou *Phèdre*, par exemple — furent aussi précédées de préfaces peu en harmonie avec leur portée idéologique ou affective, en même temps ils sont révélateurs de la situation inconfortable, voire intenable faite aux romanciers par une atmosphère littéraire hostile. Ils sont révélateurs aussi de la perplexité des romanciers devant le genre qu'ils cultivent, et qui est encore trop neuf à l'époque, non seulement pour avoir montré toutes les possibilités qui sont les siennes, mais même pour permettre de supposer qu'il ait des possibilités autres que celles qui ont été réalisées dans le passé.

Les romanciers en sont donc réduits à tâtonner dans une obscurité due à la fois aux limbes brumeuses dans lesquelles le genre et ses adeptes se débattent encore, et aux nuages de fumée que leurs adversaires s'époumonnent à leur souffler au nez. Pour essayer de voir clair dans ce pot-au-noir propice aux confusions et aux impostures, il faut s'efforcer d'abord d'isoler arbitrairement les diverses questions qui se posent, sans perdre de vue le fait qu'au-delà de cette phase simplificatrice et analytique, il faudra restituer au réel historique et synthétique la complexité qui l'authentifie.

I

Pour préciser d'abord le sens et la portée de l'accusation esthétique contre les romans, il faut commencer par se reporter aux quelques citations rapportées plus haut. « On s'y gâte le goût », prétendait Bruzen de La Martinière. « Ils gâtent tous les genres de littérature auxquels ils ont quelque rapport », renchérissait le P. Porée. « Les vrais gens de lettres les méprisent », affirmait Voltaire. Ce sont « des ouvrages propres à gâter le goût », reprenait encore Jaucourt. Le parallélisme ou, mieux encore, la convergence de ces verdicts est impressionnante. Le recours répété au verbe *gâter* semble indiquer que le romancier est accusé de n'être pas un véritable homme de lettres parce que, cultivant délibérément un genre aussi corrupteur pour le bon goût, il commet une sorte de crime de lèse-littérature.

En vertu de quelles convictions de tels verdicts sont-ils explicables ? La première hypothèse qui se présente à l'esprit est que le genre romanesque ne peut être jugé ni sérieux ni honorable, pour la bonne raison que, s'il l'était, les grands écrivains de l'antiquité l'auraient cultivé. Cette hypothèse est une vérité démontrable au temps de l'*Art poétique* et du classicisme triomphant. Il n'en est plus tout à fait ainsi après la mort de Louis XIV, mais certaines conséquences de cette vérité désormais passée se font encore sentir.

Pour un Boileau, par exemple, le roman est exclu de la classe privilégiée des grands genres, faute évidemment de répondants chez les Grecs ou les Romains. Ni Aristote, ni Horace ne parlent du roman. Ni Homère, ni Virgile, ni Hésiode, ni Tibulle, ni Thucydide, ni Tacite n'ont écrit de romans. Aux basses époques seulement on rencontre des écrits qui peuvent être appelés romans, mais ils sont d'auteurs peu recommandables comme Longus ou Héliodore, ou, pis encore, comme Apulée ou Pétrone. Aucun n'est de taille à justifier par son exemple ce genre qu'ils ont cultivé, genre qui demeure donc anarchique et amorphe, bref genre qui n'en est pas un.

Il est inutile d'insister sur ce lieu commun, sinon pour remarquer que cet ostracisme du roman, fondé sur l'insuffisance de ses quartiers de noblesse, entraîne vis-à-vis du genre honni une attitude faite de tolérance condescendante dont les conséquences, elles, devaient survivre aux causes de ce bannissement. Si, en effet, Boileau affirme, par exemple, dès 1667, qu'

> Un roman, sans blesser les lois ni la coutume,
> Peut conduire un héros au dixième volume (1),

c'est bien évidemment à l'absence de modèles reconnus, et donc de règles, que le poète attribue la liberté insolite du roman. Il s'ensuit donc logiquement que

> Dans un roman frivole aisément tout s'excuse (2).

Car le raisonnement impliqué ici est celui-là même en vertu duquel il convient de tolérer, et même d'approuver qu'un roturier ou un vilain se conduise moins noblement qu'un gentilhomme. Dans la littérature comme dans la société, la naissance confère, avec des privilèges certains, des devoirs non moins certains. Si donc la tragédie ou l'épopée a pour devise « noblesse oblige », celle du roman pourrait être « roture donne licence ».

Ce raisonnement est si naturel et si instinctif à l'époque classique que, le plus souvent, il n'est pas exprimé ni même peut-être entièrement conscient. Il n'en est pas moins agissant pour cela. C'est lui, par exemple, qui permet de comprendre l'attitude et les commentaires de Mme de Sévigné lorsqu'elle relit, au cours de l'été 1671, les nombreux volumes de la *Cléopâtre* de La Calprenède. Qu'on en juge par les préjugés littéraires que

---

(1) BOILEAU, *Satire IX*, vv. 107-108.
(2) ID., *Art poétique*, chant III, v. 119.

dissimulent et révèlent ces quelques lignes extraites d'une lettre
écrite des Rochers à Mme de Grignan le 12 juillet :

> Je reviens à nos lectures, et sans préjudice de *Cléopâtre* que j'ai
> gagé d'achever : vous savez comme je soutiens mes gageures. Je songe
> quelquefois d'où vient la folie que j'ai pour ces sottises-là ; j'ai peine à
> le comprendre. Vous vous souvenez peut-être assez de moi pour savoir
> que je suis assez blessée des mauvais styles ; j'ai quelque lumière pour
> les bons, et personne n'est plus touchée que moi des charmes de l'élo-
> quence. Le style de La Calprenède est maudit en mille endroits : de
> grandes périodes de roman, de méchants mots, je sens tout cela. J'écrivis
> l'autre jour une lettre à mon fils dans ce style, qui était fort plaisante.
> Je trouve donc qu'il est détestable, et je ne laisse pas de m'y prendre
> comme à de la glu. La beauté des sentiments, la violence des passions,
> la grandeur des événements, et le succès miraculeux de leur redoutable
> épée, tout cela m'entraîne comme une petite fille ; j'entre dans leurs
> affaires ; et si je n'avais M. de La Rochefoucauld et M. d'Hacqueville
> pour me consoler, je me pendrais de trouver encore en moi cette
> faiblesse (1).

Tout en cultivant et taquinant donc un joli petit complexe
de culpabilité, dû évidemment au manque de dignité du délassement dont elle s'intoxique, la marquise s'en confesse comme
elle le ferait d'un péché mignon. Et, en effet, son goût pour La Calprenède est sans gravité, car il ne contamine en rien son goût
pour Corneille ou pour Bourdaloue. Il ne peut pas même les
contaminer, les cloisons étant encore parfaitement étanches
entre genres nobles et genres roturiers, plus même qu'elles ne
le sont alors dans la société entre aristocratie et bourgeoisie.
Bref l'indulgence de Mme de Sévigné pour le roman repose sur
les mêmes préjugés littéraires que celle de Boileau. Elles impli-
quent l'une et l'autre une condamnation sans appel de la
roture du genre, roture qui devient donc sa caractéristique
essentielle.

C'est pour se prémunir contre une opinion aussi répandue que
les défenseurs du roman durent à ce moment s'ingénier à lui
découvrir des parentés prestigieuses et à lui retrouver, sinon à
lui fabriquer, une généalogie anoblissante. C'est ainsi qu'il faut
interpréter le célèbre traité *De l'origine des romans* publié
en 1670 par Daniel Huet pour servir de bouclier à la charmante
Zaïde de son amie Mme de Lafayette. Le succès de ce traité
auprès des partisans du roman, qui ne cessent de s'en prévaloir

---

(1) Mme de Sévigné, *Lettres*, éd. Gérard-Gailly, Bibliothèque de la Pléiade
t. I, p. 332.

tout au long du XVIIIe siècle, s'explique par la sûreté avec laquelle
Huet touchait précisément au problème alors le plus important :
celui de l'ascendance littéraire du genre accusé de roture. Il
s'explique aussi par le prestige de l'éminent homme d'église
qui l'avait composé et qui suffit pour donner plus de poids à son
argument essentiel — argument qui était un lieu commun chez
les romanciers du siècle (1) — selon lequel le roman est un genre
d'une noblesse authentique et indubitable, puisqu'il descend
en droite ligne du poème épique. Bref, les parades défensives
des partisans du roman confirment ce qu'on pouvait déduire
des méthodes d'attaque de ses adversaires : au temps de l'*Art
poétique*, l'opinion suivant laquelle l'ineptie du genre romanesque se déduisait irréfutablement de l'attitude des Anciens
à son égard était monnaie courante.

Cette opinion ne devait pas tarder à se démonétiser. L'igno-
minie attachée à la roture allait vite s'amenuiser, en effet, et
il allait en être de même de l'infamie attachée à la bâtardise du
roman. Le mouvement commença dès avant la Régence : le
prestige de *Télémaque* en fut sans doute un facteur essentiel.
Puis il s'accéléra : lorsque la littérature chercha ses héros non
plus seulement parmi les puissants, les grands et les biens nés,
mais aussi parmi les paysans parvenus puis les fils naturels ;
lorsqu'elle conféra ses honneurs à un ancien apprenti graveur
comme Rousseau ou à un ancien ouvrier maçon comme Sedaine ;
en même temps s'effaçaient les stigmates honteux que le roman
devait à ses origines familiales troubles.

La critique antiromanesque cessa à mesure de fonder sa
condamnation esthétique sur le préjugé nobiliaire. Mais elle
n'en fut pas découragée pour autant dans son hostilité vis-à-vis
du roman, et elle n'en continua pas moins, comme on l'a vu,
à l'accuser en particulier de gâter le bon goût. Faute, en effet,
d'une raison aussi contestable que celle qui reposait sur le préjugé
de naissance, elle en trouva une bien meilleure qui, elle, était
la conséquence logique de la mauvaise. Dès 1671, un esprit
aussi avisé que Charles Sorel remarquait que les romanciers de
son temps, malgré leur abandon du merveilleux, n'approchaient
pas davantage du vraisemblable que leurs ancêtres médiévaux
dont avait fait justice son bon maître, Cervantès : « Quoiqu'ils
ne racontent ni fables, ni enchantements, ils ne laissent pas de
nous rapporter beaucoup de choses absurdes, tellement que
leurs ouvrages peuvent passer pour des Romans qui sont pour

---

(1) Cf., par exemple, M. RATNER, *op. cit.*, pp. 11-12.

le moins aussi Romans que tous les autres (1). » Mais c'est surtout
à partir du début du siècle suivant que la critique s'appliqua à
reprocher à ce fleuve de romans, qui avait coulé à pleins bords
depuis l'ouverture des écluses par Honoré d'Urfé un siècle plus
tôt, tous les défauts criants que ces romans devaient en partie
à la tolérance dédaigneuse de la critique classique : leur grossière
invraisemblance, l'impossibilité physique et morale de leurs
aventures, leur parti pris d'idéalisme outrancier, voire d'irréalisme, sans oublier leur jargon ridicule ou incompréhensible.
Écoutons de nouveau la voix tentatrice et dangereuse de l'*Art
poétique* :

> Dans un roman frivole aisément tout s'excuse ;
> C'est assez qu'en courant la fiction amuse ;
> Trop de rigueur alors serait hors de saison (2).

Dieu sait si les romanciers, longtemps avant que ces vers fussent
connus, s'étaient déjà prévalus de cette indulgence perfide !
Mis au ban de la littérature, le roman avait été exempté des
chaînes dorées que portaient vaillamment les genres nobles.
Il avait été autorisé à faire l'école buissonnière, à se dispenser
des obligations communes à l'idéal classique et avait donc pu
désobéir notamment aux deux règles cardinales des bienséances
et, plus encore, de la vraisemblance. Quoi de plus logique donc
que de lui reprocher après coup ses infractions flagrantes à
l'une et à l'autre ? On lui avait donné de la corde : il s'était
pendu.

Et, en effet, les thèmes précis des attaques esthétiques les
plus importantes du début du xviiiᵉ siècle furent l'invraisemblance et l'irréalisme de la composition des romans, de leur
invention, de leurs situations, de leur psychologie, de leur style.
Certains de ces chefs d'accusation étaient apparus avec netteté
dès l'époque de Molière, de Sorel, et surtout dès celle du célèbre
dialogue de Boileau sur *les Héros de roman*, composé sans doute
vers 1665, mais imprimé à l'insu de son auteur seulement vingt
ans plus tard. Vers 1710, dans la préface ou *Discours* qu'il
écrivit pour une nouvelle édition de ce dialogue, Boileau insiste
sur la puérilité — le mot revient à plusieurs reprises — des
romans de Gomberville, de La Calprenède, de Desmarets et
des Scudéry. Le but de son dialogue, affirme-t-il, est d'attaquer

---

(1) Charles Sorel, *De la connaissance des bons livres, ou Examen de plusieurs auteurs*, Paris, Pralard, 1671, p. 103.
(2) Boileau, *Art poétique*, chant III, vv. 119-121.

non seulement leur peu de solidité, mais leur affèterie précieuse de langage, leurs conversations vagues et frivoles, les portraits avantageux faits à chaque bout de champ de personnes de très médiocre beauté et quelquefois même laides par excès, et tout ce long verbiage d'amour qui n'a point de fin (1).

Ce texte tardif de Boileau, on le voit, n'invoque ni préjugé fondé sur l'absence de grands romans dans l'Antiquité, ni préjugé moral. C'est là du meilleur Boileau, à ceci près toutefois que le critique ne semble pas avoir compris que les extravagances diverses, qu'il reproche à juste titre au roman, sont en partie dues à la morgue dédaigneuse avec laquelle les critiques classiques, et lui-même en particulier, l'avaient traité un demi-siècle plus tôt.

Ailleurs, dans ce même texte de 1710, Boileau commet une sérieuse erreur de jugement. Ayant expliqué comment son dialogue date d'une époque déjà ancienne, il veut faire croire au lecteur qu'il a attendu, pour en autoriser la publication, la mort de Madeleine de Scudéry, survenue en 1701, afin, dit-il, de ne pas « donner ce chagrin à une fille qui, après tout, avait beaucoup de mérite (2) ». Passons sur l'affirmation d'un scrupule aussi insolite chez l'ennemi impitoyable de Chapelain et du frère même de Mlle de Scudéry. Ce qui surprend le plus de la part d'un homme aussi au courant de la vie littéraire de son temps, c'est que Boileau puisse, vers la fin de son *Discours*, dire des romans raillés dans le dialogue « que les voilà tombés dans l'oubli, et qu'on ne les lit presque plus » (3). Tout indique au contraire que ces romans conservèrent pendant de longues années encore des lecteurs enthousiastes (4). Et l'on sait, depuis la publication des *Confessions*, que le petit Jean-Jacques allait bientôt en faire avec son père ses premières lectures d'enfant, et y contracter, de son aveu même, son goût pour le romanesque. A peu près au même moment, en 1725, un médiocre littérateur, scandalisé de l'invraisemblance qui rend « monstrueux » à ses yeux les romans modernes, ne juge bon d'excepter de cette condamnation que les romans de « Durfé et Barclai » (5), vieux alors l'un et l'autre de plus d'un siècle. Ce qu'il y a donc de vrai, et la fin du présent chapitre y reviendra en détail, c'est qu'en 1710 ces romans sont non pas oubliés, mais démodés : ce n'est pas la même chose.

En fait tous les défauts dont se moque Boileau et qui se

(1) ID., *Les Héros de roman*, éd. T.-F. Crane, Boston, Ginn, 1902, p. 171.
(2) *Ibid.*, p. 171.
(3) *Ibid.*, p. 172.
(4) Cf., par exemple, MORNET, *op. cit.*, t. I, pp. 10-11.
(5) François DUVAL, *Lettres curieuses sur divers sujets*, Paris, Pepie, 2 vol., 1725, t. I, p. 141.

rangent d'eux-mêmes dans la rubrique du romanesque, se retrouvent jusque dans les meilleurs romans des années 1730 et 1740. Malgré ses réactions antiromanesques, dont témoignent ses premiers ouvrages, Marivaux, par exemple, succombe à l'occasion, dans *Marianne* et dans *le Paysan parvenu*, à la tentation du romanesque, en particulier dans les tiroirs ou histoires intercalées de ces romans. Quant à Prévost, qui avoue quelque tendresse pour La Calprenède et Mlle de Scudéry, il ne manque pas, jusque dans ses meilleurs romans, de sacrifier parfois, lui aussi, à son goût personnel et au goût de ses lecteurs pour les aventures extraordinaires et pour les sentiments outrés. Dans son traité *De l'usage des romans*, Lenglet-Dufresnoy, tout en prescrivant de se conformer au vraisemblable, n'en ratifie pas moins encore les extravagances de certains des romans louis-quatorziens. Il les codifie même.

Tout cela explique que les chefs d'accusation énumérés par Boileau ne sont, en aucune manière, démodés au temps de *Manon* ou des *Mémoires du comte de Comminge*. Qu'on se souvienne du premier roman de Marivaux, dont le sous-titre déjà est révélateur : *Pharsamon ou les folies romanesques* (1712). Tout le comique des premiers épisodes vient du comportement ridicule du héros qui, tel Don Quichotte, s'obstine à agir dans le monde réel conformément aux conventions et aux règles de conduite du monde romanesque. Bref, la condamnation du roman pour infraction à la règle du vraisemblable demeure opportune longtemps après la mort de Boileau. Si le roman est, comme on l'a vu, communément et longtemps accusé de « gâter le goût », ce n'est plus, comme au temps de l'*Art poétique*, une simple conséquence du préjugé de naissance, mais c'est à cause des extravagances diverses, qui toutes pèchent contre la vraisemblance, et qui se résument à propos dans le terme *romanesque*.

Il suffit, pour s'en convaincre, de lire un des ouvrages du temps, sans doute le plus complet et le plus spirituel de ceux qui furent la grosse artillerie dont les positions des auteurs et lecteurs de romans furent alors pilonnées. C'est le petit livre que le P. Bougeant lança en 1735 en manière de riposte au plaidoyer de Lenglet-Dufresnoy : *Voyage merveilleux du prince Fan-Férédin dans la Romancie*. Non seulement Bougeant s'en prend en bloc et anonymement aux anciens romans dont s'était déjà moqué Boileau, mais il n'hésite pas à nommer aussi ceux de plusieurs de ses contemporains les plus notoires, comme Prévost, Crébillon et Lesage (1),

_____

(1) Guillaume-Hyacinthe BOUGEANT, *Voyage merveilleux du prince Fan-Férédin dans la Romancie ; contenant plusieurs observations historiques, géographiques, physiques, critiques et morales*, Paris, Le Mercier, 1735. On trouve

qui, selon lui, ne sont donc pas plus exempts de ces défauts que leurs prédécesseurs. Sous la forme d'un voyage imaginaire et d'un conte de fées à l'orientale, Bougeant fait une satire amusante et impitoyable de tous les modes du romanesque : actions invraisemblables, caractères outrés, style fleuri, sentiments « quintessenciés », etc. Il distingue la Haute Romancie, peuplée de princes et de héros célèbres, de la Basse Romancie, « abandonnée à tous les sujets du second ordre, voyageurs, aventuriers, hommes et femmes de médiocre vertu » (1). Mais il les confond l'une et l'autre dans la même hostilité railleuse et un peu lourde.

Tel semble donc être le sens de la condamnation esthétique. Le roman est un genre artistiquement corrompu et corrupteur, parce qu'il ne se conforme à aucune des règles classiques fondées sur le respect du bon sens et du bon goût. La nostalgie des chefs-d'œuvre littéraires du siècle de Louis XIV, irrémédiablement passé et paré du prestige trompeur et dangereux des choses mortes, eut ainsi parfois une influence fâcheusement rétrécissante sur certains esprits qui ne surent conserver de l'impétueux idéal classique que le souvenir d'un rationalisme étroit et bougon.

Le mépris d'un Voltaire ou d'un Jaucourt faisait payer au roman la liberté sans bornes qui, au siècle précédent, lui avait été imposée pour le punir d'une naissance obscure, laquelle le rendait indigne d'observer les préceptes dérivés de l'étude des chefs-d'œuvre de l'Antiquité.

II

Parmi ces préceptes qu'il avait été invité à transgresser figuraient au premier rang la règle de la vraisemblance et celle des bienséances. Comme on vient de le voir, ce fut faute d'avoir observé la première que le roman tomba par la suite sous le coup de la condamnation esthétique au nom du bon goût. On

---

des allusions à *Cleveland* (pp. 78, 101, 149 et surtout 232 et s.), aux *Mémoires et aventures d'un homme de qualité* (pp. 143, 146 et 183), à *Manon Lescaut* (p. 231), à *Tanzaï et Néadarné* (p. 123), au *Diable boiteux* (p. 212), à *Gil Blas* (p. 213), etc. Notons qu'un périodique aussi conservateur que les *Observations sur les écrits modernes* de l'abbé DESFONTAINES dut protester dès la publication du pamphlet du P. Bougeant contre sa superficialité, voire son injustice : l'auteur « devait, ce me semble, rendre plus de justice à l'auteur du *Cleveland*, et en faveur de sa féconde et brillante imagination, pardonner le fond quelquefois vicieux de ses ouvrages » (Lettre 6, du 23 avril 1735, *Observations...*, t. I, p. 140).

(1) G.-H. BOUGEANT, *op. cit.*, p. 107.

est tenté dès lors de se demander si ce fut faute d'avoir observé
la seconde qu'il tomba simultanément sous le coup de la condamnation morale au nom des bonnes mœurs. Les choses ne sont
malheureusement pas tout à fait aussi simples ni aussi harmo-
nieuses. Le grand roman précieux, s'il n'observait guère la vraisemblance, en revanche observait assez scrupuleusement les
bienséances. Et surtout la règle des bienséances perdit beaucoup
de son crédit au cours du XVIIIe siècle, alors que celle de la vraisemblance conservait un prestige intact, voire accru.

Si le roman fut si régulièrement accusé d'immoralité, non
seulement au XVIIIe siècle, mais bien plus tard encore, c'est
pour une autre raison qui tient au rôle privilégié qu'y joue
l'amour. Le sujet romanesque par excellence étant l'amour,
les romans devaient nécessairement être accusés de produire
un effet tentateur et corrupteur sur leurs lecteurs, et, pis encore,
sur leurs lectrices. Il suffisait, pour s'en persuader, de relire les
termes de l'anathème lancé par Nicole à la fin de décembre 1665.
On oublie trop souvent, en effet, que Desmarets de Saint-Sorlin,
cible de l'attaque de Nicole, était peut-être alors plus connu
encore pour son roman *Ariane* que pour ses pièces de théâtre,
et que, par conséquent, les deux genres étaient également visés
par la violence du pamphlétaire janséniste :

> Un faiseur de romans et un poète de théâtre est un empoisonneur
> public, non des corps, mais des âmes des fidèles, qui se doit regarder
> comme coupable d'une infinité d'homicides spirituels, ou qu'il a causés
> en effet ou qu'il a pu causer par ses écrits pernicieux. Plus il a eu soin
> de couvrir d'un voile d'honnêteté les passions criminelles qu'il y décrit,
> plus il les a rendues dangereuses, et capables de surprendre et de cor-
> rompre les âmes simples et innocentes. Ces sortes de péchés sont d'autant
> plus effroyables, qu'ils sont toujours subsistants, parce que ces livres
> ne périssent pas, et qu'ils répandent toujours le même venin dans ceux
> qui les lisent (1).

Si les deux genres sont réunis dans la même condamnation
par l'austère docteur janséniste, c'est évidemment parce qu'ils
faisaient la partie trop belle à la passion de l'amour en particulier. C'est aux années mêmes de la querelle suscitée par les
lettres de Nicole que songe, en effet, Boileau lorsqu'il écrit :

> Bientôt l'amour, fertile en tendres sentiments,
> S'empara du théâtre ainsi que des romans (2).

---

(1) NICOLE, première *Lettre sur l'hérésie imaginaire*, citée dans l'édition
P. Mesnard des *Œuvres de J. Racine*, Grands Écrivains de la France, t. IV,
p. 258.
(2) BOILEAU, *Art poétique*, chant III, vv. 93-94.

Cette idée, si janséniste donc, que la peinture des passions de l'amour est dangereuse et que, par conséquent, les genres littéraires qui se spécialisent dans cette peinture doivent être condamnés, cette idée a cours à l'époque qui nous intéresse et quelquefois même auprès d'esprits qu'on aurait *a priori* soupçonnés de plus de libéralisme. C'est ainsi, par exemple, que la marquise de Lambert, femme éclairée s'il en fut, peut encore écrire en 1728 dans ses *Avis d'une mère à sa fille :*

La poésie peut avoir des inconvénients : j'aurais pourtant peine à interdire la lecture des belles tragédies de Corneille. Mais souvent les meilleures vous donnent des leçons de vertu, et vous laissent l'impression du vice.

La lecture des romans est plus dangereuse : je ne voudrais pas que l'on en fît un grand usage ; ils mettent du faux dans l'esprit. Le roman n'étant jamais pris sur le vrai, allume l'imagination, affaiblit la pudeur, met le désordre dans le cœur ; et pour peu qu'une jeune personne ait de la disposition à la tendresse, hâte et précipite son penchant (1).

Ceci nous conduit tout droit au calvinisme intransigeant du dogme qu'énonce J.-J. Rousseau dans sa première préface à *la Nouvelle Héloïse :* « Jamais fille chaste n'a lu de romans (2). » A peu près au même moment, dans sa comédie en vers *le Droit du seigneur* (1760), Voltaire fait chorus avec bonne humeur et sans s'inquiéter autant que le citoyen de Genève de la vertu des filles. Dans la charmante deuxième scène de l'acte II se trouve le joli dialogue des deux jeunes filles et la tirade sur les romans que Voltaire devait refuser par la suite de retirer de son texte :

ACANTHE
Colette,
Que les romans rendent l'âme inquiète !

COLETTE
Et d'où vient donc ?

ACANTHE
Ils forment trop l'esprit :
En les lisant le mien bientôt s'ouvrit ;
A réfléchir que de nuits j'ai passées !
Que les romans font naître de pensées !
. . . . (3)

(1) *Œuvres de Mme la marquise de Lambert*, seconde éd., Lausanne, Marc-Michel Bousquet, 1748, pp. 81-82.
(2) Ed. MORNET, *op. cit.*, t. II, p. 3.
(3) Ed. MOLAND, t. VI, p. 28.

Il n'est pas ordinaire de voir la Compagnie de Jésus d'accord
en quoi que ce soit avec la pensée janséniste, la pensée calviniste
et celle de l'auteur de *Candide*. Et pourtant, comme nous aurons
à le montrer incessamment, les jésuites se firent à l'occasion les
porte-parole éloquents de cette doctrine banale sur l'immoralité
du roman ; et les voix venant de Trévoux ou du collège Louis-le-
Grand chantèrent à l'unisson avec celles qui étaient venues ou
allaient venir de Port-Royal, de Genève et de Ferney. C'est dire
si les raisonnements qu'on trouve à l'époque pour soutenir la
condamnation du roman au nom des valeurs morales sont des
lieux communs couramment acceptés (1).

Ces raisonnements, qui ne sont guère variés, semblent calqués
sur ceux qu'on avait édifiés au XVIIe siècle et qu'on reprenait
avec fougue au XVIIIe pour condamner la représentation de
l'amour au théâtre. Si l'amour en question était, pour une
raison ou pour l'autre, coupable, qu'il fût adultère, infidèle
ou débauché, le roman qui le peignait était naturellement accusé
d'attirer la sympathie du lecteur sur l'amoureux et d'inspirer
donc de mauvaises mœurs. Ce fut là, par exemple, une des
raisons pour lesquelles *Manon Lescaut* fut condamnée en 1733,
malgré la précaution élémentaire prise par Prévost, sinon d'y
récompenser la vertu, du moins d'y punir le vice. Aux esprits
les plus modérés, le roman parut, en effet, immoral dans la
mesure où le lecteur était amené à éprouver de la sympathie
pour des personnages si profondément dévoyés, et, plus encore,
dans la mesure où c'était le pouvoir d'attraction de la passion
amoureuse, passion si néfaste pour eux, qui suscitait paradoxalement cette sympathie. Un homme aussi peu suspect de rigorisme
littéraire et moral excessif que l'auteur des *Lettres persanes*
et du *Temple de Gnide* pouvait, en effet, noter dans ses
carnets :

J'ai lu, ce 6 avril 1734, *Manon Lescaut*, roman composé par le
P. Prévost. Je ne suis pas étonné que ce roman, dont le héros est un
fripon, et l'héroïne, une catin qui est menée à la Salpêtrière, plaise ;
parce que toutes les mauvaises actions du héros, le chevalier des Grieux,
ont pour motif l'amour, qui est toujours un motif noble, quoique la
conduite soit basse. Manon aime aussi ; ce qui lui fait pardonner le
reste de son caractère (2).

(1) On trouvera sur ce point plusieurs renvois intéressants à la critique
des années 1732-1750 dans M. RATNER, *op. cit.*, p. 78, n. 2.
(2) MONTESQUIEU, *Mes pensées*, in éd. R. Caillois des *Œuvres complètes*,
Bibliothèque de la Pléiade, t. I, p. 1253. Ce texte apparaît aussi dans le *Spicilège*, même édition, t. II, p. 1374.

Cet exemple a été choisi à dessein pour l'ouverture d'esprit du critique et pour la modération du romancier dans sa peinture de l'amour illicite. Il représente donc un degré minimum d'après lequel on jugera sans difficulté de la violence des vitupérations que des lecteurs mieux pensants que Montesquieu purent dégorger à propos de romans de moins bon aloi que *Manon Lescaut.*

Mais la peinture de l'amour permis, chaste ou innocent ne connut pas une moindre opposition ; au contraire. Il semble que le souvenir de l'effet produit par la lecture de *Lancelot* sur Francesca et Paolo fût constamment à l'esprit des critiques chagrins de l'époque. A propos, par exemple de la publication en 1703 de *la Princesse de Portien* d'auteur inconnu, le chroniqueur des *Mémoires de Trévoux*, sans désarmer devant l'innocence du roman, souligne au contraire que « le soin qu'on y prend d'ôter à l'amour tout ce qui le ferait paraître une passion honteuse et grossière, le rend plus propre à s'insinuer dans les âmes bien nées » (1). Sur ce point encore, les jésuites sont en parfait accord avec Nicole, comme on en jugera en se reportant à l'avant-dernière phrase du célèbre passage de celui-ci cité un peu plus haut. Quant à Mme de Lambert, elle pensera de la même manière exactement et, en 1728, à la suite du passage qui vient d'être cité de ses *Avis d'une mère à sa fille*, elle mettra cette dernière en garde dans les termes que voici : « Il ne faut point augmenter le charme, ni l'illusion de l'amour ; plus il est adouci, plus il est modeste, et plus il est dangereux (2). » Cette opinion est si répandue, même parmi les partisans du roman, que Lenglet-Dufresnoy déclare nettement la partager :

Je sais cependant ce qu'on dit contre nos romans, et j'avoue qu'on a raison de leur reprocher que le fond de leurs intrigues ne roule que sur l'amour ; que les épisodes n'y représentent que des situations quelquefois si sensibles et si délicatement imaginées, qu'elles inspirent aux âmes les plus rebelles une passion à laquelle on n'est déjà que trop enclin par le penchant de la nature (3).

Autrement dit, il ne s'agit même pas de savoir si l'amour qui fait le sujet du roman est dans la réalité permis ou interdit par les lois morales, civiles ou religieuses. Il suffit que le roman ait comme sujet l'amour pour qu'il soit automatiquement suspect de corruption et donc pour qu'on le condamne. C'est l'amour lui-même, ou, du moins, la représentation de l'amour qui fait

(1) *Mémoires de Trévoux*, février 1703, p. 312.
(2) Ed. citée, p. 82.
(3) Lenglet-Dufresnoy, *op. cit.*, t. I, p. 38.

le scandale. Or, comme il n'y a pas à l'époque de romans qui ne
soient, tout au moins en partie, romans d'amour, c'est tout le
genre dont la condamnation est ainsi automatiquement prononc-
cée. On se souvient du coup du réquisitoire éloquent de Bourdaloue dans son admirable sermon *Sur les divertissements du monde*,
qui ouvre, pourrait-on dire, la série des attaques dues aux
membres de la Compagnie de Jésus :

> Qu'est-ce, à le bien définir, que le roman ? Une histoire, disons mieux,
> une fable proposée sous la forme d'histoire, où l'amour est traité par art
> et par règles ; où la passion dominante et le ressort de toutes les autres
> passions, c'est l'amour ; où l'on affecte d'exprimer toutes les faiblesses,
> tous les transports, toutes les extravagances de l'amour ; où l'on ne voit
> que maximes d'amour, que protestations d'amour, qu'artifices et ruses
> d'amour, où il n'y a point d'intérêt qui ne soit immolé à l'amour, fût-ce
> l'intérêt le plus cher selon les vues humaines, qui est celui de la gloire ;
> où la gloire elle-même, la belle gloire, est de sacrifier tout à l'amour ;
> où un homme infatué ne se gouverne plus que par l'amour : tellement
> que l'amour est toute son occupation, toute sa vie, tout son objet, sa
> fin, sa béatitude, son Dieu (1).

Des arguments moraux de ce genre ne sont évidemment pas
limités au roman. Dans son sermon, Bourdaloue ne parle des
romans que parmi de nombreux autres divertissements du
siècle. Et l'on se souvient du réquisitoire impitoyable de Pascal :
« Tous les grands divertissements sont dangereux pour la vie
chrétienne ; mais entre tous ceux que le monde a inventés, il
n'y en a point qui soit plus à craindre que la comédie (2). »

III

En fait la querelle du théâtre au xviie siècle avait précédé
les premières escarmouches sur le roman et, parmi les nombreux
arguments qui avaient été réunis pour démontrer l'abomination
du théâtre, celui qui touchait à la représentation de l'amour
n'avait pas été le moindre. Dès cette grande affaire que fut la
querelle du *Cid*, la question avait été soulevée, non seulement
par les adversaires de Corneille, ce qui était de bonne guerre,
mais même innocemment par ses admirateurs. L'acteur Mondory,
par exemple, dans sa célèbre lettre à Balzac du 18 janvier 1637,
anticipant de trente ans le fameux vers de Boileau *Tout Paris*

(1) Bourdaloue, *Œuvres*, éd. Bretonneau, *Pour les dimanches*, Paris,
Rigaud, 4 vol., 1726, t. II, pp. 83-84.
(2) Pascal, *Pensées*, éd. Brunschvicg, n° 11.

pour Chimène a les yeux de Rodrigue, observait que *le Cid*, alors
à ses débuts, « a charmé tout Paris. Il est si beau qu'il a donné de
l'amour aux dames les plus continentes, dont la passion a même
plusieurs fois éclaté au théâtre public. (1) » Ranimée une trentaine
d'années plus tard lors de la querelle des *Imaginaires*, l'accusation
exaspéra Corneille au point de lui dicter les quelques lignes
particulièrement sarcastiques et réjouissantes de sa préface
d'*Attila* : « Il n'y a point d'homme, au sortir de la représentation
du *Cid*, qui voulût avoir tué, comme lui, le père de sa maîtresse,
pour en recevoir de pareilles douceurs, ni de fille qui souhaitât
que son amant eût tué son père, pour avoir la joie de l'aimer en
poursuivant sa mort (2). » Quant à Boileau, songeant en particulier au texte de Nicole cité plus haut, il ripostait ainsi de son
côté dans l'*Art poétique* :

> Je ne suis pas pourtant de ces tristes esprits
> Qui, bannissant l'amour de tous chastes écrits,
> D'un si riche ornement veulent priver la scène,
> Traitent d'empoisonneurs et Rodrigue et Chimène.
> L'amour le moins honnête, exprimé chastement,
> N'excite point en nous de honteux mouvement.
> Didon a beau gémir et m'étaler ses charmes,
> Je condamne sa faute en partageant ses larmes.
> Un auteur vertueux, dans ses vers innocents,
> Ne corrompt point le cœur en chatouillant les sens :
> Son feu n'allume point de criminelle flamme (3).

C'est ainsi qu'une bonne partie des chefs d'accusation d'ordre
moral dirigés contre le roman, en particulier celui tenant à la
puissance contagieuse de toute représentation des passions, est
directement inspirée de ceux qui avaient été et étaient quelquefois
encore dirigés contre le théâtre. Comme on l'a vu, le texte célèbre
de Nicole attaquant Desmarets de Saint-Sorlin confondait
déjà en 1665 dans le même anathème le genre romanesque et le
genre dramatique. Les deux genres abominables sont à nouveau
condamnés ensemble par Barbier d'Aucour, en 1666, dans sa
lettre répondant à celle que Racine venait de lancer en riposte à
Nicole :

Prétendez-vous que les faiseurs de romans et de comédies soient des
gens de grande édification parmi les chrétiens ? Croyez-vous que la

---

(1) *Œuvres complètes de P. Corneille*, éd. Marty-Laveaux, t. III, p. 10.
(2) *Ibid.*, t. VII, pp. 106-107. Cf. aussi l'épître dédicatoire de *la Suite du Menteur*.
(3) BOILEAU, *Art poétique*, chant IV, vv. 97-107.

lecture de leurs ouvrages soit fort propre à faire mourir en nous le vieil homme, à éteindre les passions, et à les soumettre à la raison ? Il me semble qu'eux-mêmes s'en expliquent assez, et qu'ils font consister tout leur art et toute leur industrie à toucher l'âme, à l'attendrir, à imprimer dans le cœur de leurs lecteurs toutes les passions qu'ils peignent dans les personnes qu'ils représentent ; c'est-à-dire, à rendre semblables à leurs héros ceux qui doivent regarder Jésus-Christ comme leur modèle et se rendre semblables à lui (1).

Le rapprochement des attaques contre le roman au XVIIIe siècle avec celles dirigées contre le théâtre au XVIIe et reprises plus d'une fois au XVIIIe n'est donc pas un simple jeu d'esprit, mais répond au contraire à une réalité historique certaine. De plus, ce rapprochement semble être la meilleure, sinon la seule manière de comprendre certains des aspects particuliers de l'attaque contre le roman (2). Les adversaires du théâtre, en 1666 au moment de la querelle des *Imaginaires*, plus encore en 1694 au moment des *Maximes et réflexions sur la comédie* de Bossuet, et encore bien plus en 1758 au moment de la *Lettre à d'Alembert sur les spectacles*, sont des esprits réactionnaires qui, au nom d'un idéal moral et religieux élevé n'hésitent pas à s'opposer au courant de leur temps. De même les adversaires du roman en 1735 et 1736, au temps du livre du P. Bougeant et du discours du P. Porée, vont nettement et, semble-t-il, consciemment contre le goût de plus en plus marqué de leurs contemporains pour les lectures romanesques. Dans les deux cas, ces critiques rétrogrades furent vaincus par la force ascensionnelle même des genres qu'ils condamnaient. Dans les deux cas encore, malgré leur défaite, ces critiques lancèrent contre leurs adversaires des objections et des préjugés qui, eux, eurent la vie extraordinairement dure. Quelques-uns de ces préjugés n'ont peut-être pas même encore totalement disparu aujourd'hui, en particulier dans les pays de tradition protestante. Un célèbre critique américain, né en Nouvelle-Angleterre en 1865, pouvait encore se souvenir que, lorsqu'il était jeune, sa mère ne lui permettait pas de lire de romans le dimanche (3).

Une différence fort nette entre ces deux séries d'attaques

---

(1) *Œuvres de J. Racine*, éd. P. Mesnard, t. IV, p. 311.
(2) Sur la querelle du théâtre, on pourra consulter : Ch. URBAIN et E. LEVESQUE, *l'Eglise et le théâtre*, collection « La Vie chrétienne », Paris, Grasset, 1930 ; et M. BARRAS, *The Stage Controversy in France from Corneille to Rousseau*, New York, Publications of the Institute of French Studies, Inc., 1933. Ce dernier ouvrage comprend une riche bibliographie.
(3) William Lyon PHELPS, *The Advance of the English Novel*, New York, Dodd, Mead & Co., 1916, p. 10.

existe cependant ; et il faut la mesurer et la peser avec soin pour bien comprendre certaines des raisons d'ordre littéraire qui, au cours des années 1730, orientèrent le roman français dans les directions qu'on lui vit prendre alors. L'attaque contre le théâtre était à l'origine fondée uniquement sur des arguments théologiques. Que les adversaires du théâtre fussent des ecclésiastiques, comme Bossuet, ou des laïcs, comme le prince de Conti, ils ne manquaient pas de citer saint Augustin et d'invoquer la tradition de l'Église. Les arguments qu'ils mirent sur pied furent donc presque exclusivement de nature religieuse et morale. L'attaque contre le roman, on l'a vu, fut, en revanche, montée sur des arguments esthétiques aussi bien que sur des arguments moraux. Il semble relativement facile de découvrir les raisons d'une différence aussi importante.

La raison la plus évidente est, bien entendu, que le théâtre était trop solidement fortifié par le rempart des littératures anciennes pour prêter le flanc aux attaques de nature uniquement esthétique. Un Boileau ou un Voltaire pouvaient afficher impunément leur mépris pour le roman. Mais on aurait été mal venu à leur époque de traiter avec autant de morgue des genres qui avaient pour garants des noms d'un prestige aussi inattaquable que ceux de Sophocle ou de Térence. On trouve une confirmation à ce raisonnement dans le fait que la comédie fut, à l'époque classique, beaucoup moins à l'abri des attaques d'ordre esthétique que ne le fut la tragédie. Molière devait s'en apercevoir trop souvent et exprimer son indignation à ce sujet, par exemple dans *la Critique de l'École des femmes*. En effet, le bouclier forgé par Euripide ou Sénèque était d'un prestige, et donc d'une efficacité, bien plus considérable que celui que constituaient les œuvres d'écrivains aussi discutés qu'Aristophane ou Plaute. Certes, il y avait heureusement Ménandre — mais il était fort mal connu — et surtout Térence. Térence, malgré quelques sacrifices d'un goût quelquefois douteux et d'une odeur parfois peu engageante sur l'autel de l'atellane, était le plus admiré — ou plutôt le seul admiré — des comiques de l'Antiquité et avait même franchi les murs de Port-Royal. Le Maître de Saci, en effet, donnait en 1647 une traduction de trois de ses comédies, si bien que, lorsque Nicole attaqua plus tard les auteurs dramatiques dans les termes qu'on connaît, ceux-ci ne se privèrent pas de signaler ironiquement cette poutre de belle taille dans l'œil des jansénistes. Racine n'y manque ni dans l'une ni dans l'autre de ses deux lettres de 1666 ; et Corneille, avec la

robuste ironie dont il a le secret, note dans la préface déjà citée
d'*Attila* que :

> ... la comédie est assez justifiée par cette célèbre traduction de la
> moitié de celles de Térence, que des personnes d'une piété exemplaire et
> rigide ont donnée au public, et ne l'auraient jamais fait, si elles n'eussent
> jugé qu'on peut innocemment mettre sur la scène des filles engrossées
> par leurs amants, et des marchands d'esclaves à prostituer.

La situation relativement moins protégée donc qu'occupait
la comédie explique en partie pourquoi celle-ci dut, en pleine
période classique, au moment de la querelle de *l'École des femmes*,
combattre pour le droit à la vie. Elle explique aussi pourquoi
il arriva assez souvent aux critiques rétrogrades d'englober
dans la même condamnation méprisante la comédie et le roman.
Les réflexions critiques concernant simultanément les deux
genres sont fréquentes dès l'époque de La Bruyère (1), et notre
quatrième chapitre en rappellera plusieurs. Bref, cette position
relativement inférieure faite à la comédie dans la hiérarchie des
grands genres classiques, le fait que son genre même fut mis en
cause, ce qui ne fut le cas ni de la tragédie, ni de l'épopée, ces
deux indices confirment l'hypothèse selon laquelle le manque de
romans aux grandes époques de l'Antiquité est une des raisons
pour lesquelles le genre romanesque tout entier dut se défendre
sur le terrain esthétique aussi bien que sur le terrain moral.
Une deuxième raison, découlant logiquement et historiquement de celle-ci, tient au fait que l'objection morale dirigée
contre la peinture des passions, était dans le fond la même
lorsqu'il s'agissait du roman que lorsqu'il s'était agi du théâtre.
Or, au théâtre tout au moins, cette objection avait vers 1730
perdu beaucoup de son efficacité et de sa force persuasive, du
fait du succès et de la gloire posthume persistante des grands
dramaturges du xviiᵉ siècle. Corneille, Molière, Racine, tous
avaient victorieusement riposté aux accusations de Nicole,
non seulement par des textes critiques retentissants à l'époque,
mais par le succès durable de leurs œuvres, par les honneurs
qu'elles leur avaient valus, par l'ardeur de leurs épigones à les
égaler. Dans l'esprit de la majorité du public, l'argument moral
contre le théâtre sortait de tout cela désarmé.
La conséquence logique en fut donc que, à l'époque où nous
nous plaçons et à laquelle le souvenir des valeurs littéraires du
classicisme était encore aussi vif que le souvenir de ses chefs-

(1) Cf. ce qu'en dit Lesage, ci-dessus, introduction, p. 6.

d'œuvre et de ses querelles, des deux sortes d'armes disponibles pour essayer d'abattre le roman, les armes esthétiques semblaient plus prometteuses de victoires que les armes morales. D'une part, en effet, l'objection morale sortait affaiblie de son corps à corps avec les géants du théâtre, et, d'autre part, le roman se présentait génériquement comme particulièrement vulnérable aux coups portés au nom des valeurs esthétiques. Partisans et adversaires du roman semblent s'être plus ou moins clairement rendu compte de cet état de choses.

Conscient du fait que le roman était dangereusement exposé faute de la respectabilité que confèrent des ascendants antiques inattaquables, conscient aussi de l'insuffisance des répondants constitués par *les Éphésiaques, Daphnis et Chloé, le Satyricon* ou *l'Ane d'or*, Lenglet-Dufresnoy, par exemple s'attache systématiquement en 1734 à reprendre et à développer la théorie présentée par Huet en 1670 et qui accordait au roman l'ascendance prestigieuse de l'épopée. En fait, dès 1725, on pouvait lire dans une lettre de François Duval « A Madame la comtesse de V** » cette affirmation aussi catégorique que stupéfiante : « Homère et Virgile sont à la tête des romanciers, et par là donnent un grand poids à ces sortes d'ouvrages ; ils ont employé la belle fiction plus heureusement que nos modernes, et ont fait d'excellents romans (1). » Pour répliquer à des plaidoyers de ce genre, il suffisait à Bougeant de reprendre et de développer les arguments présentés, par exemple, par Boileau pour ridiculiser le roman au nom des valeurs littéraires de l'idéal classique. Ces arguments pouvaient, du reste, passer pour beaucoup moins réactionnaires et démodés qu'ils ne nous apparaissent peut-être maintenant, du fait que les écrivains les plus illustres vers 1735, Houdar de La Motte, Crébillon père, J.-B. Rousseau, Voltaire lui-même, semblaient bien être les continuateurs des contemporains de Boileau et de Huet.

Dans ce monde littéraire des années 1730, dont les valeurs étaient sorties bouleversées non seulement de la trop fameuse crise de conscience, mais plus encore sans doute des soubresauts récents de la Régence, dont l'esprit était dès lors trop éloigné de celui des années 1670 pour qu'un retour en arrière fût concevable, dans ce monde paradoxal, on jouait, semble-t-il, à prétendre que rien n'avait changé et qu'il importait donc surtout de maintenir rigoureusement telles quelles les formes littéraires qui avaient si bien réussi aux illustres louis-quatorziens. Il paraissait donc tout

(1) F. Duval, *op. cit.*, t. I, p. 141.

G. MAY

à fait naturel de voir, par exemple, Lenglet-Dufresnoy et Bougeant
échanger en 1734-1735 pour et contre le roman des arguments
vieux d'au moins soixante-dix ans, et dont le moins qu'on puisse
en dire est qu'ils s'appliquaient mieux aux romans de La Calprenède ou de Mlle de Scudéry qu'à ceux de Lesage ou de Prévost.

IV

Avant de tirer les conclusions impliquées à l'époque par ce
privilège du préjugé esthétique contre le roman et par son importance supérieure à celle du préjugé moral, il convient de faire ici
une autre remarque à son propos, et de poser ce faisant un jalon
pour plus tard. Si le dialogue de Boileau sur *les Héros de roman*
eut une influence sans doute si considérable et si durable, c'est
à cause de la justesse avec laquelle le critique avait su discerner
les points les plus faibles du genre romanesque, tel qu'il était
pratiqué vers 1665-1666, date de la composition initiale du dialogue ; c'est aussi grâce à la précision sans bavures avec laquelle
il avait su souligner et ridiculiser ces faiblesses qui passaient alors
pour des beautés. Ce que Boileau ne peut admettre ni excuser
dans le roman, nous l'avons vu, c'est tout ce qui en est « romanesque », bref c'est son irréalisme. Or cet irréalisme n'est pas
douteux ; il fait même délibérément partie des objectifs esthétiques des romanciers. C'est non seulement l'extravagance des
aventures qu'ils recherchent, mais, ce qui est plus grave, l'extraordinaire des caractères. Dans son avis *Au lecteur* de *Faramond*,
en 1661, La Calprenède, par exemple, en avertissait franchement
le public : « Si Faramond vous paraît un homme trop extraordinaire, et pour son procédé et pour ses aventures, vous en avez
d'autres sur lesquels vous pourrez jeter les yeux, quoiqu'à vous
dire la vérité ils aient tous peu de rapport avec les hommes vulgaires (1). » Ce public, du reste, auquel s'adressait ici La Calprenède était bien entendu d'accord avec cette conception du héros
de roman. On en jugera en se référant, par exemple, aux réactions
déjà signalées de Mme de Sévigné relisant la *Cléopâtre* du même
La Calprenède. Choquée et « blessée », comme elle le dit elle-même,
par la méchanceté du style de La Calprenède, qui est « maudit
en mille endroits » (2), elle ne peut s'empêcher de subir pourtant
la fascination qu'exerce sur elle la perfection surhumaine des
grands héros : « C'est ordinairement sur cette lecture que je

(1) Cité dans M. RATNER, *op. cit.*, p. 23.
(2) Lettre du 12 juillet 1671, éd. Gérard-Gailly, *op. cit.*, t. I, p. 332.

m'endors ; le caractère m'en plaît plus que le style. Pour les
sentiments, j'avoue qu'ils me plaisent aussi, et qu'ils sont d'une
perfection qui remplit mon idée sur les grandes âmes (1). » Le
jugement est digne de celle qui, fidèle à Rodrigue et à Nicomède,
s'écrie ailleurs : « Vive donc notre vieil ami Corneille ! » Car de
même que les héros cornéliens suscitaient, comme ceux de La
Calprenède ou de Mlle de Scudéry, l'admiration dans la mesure
où leur héroïsme était plus surhumain ; de même la toile de fond
pseudo-historique du roman de l'époque compte moins comme
effort de reconstitution du passé, que comme une manière de
faire accepter l'extravagance de certains événements plus ou
moins attestés par la tradition historique ou légendaire, et particulièrement propres à donner carrière aux vertus héroïques les
plus rares. Quelques années après la préface d'*Héraclius*, où Corneille fait la théorie bien connue de l'invraisemblable vrai,
éminemment désirable dans la tragédie, Mlle de Scudéry, à propos
de sa *Clélie*, se prétendra — tout arrive — plus proche de Boileau
que de Corneille, et voudra justifier les modifications apportées à
ses sources au nom de la doctrine selon laquelle « le mensonge [...]
est plus vraisemblable que la vérité » (2). Il suffit de lire le roman
pour juger de cette vraisemblance.

> Gardez donc de donner, ainsi que dans *Clélie*,
> L'air ni l'esprit français à l'antique Italie (3).

Si donc Boileau avait cent fois raison de choisir ce roman
pour signaler l'invraisemblance grossière d'un tel manque de
perspective historique, courant dans l'ensemble de la production
romanesque du temps, c'est dire si, sur le plan historique autant
que sur le plan psychologique, le roman était génériquement
vulnérable aux accusations d'invraisemblance et d'irréalisme
du dialogue sur *les Héros de roman*.

Dans l'étude précise et bien documentée qu'il consacre à la
règle de la vraisemblance, René Bray explique, avec une clarté
qui ne manque pas de subtilité, comment cette règle, du fait
qu'elle prêche uniquement le vraisemblable et non pas le vrai,
mène en fait à une véritable libération de l'imagination. Le

---

(1) Lettre du 15 juillet 1671, *ibid.*, p. 334. On pourra s'amuser à mesurer
le bovarysme avant la lettre de la marquise en relisant l'aveu qu'Emma Bovary
fait de ses goûts littéraires à Léon lors de leur première rencontre : « ... J'adore
les histoires qui se suivent tout d'une haleine, où l'on a peur. Je déteste les
héros communs et les sentiments tempérés, comme il y en a dans la nature. »
(Gustave FLAUBERT, *Madame Bovary*, « Bibliothèque de la Pléiade », p. 401.)
(2) Cité dans M. RATNER, *op. cit.*, p. 23.
(3) BOILEAU, *Art poétique*, chant III, vv. 115-116.

fameux vers de Boileau, comme l'étonnante déclaration de Mlle de
Scudéry qui vient d'être rapportée, expliquent ce paradoxe
apparent que résume René Bray dans la formule suivante :
« La règle du vraisemblable conduit au romanesque par le canal
de l'infidélité à l'histoire (1). » Bray montre encore comment,
à peu près seul parmi les grands écrivains de son temps, Corneille
échappe à ce mouvement (2). En effet, l'auteur de *Pertharite*
cherchait ouvertement à un moment donné de sa carrière l'invraisemblable, et il le justifiait naturellement par la fidélité à l'histoire, mais à une histoire soigneusement choisie pour ses aspects
insolites et incroyables. Si l'on se souvient que ce sera là le chemin
que suivront certains romanciers historiques de l'époque romantique, on en conclura qu'une méthode vaut l'autre, puisqu'elles
mènent finalement toutes les deux au romanesque.

On appréciera le bien-fondé de la fine analyse de René Bray en
lisant les remarques faites en 1739 et 1741 par deux romanciers
réfléchissant sur le genre même du roman. Ils parviennent, en
effet, comme on va le voir, aux mêmes conclusions sur la part du
vrai et du vraisemblable dans la création littéraire. Le marquis
d'Argens, brossant un rapide tableau du développement du roman
en France, remarque qu'une des raisons pour lesquelles le public
du XVIIe siècle préféra les nouvelles du genre de celles de Mme
de Lafayette aux romans du genre de ceux de La Calprenède,
tenait au goût de ce public pour le vraisemblable : « On se lassa
de ces longs romans. On n'y trouva point même le vraisemblable
que Mlle de Scudéry avait prétendu y mettre. » Et d'Argens de
conclure avec assurance : « Le vrai est le fondement de l'histoire.
Le vraisemblable suffit au roman et à la nouvelle (3). » Quant
à l'abbé Lambert, imitateur de l'abbé Prévost, il préface en 1741
ses *Mémoires et aventures d'une dame de qualité qui s'est retirée
du monde* par les réflexions suivantes qu'il met sous la plume de
sa mémorialiste, la « dame de qualité », la marquise de Courtanville. Non seulement la marquise va raconter tout simplement ce
qui s'est passé dans sa vie, sans « romanesque enchaînement de
fictions merveilleuses », mais, dit-elle : « Je suis même bien aise
d'avertir que tout ce qui a l'air de fiction rebute fort la sincérité
de mon caractère ; que j'ai souvent sacrifié la vérité à la vrai-

(1) René Bray, *la Formation de la doctrine classique en France*, Paris,
Nizet, 1951, p. 209.
(2) *Ibid.*, p. 211.
(3) Marquis d'Argens, « Discours sur les nouvelles », in *Lectures amusantes,
ou les Délassements de l'esprit*, La Haye, Moetjens, 2 vol., 1739, t. I, pp. 24-25
et 33.

semblance ; je veux dire que je n'ai retranché bien des faits très
réels et très véritables que parce qu'ils pouvaient paraître peu
vraisemblables (1). »

En fait, malgré ses prétentions de respect pour l'histoire dans
le choix des sujets et dans leur traitement, le grand roman
du XVIIe siècle était évidemment imaginaire. Mieux encore : la
psychologie et la morale romanesques, dans la mesure où elles
illustraient délibérément le code constitué par l'idéal précieux,
qui est bien conçu comme un idéal, ne pouvaient être par définition ni réalistes, ni, à plus forte raison, historiques. Il ne s'agit
pas ici d'un raisonnement arbitraire et spécieux. Des preuves
précises de son authenticité existent dans les textes mêmes de
l'époque en question. C'est ainsi que, dans *la Prétieuse* de l'abbé
de Pure, en 1656, nous trouvons un débat, inspiré par la distinction aristotélicienne entre l'histoire et la poésie. Parmi les personnages de *la Prétieuse*, qui se déclarent partisans de l'une ou de
l'autre, on distingue Aracie qui, elle, n'opte ni pour l'une, ni pour
l'autre, mais donne sa prédilection au roman, dont Aristote
n'avait dit mot, et pour cause. Parmi les raisons qu'énumère
Aracie pour justifier son goût, elle explique de manière claire
et convaincante que le roman est supérieur à l'histoire parce que
celle-ci contient parfois des inconvenances choquantes et
immorales :

Cet espace de vertus qui est entre la magnanimité et la modestie y
est absorbé par l'avidité et l'ambition des princes ou des usurpateurs,
par la lâcheté ou par la servitude des peuples. On n'omet point un roi
couronné par le crime, établi par la rébellion, élevé par le meurtre de son
maître, protégé par le nombre des coupables, heureux par ses principes
pernicieux d'une politique particulière. La vérité, la sincérité de l'histoire, oblige même d'exposer au public les choses les plus dignes de
l'obscurité et du silence ; il faut même pénétrer aux choses que la honte
des plus corrompus a voulu tenir cachées ; il faut en faire des révélations
et des descriptions, ou l'historien est défectueux ou passe pour n'avoir
pas eu de bonnes instructions et pour avoir manqué de bons mémoires (2).

On trouvera confirmation de cela en consultant un adversaire
résolu de l'irréalisme précieux, l'auteur du *Francion* et de l'*Anti-
Roman*. Charles Sorel, dans son important traité de 1671, reconnaît que certains de ses contemporains, et sans doute certaines

(1) Abbé Claude-F. LAMBERT, *Mémoires et aventures d'une dame de qualité
qui s'est retirée du monde*, La Haye, au dépens de la Compagnie, 3 vol., 1741,
t. I, p. 5.
(2) Michel de PURE, *la Prétieuse* (Première Partie), éd. Emile Magne,
Paris, Droz, S.T.F.M., 2 vol., 1938, t. I, p. 138.

de ses contemporaines, préfèrent le roman à l'histoire, en particulier parce que, dans celle-ci, « les bons y sont perpétuellement
affligés et les méchants y prospèrent », et aussi parce que les
récits historiques sont trop simples, trop peu surprenants et donc
peu divertissants : « Ces raisons qui semblent plausibles ont été
glissées dans quelques livres, et débitées dans des compagnies
où l'on a voulu persuader que les romans valaient mieux que
l'histoire ; mais il ne faut point prétendre qu'on laisse longtemps
en crédit un si étrange paradoxe (1). »

Tout semble donc bien s'être passé comme si les romanciers
du xviie siècle avaient été, eux aussi, placés par les goûts incompa-
tibles de leurs lecteurs et de leurs lectrices devant un dilemme. Ce
dilemme de 1650-1670 est certes différent de celui de 1730-1750
sur lequel notre troisième chapitre s'efforcera d'apporter quelques
précisions. Mais l'un et l'autre sont dus à la combinaison impra-
ticable, ou, en tout cas, délicate, d'exigences diverses dont
certaines relèvent de l'idéal moral de la pensée littéraire de leur
temps, et dont les autres relèvent de son idéal esthétique. Au temps
du classicisme, ces exigences s'étaient incarnées dans les règles
cardinales des bienséances d'une part, et de la vraisemblance de
l'autre. La préférence des précieuses, et ici de l'Aracie de l'abbé
de Pure, pour les bienséances, va de soi. Ce fut, en fait, parce
qu'elles avaient fait des bienséances la règle d'or de toute activité
que les précieuses devaient être aux prises avec un Molière, un
Sorel, ou un Boileau qui, de toute évidence, étaient prêts, eux, en
cas de conflit, à donner le pas à la règle du vraisemblable. Ce fut
donc bien parce qu'il parut dans certains genres littéraires,
notamment celui du récit en prose, difficile et comme impossible
de remplir simultanément les conditions impliquées par ces deux
règles, que fut d'abord soulevé ce débat au premier abord inattendu, et peut-être même inepte, sur les mérites respectifs du
roman et de l'histoire.

C'est pour bien replacer les origines de ce débat dans le
contexte historique qui semble avoir été le leur qu'il a fallu, au
prix peut-être de quelque contravention à la logique de ce développement, interrompre un moment la description des diverses
sources d'antagonisme envers le roman au temps de Prévost et
de Marivaux. Les deuxième et cinquième chapitres du présent
ouvrage devront revenir sur cette concurrence du roman et de
l'histoire au xviiie siècle, et, si l'on trouvera peut-être conforme
à son attente de voir un Marmontel exprimer à ce propos des

---

(1) C. SOREL, *op. cit.*, pp. 81-83.

opinions analogues à celles de l'idéal précieux, on sera peut-être
plus surpris, en revanche, d'entendre un écho incontestable des
paroles d'Aracie chez Pierre Bayle, chez l'abbé Prévost et surtout chez l'auteur de *Justine* qui, à cette occasion, se montrera
par extraordinaire plus marquis que sadique (1).

          *
   * *

La comparaison, faite plus haut entre la querelle du théâtre
au XVIIᵉ siècle et certains aspects des attaques dirigées contre le
roman entre 1725 et 1760, a permis de mettre en lumière les raisons
pour lesquelles les plus efficaces de celles-ci furent celles qui
étaient lancées au nom des valeurs esthétiques, et notamment
des droits lésés de la vraisemblance. Un coup d'œil, à certains
des textes critiques les plus significatifs à cet égard, permettra
maintenant, d'une part, de vérifier par les faits la véracité d'un
raisonnement qui a pu paraître trop abstrait et trop arbitraire, et, d'autre part, de préciser dans une certaine mesure le
moment pendant lequel l'argument esthétique conserva sa
suprématie.

Un assez grand nombre de critiques, dont tous, d'ailleurs,
n'étaient pas, loin de là, rétrogrades ni hostiles par principe au
roman, expriment pendant les années 1730 et suivantes avec
une unanimité éloquente et significative leur accord avec les
attaques du dialogue de Boileau. Peu de temps après la publication en 1735 de la satire du P. Bougeant mentionnée plus haut,
l'abbé Desfontaines, connu lui aussi, pour ses goûts littéraires
conservateurs, remarque en 1737 dans ses *Observations sur les
écrits modernes* :

> A l'égard des romans, ce genre si frivole et si nuisible aux mœurs et
> au progrès des belles lettres, il n'y a guère que quinze ans qu'ils sont
> rentrés en grâce. Les grands romans furent entièrement abolis par
> l'ingénieux dialogue de Despréaux : tel fut le fruit de la critique. *La
> Princesse de Clèves, la Princesse de Montpensier, Zaïde* achevèrent de
> dégoûter le public (2).

(1) Cf. ci-dessous, chap. II (pp. 71-72) et chap. V (p. 154).
(2) *Observations sur les écrits modernes*, t. VIII (1737), p. 28. Cité dans
l'Esprit de l'abbé Desfontaines, Londres et Paris, Duchesne, 4 vol., 1757, t. I,
pp. 72-73. L'abbé de LAPORTE, auteur de cette copieuse anthologie de Desfontaines, affirme dans la préface (t. I, p. XII) : « On n'y trouvera aucun morceau
qui ne soit entièrement de l'abbé Desfontaines. » C'est pourquoi, bien que la
plupart des textes que nous en citerons par la suite aient originalement paru
dans des périodiques dont Desfontaines n'était pas le seul rédacteur, c'est
à lui que nous les attribuerons.

Il va sans dire que c'est du grand roman précieux que, selon
Desfontaines, les nouvelles de Mme de Lafayette « achevèrent
de dégoûter le public ». Cette remarque — que nous verrons tout
à l'heure le chevalier de Jaucourt faire à son tour dans l'*Encyclopédie* — semble être conforme à ce qu'enseigne l'examen scrupu-
leux de l'histoire littéraire de la fin du xviiᵉ siècle, encore que,
sur ce point, il semble que les romans de Mme de Villedieu et de
quelques romancières plus oubliées aujourd'hui aient joué aussi,
par leur succès, un rôle important (1). Mais Desfontaines commet
une bévue chronologique sérieuse puisque les ouvrages qu'il
cite de Mme de Lafayette furent tous publiés antérieurement au
dialogue de Boileau. Il méconnaît également les remarques
faites par Boileau lui-même, comme nous l'avons rappelé un peu
plus haut, dans sa préface de 1710, et selon lesquelles sa satire
paraissait trop tard, puisque les romans qu'elle ridiculisait étaient
déjà selon lui « tombés dans l'oubli ». En fait, si, comme nous
l'avons souligné aussi, Boileau méconnaissait l'étonnante longé-
vité du succès des grands romans héroïques précieux du xviiᵉ siècle, il n'en reste pas moins vrai que, vers 1735-1740, la mode
avait changé et que, si on les lisait certes encore, si même on les
réimprimait encore, du moins on ne les imitait plus.

Cette modification salutaire du goût, plusieurs contemporains
de Desfontaines devaient s'en féliciter. Le marquis d'Argens en
est un. Il nous faudra plusieurs fois, dans la suite de ce livre,
faire appel au témoignage de cet écrivain que nous avons déjà
cité plus haut, et notamment à celui de ses ouvrages qui connut
le plus de succès à l'époque, les *Lettres juives*, dont plus de dix éditions se succédèrent coup sur coup à partir de 1738. Pour relativement négligé qu'il soit aujourd'hui, d'Argens, en effet, fut
un des hommes les plus influents de la période qui nous retient.
Daniel Mornet, qui la connaissait bien, n'hésitait pas à placer
d'Argens tout de suite après Voltaire et Montesquieu parmi ceux
qu'il appelait « les maîtres de l'esprit nouveau », entre 1715
et 1748 (2). Après avoir, dans la trente-cinquième de ses *Lettres
juives*, parlé de la mode du roman du type d'*Ariane* et de
Polexandre, d'Argens écrit en 1738 :

> Depuis quelque temps on a changé cette façon de penser ; le bon goût
> est revenu : au lieu de surnaturel, on veut du raisonnable ; et, à la place

---

(1) Cf., entre autres, Antoine ADAM, *Histoire de la littérature française
au XVIIᵉ siècle*, Paris, Domat, t. IV (1954), pp. 172-180.
(2) Daniel MORNET, *les Origines intellectuelles de la Révolution française (1715-1787)*, Paris, Armand Colin, 1933, pp. 34-35.

d'un nombre d'incidents qui surchargeaient les moindres faits, on demande une narration simple, vive et soutenue par des portraits qui nous présentent l'agréable et l'utile (1).

Ce témoignage est d'autant plus intéressant à sa date que le contexte explique nettement comment les œuvres qui illustrent le mieux à son avis ce goût nouveau et meilleur sont les romans de l'abbé Prévost, lesquels jouissaient alors de leur première vogue.

Dans un passage de son article de l'*Encyclopédie* sur les romans, composé sans doute peu après 1760, le chevalier de Jaucourt, de son côté, après avoir sévèrement passé en revue les longs romans du XVIIᵉ siècle, attribue leur désaffection à la vogue de la nouvelle historique si brillamment illustrée par *la Princesse de Clèves* : « Mme la comtesse de Lafayette dégoûta le public des fadaises ridicules dont nous venons de parler. » A peu près au même moment, c'était à l'influence de Boileau que l'abbé Irailh, critique aussi conservateur que son défunt confrère Desfontaines, attribuait abusivement tout l'honneur de ce coup de balai salutaire :

Gomberville, La Calprenède, Desmarets et Scudéry avaient le suffrage de presque toute la nation. Le Juvénal français, jeune alors, mais d'un goût fin et d'un jugement formé, sentit allumer sa bile : il en vomit des torrents. Son dialogue à la manière de Lucien fit cesser l'illusion (2).

Bref, on est d'accord pour remarquer un changement de goût ; on est d'accord pour saluer ce changement comme un progrès bienfaisant ; mais on n'est pas tout à fait d'accord sur l'identité des bienfaiteurs. Une chose est vraie à ce sujet : c'est que ce changement de goût, devenu pour ainsi dire universel dès 1730, avait commencé à se faire sentir sporadiquement une quarantaine d'années plus tôt. C'est ainsi, par exemple, qu'en 1693, dans l'avis *Au lecteur* de son influente nouvelle historique, *Ildegerte, reine de Norvège*, Eustache Lenoble, prenant sans doute partiellement ses désirs pour des réalités, affirmait pour commencer :

Les goûts sur les livres changent de mode chez les Français comme les habits. Les longs romans pleins de paroles et d'aventures fabuleuses, et vides des choses qui doivent rester dans l'esprit du lecteur et y faire fruit, étaient en vogue dans le temps que les chapeaux pointus étaient trouvés beaux. On s'est lassé presque en même temps des uns et des autres, et les petites histoires ornées des agréments que la vérité peut

---

(1) D'ARGENS, *Lettres juives*, t. I, p. 308.
(2) Abbé Augustin-Simon IRAILH, *Querelles littéraires*, Paris, Durand, 4 vol., 1761, t. II, p. 339.

souffrir ont pris leur place, et se sont trouvées plus propres au génie
français qui est impatient de voir en deux heures le dénouement et la
fin de ce qu'il commence à lire (1).

Après avoir insisté de la sorte sur la brièveté de son ouvrage,
Lenoble continue en affirmant que ce n'est pas d'un roman qu'il
s'agit, mais de la vérité historique scrupuleuse, simplement mise
au goût français. Bref, cette nouvelle orientation du roman que
signale et illustre Lenoble dès la fin du xviiᵉ siècle marque bien
le début du changement profond qui ne sera achevé qu'un tiers
de siècle plus tard environ. Le premier critique du xviiiᵉ siècle qui
se soit clairement rendu compte d'une innovation aussi importante semble bien être Desmolets, dont la *Lettre à Mme* D** *sur les
romans* est sans doute le premier en date des textes critiques de
valeur sur le roman à l'époque (2). Desmolets y donne du roman
une définition remarquable à sa date pour son discernement :

> Un récit qui ne contient rien que de vrai est une *Histoire* ; un tissu
> de fictions est une *Fable* ; le mélange de la fable et de l'histoire fait le
> *Roman*. Ce qu'il y a de vrai intéresse ; ce qu'il y a de fiction embellit
> et amuse ; plus la vérité y domine, mieux la fiction est ménagée, et plus
> le *Roman* approche de sa perfection (3).

On voit jusqu'à quel extrême le pendule a maintenant oscillé.
Non seulement on exige le vraisemblable d'un genre qui s'en
était, au siècle précédent, tenu si soigneusement à l'écart, mais on
exige le vrai. Les mêmes critiques, qui affichaient tant de mépris
pour les extravagances de La Calprenède et de Desmarets — Desfontaines, par exemple — demandent non seulement la vraisemblance, mais l'illusion complète :

> Le plus grand défaut des romans ordinaires, de ceux qu'on a la bonté
> de lire, est de paraître trop romans ; jusque-là que leurs auteurs font
> souvent la sottise d'en avertir leurs lecteurs à la tête de l'ouvrage.
> Quelle illusion prétendent-ils faire, après cela ? Cependant l'illusion est
> essentielle à un livre de fiction. C'est un grand art de savoir éviter
> l'apparence de l'art (4).

---

(1) Eustache Lenoble, *Ildegerte, reine de Norvège, ou l'Amour magnanime*,
éd. de 1694. Non paginé. La 1ʳᵉ éd. est de 1963.
(2) « Not until 1728 do we come across any important reference to the novel »,
écrit F. C. Green (*loc. cit., Modern Language Review*, XXIII (1928), p. 174),
à propos de ce bref essai qu'il a consulté dans une autre édition que nous,
celle de la *Bibliothèque française* de Dusauzet, Granet et Goujet, t. XI, p. 46.
(3) Desmolets, « Lettre à Mme D** sur les romans », in *Continuation des
mémoires de littérature et d'histoire*, Paris, Simart, t. V, p. 193, italiques dans
le texte.
(4) *Observations sur les écrits modernes*, t. XXIX (1742), pp. 205-206 (à
propos de *Pamela*), texte cité dans l'*Esprit de l'abbé Desfontaines*, éd. citée,
t. I, p. 220.

Et pourtant, d'après le savant bibliographe qui compila un catalogue détaillé des 946 romans qu'il a pu identifier entre 1700 et 1750, il n'y en aurait que quatre ou cinq dont le titre ou le sous-titre indiquât qu'il s'agissait d'un roman (1). En tout cas, ne serait-ce que par sa naïveté, la remarque de l'abbé Desfontaines marque combien, vers 1740, le goût avait changé. Consultons sur ce point un dernier critique, le plus sage sans doute et le plus perspicace. Écho peu écouté alors, mais sensible, lucide et fidèle de son temps, Vauvenargues note, en effet, dans un texte qu'il écrivit sans doute vers 1745 :

> Le faux en lui-même nous blesse et n'a pas de quoi nous toucher. Que croyez-vous qu'on cherche si avidement dans les fictions ? L'image d'une vérité vivante et passionnée ; nous voulons de la vraisemblance dans les fables mêmes, et toute fiction qui ne peint pas la nature est insipide. Il est vrai que l'esprit de la plupart des hommes a si peu d'assiette qu'il se laisse entraîner au merveilleux, surpris par l'apparence du grand. Mais le faux, que le grand leur cache dans le merveilleux, les dégoûte au moment qu'il se laisse sentir ; on ne relit point un roman (2).

La remarque est cette fois d'une justesse et d'une portée tout à fait exceptionnelles parmi les réflexions critiques inspirées à cette époque par le roman. Elle ajoute au regret qu'on éprouve en songeant à la mort prématurée de cet homme : auteur de *Caractères* et de *Maximes*, Vauvenargues aurait pu être le meilleur romancier de sa génération.

Mais dans tout cela il ne s'est agi que de la critique et non pas des œuvres romanesques. Or les meilleurs des romans qui parurent entre 1725 et 1745, ceux de Lesage, de Mme de Tencin, de Prévost, de Marivaux, de Duclos, de Crébillon, du chevalier de Mouhy, furent tous sans comparaison plus réalistes — nous verrons comment dans le chapitre suivant — que ceux qui les avaient précédés. En fait ces écrivains s'amusèrent souvent, dans le cours même de leurs romans, à souligner malicieusement le réalisme des aventures ou des sentiments qu'ils décrivaient en les comparant explicitement aux extravagances si communes dans les romans. Dès les premières pages des *Mémoires et aventures d'un homme de qualité*, Prévost, en 1728, fait déclarer, par exemple, à son héros, au moment où celui-ci renonce à faire un

---

(1) S. Paul Jones, *A List of French Prose Fiction*, New York, Wilson, 1939, p. xv.

(2) Vauvenargues, « Des romans », § 7 des *Réflexions sur divers sujets.* Dans les *Œuvres de Vauvenargues*, éd. Pierre Varillon, Paris, Cité des Livres, 3 vol., 1929, t. I, p. 89.

portrait en forme de sa sœur Julie : « Je tracerais ici sans peine les charmes de son visage, de sa taille et de son esprit, si ces sortes de descriptions ne convenaient plus à un roman qu'à une histoire sérieuse (1). »

Même artifice de Prévost dans son *Cleveland*. Au cours du livre IV, l'auteur place les réflexions suivantes sous la plume de son héros :

> J'ai peut-être satisfait trop tôt la curiosité de mes lecteurs. Pour rendre mon histoire plus intéressante, et lui donner les grâces d'un roman, j'aurais dû remettre à la fin de mon ouvrage l'éclaircissement que je me suis hâté de donner en cet endroit. Mais suis-je capable de chercher à plaire, et ai-je promis autre chose dans ces mémoires que de la sincérité et de la douleur (2) ?

Lesage lui-même, qui ne cherchait tout de même pas à faire croire à l'authenticité des mémoires de Gil Blas, use du même procédé. Parlant du moment où celui-ci aperçoit pour la première fois le palais de l'archevêque de Grenade, Lesage lui fait écrire, en des termes qui ne peuvent manquer de rappeler ce passage du premier chant de l'*Art poétique* où Boileau ridiculise ouvertement Scudéry :

> Si j'imitais les faiseurs de romans, je ferais une pompeuse description du palais épiscopal de Grenade. Je m'étendrais sur la structure du bâtiment. Je vanterais la richesse des meubles. Je parlerais des statues et des tableaux qui y étaient. Je ne ferais pas grâce au lecteur de la moindre des histoires qu'ils représentaient : mais je me contenterai de dire qu'il égalait en magnificence le palais de nos rois (3).

De manière plus caractéristique encore, dans la sixième partie (1736) de *la Paysanne parvenue* de Mouhy, l'héroïne, Jeannette, s'enfuyant secrètement avec une autre jeune femme qui lui a fait de longues confidences, mais à qui elle n'en a fait aucune, observe :

> Je ne lui avais fait encore aucune part de mes secrets ; ces confidences précipitées sont bonnes pour les romans, où l'on est obligé de rapprocher les choses, et où l'on fait dire aux personnages bien ou mal tout ce qui peut servir à allonger la matière ; mais la vérité, qui doit faire le fond

---

(1) Prévost, *Mémoires et aventures d'un homme de qualité qui s'est retiré du monde*, liv. Ier, Paris, Mame, 3 vol., 1808, t. I, p. 18.

(2) Prévost, *Cleveland*, liv. IV, in *Œuvres de Prévost*, Paris, Boullain-Tardieu, 39 vol., 1823, t. V, p. 148.

(3) Lesage, *Gil Blas*, liv. VII (1724), chap. II, éd. R. Etiemble, Pléiade, p. 854.

des mémoires qu'on écrit, veut du vraisemblable ; cette règle est même si essentielle que l'on est obligé souvent de retrancher des événements parce qu'ils s'éloignent quelquefois du cours ordinaire des choses (1).

Et, dans la quatrième partie, qui parut la même année 1736, de *la Mouche*, le même Mouhy fait écrire par son héros et narrateur, Bigand : « Si l'on avait prétendu faire un roman, on n'aurait pas manqué de rapporter mot pour mot tous les transports que la passion fit exprimer ; mais des mémoires aussi vrais que ceux-ci ne doivent pas être profanés par de vaines fictions (2). »

A la même date ou à peu près (1736-1738), dans *les Égarements du cœur et de l'esprit*, Crébillon, en dehors même de sa préface sur laquelle nous devrons revenir plus loin (3), ne rate pas une occasion dans le texte du roman de donner de petits coups de patte en passant aux excès des romanciers romanesques. C'est ainsi, par exemple, qu'après avoir aperçu la sage et jolie Hortense à l'Opéra, le jeune Meilcour, dont les mémoires constituent le roman, note : « Plein de trouble je retournai chez moi et d'autant plus persuadé que j'étais vivement amoureux que cette passion naissait dans mon cœur par un de ces coups de surprise qui caractérisent dans les romans les grandes aventures (4). » Et, un peu plus loin, lorsqu'il revoit Hortense à la promenade aux Tuileries, il cherche en vain un prétexte pour l'aborder et se présenter à elle, et observe dans ses mémoires :

Je me rappelai alors toutes les occasions que j'avais lues dans les romans de parler à sa maîtresse, et je fus surpris qu'il n'y en eût pas une dont je pusse faire usage. Je souhaitai mille fois qu'elle fît un faux pas, qu'elle se donnât même une entorse : je ne voyais plus que ce moyen pour engager la conversation. Mais il me manqua encore, et je la vis monter en carrosse, sans qu'il lui arrivât d'accident dont je pusse tirer avantage (5).

Un exemple encore : au début de la huitième partie de *la Vie de Marianne* (1738), s'adressant à la dame à qui elle envoie les tranches successives de ses mémoires, et qui est censée s'être irritée contre les infidélités dont Valville s'est rendu coupable

(1) Mouhy, *la Paysanne parvenue*, nouv. éd., Paris, Prault, 4 vol., 1756, t. II, pp. 275-276. A rapprocher de la déclaration de l'abbé Lambert, ci-dessus, pp. 36-37.
(2) Id., *la Mouche, ou les Aventures de M. Bigand*, Paris, Dupuis, 2 vol., 1736, t. II, p. 128.
(3) Cf. ci-dessous, chap. IV, pp. 110-111.
(4) Crébillon, *les Egarements du cœur et de l'esprit*, éd. Pierre Lièvre, Paris, Le Divan, 1929, p. 52.
(5) *Ibid.*, pp. 86-87.

dans la septième partie, Marianne précise dans les termes que
voici la nature de ce qu'elle écrit :

> Valville n'est point un monstre comme vous vous le figurez. Non,
> c'est un homme fort ordinaire, madame ; tout est plein de gens qui lui
> ressemblent, et ce n'est que par méprise que vous êtes si indignée contre
> lui, par pure méprise.
>   C'est qu'au lieu d'une histoire véritable, vous avez cru lire un roman.
> Vous avez oublié que c'était ma vie que je vous racontais : voilà ce qui
> a fait que Valville vous a tant déplu ; et dans ce sens-là, vous avez eu
> raison de me dire : Ne m'en parlez plus. Un héros de roman infidèle !
> On n'aurait jamais rien vu de pareil. Il est réglé qu'ils doivent tous être
> constants ; on ne s'intéresse à eux que sur ce pied-là, et il est d'ailleurs
> si aisé de les rendre tels ! il n'en coûte rien à la nature, c'est la fiction
> qui en fait les frais.

Des exemples de ce genre, qu'on trouverait en quantité et sans
grande difficulté dans les romans de l'époque, montrent clairement la nouveauté de la tradition romanesque réaliste qu'inau-
guraient consciemment ces romanciers dans les années 1730.
S'ils se désolidarisaient aussi ouvertement de leurs grands
prédécesseurs du siècle précédent, et s'ils s'engageaient aussi
évidemment dans la direction réaliste, ce fut sans doute
pour échapper à l'attaque esthétique des ennemis du roman,
dont ce chapitre a essayé de faire voir la prééminence menaçante.
Mais, en même temps, ils créaient une mode dont nous venons
d'entendre quelques échos chez certains des critiques du temps.
Malgré des invraisemblances qui entachent encore quelquefois
leurs ouvrages, ces romanciers sont dans le fond parfaitement
d'accord avec la critique de Boileau et avec une bonne partie de
celle de Bougeant — à ceci près que celui-ci est trop injuste vis-à-
vis de Lesage et de Prévost pour qu'ils aient vraiment pu l'approuver. Sans être tous dans la grande mêlée idéologique du siècle,
ils sont, en effet, tous d'accord avec le mouvement des esprits
qui, en dehors au besoin des cadres de pensée traditionnels, étaient
courageusement — d'aucuns diront naïvement — partis à la
recherche, sinon de la vérité, du moins des vérités, celles que
leurs pères avaient quelquefois ignorées. Et la forme littéraire
qu'ils cultivèrent, celle qui, l'avant-veille encore, était synonyme
de merveilles, d'extravagances, de mensonges, ils surent la
rendre propre, elle aussi, à cette recherche commune du vrai,
et à son expression artistique.

Chapitre II

CHARYBDE ET SCYLLA

Le roman français fut donc amené à s'éloigner de plus en plus du merveilleux, des aventures extraordinaires, des extravagances psychologiques, de l'héroïque, du gigantesque et du surhumain, qui semblaient jusque-là devoir faire partie intégrante du genre romanesque. Il serait bien entendu naïf de penser qu'il se soit agi là d'un brusque coup de barre dû à quelque timonier énergique et décidé, sensible aux moindres indications météorologiques. Loin de là. En fait le romanesque merveilleux survécut longtemps ; non seulement dans les contes de fées qui furent si populaires à la fin du XVIIᵉ siècle (1), qui conservèrent une vogue remarquable au XVIIIᵉ (2), et qui connurent même un renouveau de popularité entre 1735 et 1750 grâce aux œuvres à succès de femmes comme Mme de Caylus ou Mlle de Lubert (3) ; mais aussi dans les innombrables histoires exotiques inspirées par le succès extraordinaire des *Mille et une nuits* publiées par Galland entre 1704 et 1717 ; mais même encore dans quelques ouvrages qui, malgré l'extinction évidente du genre romanesque héroïque, épique et précieux du milieu du XVIIᵉ siècle, continuaient à en exploiter les thèmes (4) ; et aussi enfin dans certains des ouvrages des romanciers qui, par ailleurs, devaient contribuer si brillamment à renouveler le roman par le réalisme, Prévost et Lesage au premier chef.

Bref la nouvelle orientation du roman vers le réalisme se fit lentement et progressivement. Elle ne se révèle vraiment à

---

(1) Cf., par ex., Mary Elizabeth Storer, *Un épisode littéraire de la fin du XVIIᵉ siècle ; la mode des contes de fées (1685-1700)*, Paris, Champion, 1928.

(2) Sans compter les réimpressions très nombreuses de Perrault, de Mme d'Aulnoy et de quelques autres, Mornet recense encore trente-deux recueils nouveaux publiés entre 1741 et 1760 (*op. cit.*, pp. 343-344) et quatorze entre 1761 et 1780 (*ibid.*, pp. 370-371).

(3) Cf. S. Paul Jones, *op. cit.*, pp. XVIII-XXI.

(4) Cf. M. Ratner, *op. cit.*, pp. 66-67.

l'analyse critique que lorsque celle-ci s'efforce d'isoler les divers
éléments constitutifs de l'art romanesque et de mesurer le réalisme relatif de chacun de ces éléments. Dire, par exemple, que
Gil Blas ou *Manon Lescaut* sont plus réalistes que *la Princesse de
Clèves* implique que c'est sur l'observation des ressorts moraux des
personnages qu'est fondé le jugement ; car, si c'était sur l'intrigue
même que portait l'analyse, on devrait sans doute soutenir au
contraire que le roman de Mme de Lafayette est plus réaliste
que celui de Lesage ou de Prévost. Ce qui revient à dire encore
que dans la maison du réalisme il est plus d'un logis. Or ces divers
logis ne furent pour ainsi dire jamais habités simultanément
à l'époque, ce qui explique à la fois la confusion des déclarations de
certains critiques, et l'impression d'ambiguïté, voire de contradiction qu'offre au premier coup d'œil cette question. Il importe
donc de distinguer les divers éléments de l'art romanesque où se
fit sentir — disons entre l'attaque de Boileau et celle de Bougeant — ce changement de goût qui détournait de l'extravagant
et orientait de plus en plus vers le vraisemblable. La chronologie
suivant laquelle ces divers éléments se trouvèrent ainsi atteints
est difficilement saisissable, et l'énumération qui suit ne doit
donc pas être interprétée comme étant rigoureusement fidèle
aux données chronologiques.

I

La première direction réaliste semble cependant s'être manifestée dans le domaine de la scène, tant historique que géographique, sur laquelle se déroule l'action romanesque. La tendance
vers le réalisme de ce qu'on pourrait donc appeler au sens large
du mot le décor ou la toile de fond, se révèle relativement tôt :
en fait les romans de Mme de Lafayette en témoignent déjà
très clairement. La cour des Valois, telle qu'on la voit dans *la
Princesse de Montpensier* en 1662 et plus encore dans *la Princesse
de Clèves* en 1678, marque un progrès immense vers le réalisme
sur, par exemple, le Forez du ve siècle de l'ère chrétienne qui
sert de scène à *l'Astrée*, ou encore sur l'Alexandrie du 1er siècle
où est censée se dérouler l'action de la *Cléopâtre* de La Calprenède.
C'est, en effet, par le goût pour une toile de fond vraisemblable
que s'explique aussi la tendance qu'on remarque dès la seconde
moitié du xviie siècle à abandonner les époques fabuleuses de
l'Antiquité des rêves ou du Moyen Age de l'imagination, comme
de renoncer aussi à un exotisme débridé et gratuit permettant
aux héros d'aborder après de longs voyages en mer dans une Asie

ou une Afrique purement fictives, sorties tout entières des violents efforts d'une imagination féconde. A ce sujet, du reste, les
romans de La Calprenède, de Desmarets et des Scudéry sont
déjà en progrès sur ceux de Gomberville ou de François de Gerzan.
Mais ce seront surtout les brefs romans historiques de la fin du
siècle qui marqueront un changement décisif : à la suite de Mme de
Lafayette, ce fut dans les archives de l'histoire de France des
cent dernières années que s'en furent chercher leurs décors et
souvent leurs héros des auteurs comme Mme de Villedieu,
Boursault, Vaumorière, Boisguilbert, Préchac et quelques autres.

La tendance consistant à rapprocher le lieu et l'époque de
l'action romanesque du lieu et de l'époque du lecteur, caractéristique donc du roman dès la fin du xviie siècle, se poursuit
au xviiie et on en vint assez rapidement à considérer comme
normal que l'action du roman se déroulât *hic et nunc*. Déjà la
Madrid et l'Espagne du début du xviie siècle, dans *le Diable
boiteux* et *Gil Blas*, malgré les mules et leurs grelots, malgré les
alguazils, les doublons et les réaux, ressemblaient trop au Paris
et à la France de la fin du règne de Louis XIV pour tromper
quiconque (1). Quand *Manon Lescaut* paraît, sans doute en 1731,
la société française qui y est explicitement dépeinte est vieille
d'à peine quinze ou vingt ans. Enfin, avec les deux grands romans
de Marivaux, avec plusieurs de ceux de Crébillon, avec les
Confessions du comte de *** de Duclos, avec certaines des œuvres
les meilleures de Mouhy, le lecteur de l'époque est évidemment
invité à reconnaître le cadre de sa propre existence dans celui des
personnages romanesques, comme il commence à le reconnaître
aussi sur les toiles de Watteau, de Pater ou de Jean-François de
Troy. Aucune allégorie, aucun masque historique ou géographique ne vient plus s'interposer entre son univers et celui que
lui offre le romancier. Les allusions contemporaines se multi-
plient, dont beaucoup sans doute sont aujourd'hui perdues pour le
lecteur qui n'est ni armé d'érudition, ni éclairé par des anno-
tations savantes. Les personnages ne sont plus affublés de noms
historiques ou empruntés à la comédie classique, mais s'appellent
Dupuis, Lescaut, Valville ou Meilcour comme le premier lecteur
venu (2). Les meilleurs romans devaient, au cours du xviiie siècle,
persister dans cette direction, marquant ainsi en France, entre les
« nouvelles » de la fin du xviie siècle et les premiers romans

---

(1) Cf. Hans HEINZ, « *Gil Blas* und das zeitgenössische Leben in Frankreich »,
Romanische Forschungen, xxxvii (1916), pp. 778-953.
(2) Cf. L. VERSINI, « De quelques noms de personnages dans le roman du
xviiie siècle », *RHLF*, LXI (1961), pp. 177-187.

proprement romantiques, un véritable entracte dans le développement du roman historique dont ils étaient eux-mêmes parfois sortis. Les quelques exceptions sont dues à des romanciers de troisième ordre qui demeurent aveugles devant les progrès du roman moderne et soupirent après le bon vieux temps des nouvelles historiques. Desfontaines lui-même déplore, par exemple, ce goût moderne illustré notamment par Prévost et qu'il définit ainsi dans une préface à un récit pseudo-historique de son cru : « On est accoutumé depuis un certain nombre d'années, à ne donner au public (en ce qui regarde les livres de l'espèce du mien) que des fictions conformes à nos mœurs présentes (1). »

A mesure que s'implantent ainsi les habitudes du roman d'action française et contemporaine, qui est donc presque toujours par cet aspect du moins, un roman de mœurs contemporaines, en même temps de nouveaux procédés techniques se répandent en conséquence. En effet, le réalisme de décor, dans la mesure où il tendait à confondre la scène géographique et historique avec l'époque et le pays du lecteur, impliquait la nécessité de nouvelles méthodes narratives. Pour bien comprendre cette nécessité, il suffit de rappeler quelles avaient été les prétentions pseudo-épiques du grand roman précieux. Pour justifier l'orgueil avec lequel le roman héroïque de ce moment se glorifiait d'être l'héritier de l'épopée, les romanciers du milieu du XVIIe siècle, comme leurs prédécesseurs alexandrins, avaient systématiquement été emprunter à Homère et à Virgile l'habitude du « commencement par le milieu » plongeant dramatiquement et dès l'abord le lecteur *in medias res*, quitte à recourir par la suite pour le renseigner aux longs récits rétrospectifs intercalés (2). Digressions et tiroirs étaient de rigueur, et les romanciers du XVIIIe siècle devaient éprouver en fait des difficultés extraordinaires — ou simplement une grande répugnance — à s'en défaire, comme en témoignent encore les romans de Lesage, de Marivaux et surtout de Prévost et de Mouhy. Ces procédés imités de l'épopée, il convenait évidemment de les abandonner dès lors que le roman s'efforçait d'atteindre la vraisemblance par le réalisme du décor contemporain. Du même coup, il fallait donc innover ou emprunter ailleurs que dans l'arsenal pseudo-épique des méthodes narratives mieux appropriées aux nouvelles ambitions et prétentions du genre romanesque incriminé. Ce furent tout naturellement les genres historiques ou pseudo-historiques, comme nous avons

---

(1) Abbé Desfontaines, préface à ses *Anecdotes galantes et tragiques de la cour de Néron*, Paris, Rollin, 1735.
(2) M. Ratner, *op. cit.*, pp. 42-46.

déjà essayé de le montrer ailleurs (1), et comme l'occasion se
présentera plus loin (2) d'y revenir, qui semblèrent le mieux
aptes à enseigner ces méthodes nouvelles. Et c'est ainsi que
les romans, dès la fin du xviie siècle, prirent si volontiers la forme
de la chronique où les événements sont rapportés, par une sorte de
témoin interposé, dans l'ordre dans lequel ils se sont produits. Ils
répudièrent souvent alors le nom même de roman, trop évocateur
des extravagances désormais prohibées du romanesque, et se
baptisèrent quelquefois *histoires*, un peu comme *le Rouge et le
noir* fut plus tard appelé par son auteur *chronique*.

   Mais cette forme narrative convenait moins bien aux récits
d'actions contemporaines qu'à ceux qui se plaçaient à une époque
historique plus ou moins reculée. Or, comme on vient de le remarquer, il y eut assez peu de romans « historiques » au xviiie siècle ;
et ceci explique en partie pourquoi ce fut à un autre genre d'écrits
« historiques » que la chronique que les romanciers, à l'époque qui
nous intéresse, empruntèrent surtout ses procédés : celui des
mémoires. Cette préférence pour le récit à la première personne
du singulier s'explique par bien d'autres considérations encore.
La chronique historique, depuis les grands exemples du Moyen
Age et de l'Antiquité, avait surtout servi à rapporter des événements d'intérêt public dont les héros étaient des personnages
historiques illustres ; il en allait de même de cette forme particulière de la chronique qu'est la biographie ; tandis que les
mémorialistes, eux, s'étaient traditionnellement spécialisés dans
les aspects privés et intimes de l'autobiographie, ou n'avaient
consenti en tout cas à voir les événements publics que par le
petit bout de la lorgnette. Non seulement donc le genre des
mémoires était-il mieux préparé que celui de la chronique à
relater les aventures privées de personnages imaginaires, qui
constituaient la matière romanesque par excellence, mais l'optique
individuelle qu'il impliquait était en harmonie avec l'époque
qui avait hérité de la crise de conscience dont elle était née, non
seulement le goût du moderne, mais aussi celui du pittoresque
et du particulier. A cela il faut encore ajouter qu'entre 1717 et
1731 avaient été livrés pour la première fois au public certains
des plus remarquables des mémoires du siècle précédent, dont
l'intérêt et la valeur ne pouvaient manquer d'accroître la vogue
d'une forme narrative déjà populaire en 1715, comme en témoigne

---

(1) Cf. notre article, « L'histoire a-t-elle engendré le roman ? Aspects français de la question au seuil du siècle des Lumières », *RHLF*, LV (1955) pp. 155-
176.
   (2) Cf. ci-dessous, chap. V, *passim* et pp. 143-148.

le succès de certains des mémoires apocryphes de Courtilz de
Sandras parus à la fin du XVIIe et au début du XVIIIe siècle, et les
Mémoires du comte de Grammont parus en 1713. Coup sur coup
paraissent, en effet, les mémoires de Retz (1717), de Brienne (1717)
de Pontchartrain (1720), d'Henriette d'Angleterre (1720, dus à
la plume de Mme de Lafayette), de Mme de Motteville (1723),
de Gourville (1724), de Montglat (1727), de Lenet (1729), de
Mlle de Montpensier (1729), de Mme de Lafayette (1731), etc. (1).
Songeant vers la fin de sa vie aux très nombreux romans-mémoires qu'il avait écrits, Prévost, parlant de l'intérêt que présentent les mémoires historiques authentiques, par exemple ceux
de Sully et de Retz, ne trouve pas d'éloge plus éloquent de ce
genre d'écrits que de dire qu'ils sont à la source de la meilleure des
techniques romanesques :

> Ne puis-je pas ajouter, comme une preuve de l'intérêt qui règne
> dans cette sorte d'écrits, que les auteurs des meilleurs romans n'ont
> pas imaginé de plus puissantes méthodes pour plaire et pour attacher
> que de mettre leur narration dans la bouche même du héros (2).

Dès 1744, un romancier comme J.-B. Jourdan remarquait le
glissement récent qui s'était opéré de l'histoire au roman par le
simple artifice consistant à rapporter les mémoires d'un particulier et non plus d'un personnage public : « Ce n'est que depuis un
certain nombre d'années que l'on est dans l'usage de donner les
mémoires d'un particulier ; autrefois l'histoire avait des bornes
plus resserrées (3). »

Tout semble donc avoir concouru à mettre à la mode le roman-
mémoires. En fait la bibliographie dressée par M. Jones des
946 romans qu'il a pu recenser entre 1700 et 1750, en relève
près de deux cents écrits à la première personne du singulier (4).
Mieux encore : tous les romans, ou presque, de l'époque, qui
devaient être retenus par la postérité, sont écrits dans cette
forme, depuis *Gil Blas* jusqu'aux *Confessions du comte de* *** de
Duclos, en passant par les deux grands romans de Marivaux, les
Mémoires du comte de Comminge de Mme de Tencin, les trois

---

(1) Cf. Ruth CLARK, *Anthony Hamilton (Author of Memoirs of Count
Grammont). His Life and Works and His Family*, London et New York,
John Lane, 1921, pp. 191-192, en note.

(2) PRÉVOST, *Lettres de Mentor à un jeune seigneur*, in *Œuvres de Prévost*,
Paris, Boullain-Tardieu, 39 vol., 1823, t. XXXIV, pp. 264-265. Quoi qu'en
aient pensé certains critiques, il ne semble guère douteux que cet écrit soit
bien de la main de Prévost.

(3) J.-B. JOURDAN, *le Guerrier philosophe, ou les Mémoires de M. le duc
de* ***, La Haye, de Hondt, 1744, p. III.

(4) S. Paul JONES, *op. cit.*, p. XVI.

grands romans de Prévost, *les Égarements du cœur et de l'esprit*
de Crébillon, les principaux romans du chevalier de Mouhy, y
compris *la Paysanne parvenue* et *la Mouche*, etc. On peut dire,
du reste, que, recourant à cette forme désormais en vogue, les
romanciers étaient parfaitement conscients des avantages que
leur offrait le puissant effet réaliste ainsi permis. Certes, il serait
naïf de penser que les lecteurs du temps étaient immanquablement dupes des explications offertes par tant de préfaces aux
romans-mémoires du temps, expliquant les merveilleux concours
de circonstances qui avaient amené entre les mains des auteurs
les manuscrits qu'ils affirmaient livrer au public en se bornant à
modifier les noms propres, à éliminer quelques maladresses et
redites, et à corriger quelquefois le style : valise égarée, tiroir
secret, plancher creux, placard caché, tout y passe. Et pourtant, lorsqu'on lit certaines des lettres que devait recevoir plus
tard J.-J. Rousseau de lecteurs et de lectrices enthousiastes et
éplorés lui demandant de leur révéler les noms authentiques des
héros de sa *Julie*, on en vient à imaginer que plus d'un amateur
de l'époque dut croire à l'authenticité au moins partielle des
mémoires apocryphes que les romanciers, devenus simples et
humbles « éditeurs », publiaient en évitant que le mot roman
n'apparût sur la page de titre et ne vînt dissiper la charmante
illusion.

Comme on le voit donc, les deux premiers modes du réalisme,
le réalisme de la toile de fond et le réalisme des procédés narratifs
sont organiquement liés l'un à l'autre et indissociables : tous
deux tendent à détourner le roman de l'imaginaire et à le conso-
lider en le rapprochant de l'historiographie. Si l'on se souvient
de l'influence qu'avait eue sur la critique littéraire française la
distinction fondamentale proposée par la *Poétique* d'Aristote
entre poésie et histoire, on mesurera l'importance d'un pareil
glissement qui avait pour effet de dissocier le roman de la poésie
— épique en l'occurrence — pour le placer dans le sillage des
genres historiques.

II

Échangeant ainsi une muse pour une autre, et Calliope pour
Clio, le roman ne s'exposait, semble-t-il, à aucun danger particulier. Il ne prêtait pas davantage le flanc à l'accusation esthétique fondée sur le préjugé de noblesse. En fait peut-être même
le prêtait-il moins, dans la mesure où la parenté pouvait sembler
plus probante, disons entre Mme de Lafayette et Mézeray ou
Tacite, qu'entre La Calprenède et Homère ou même Lucain.

Et surtout ce changement lui garantissait une protection particulièrement efficace contre l'accusation d'invraisemblance et
d'extravagance.

Mais les romanciers qui furent responsables d'une évolution
aussi importante étaient de trop bons esprits pour s'arrêter à
mi-chemin et pour se contenter, par exemple, de la nouvelle
historique à la manière de Mme de Lafayette ou de l'abbé de
Saint-Réal. Leur goût sincère pour l'art réaliste allait — et ce
fut là surtout l'œuvre des premiers romanciers du xviiie siècle —
les mener vers des formes plus ambitieuses et plus audacieuses du
réalisme. Sur ce fond de tableau authentique, dans ces romans
narrés comme des chroniques ou des mémoires authentiques,
ils allaient naturellement vouloir des personnages authentiques
et non plus seulement des héros et des héroïnes. Ils allaient
revendiquer le droit de choisir leurs personnages dans le réel
suivant leurs goûts et non plus seulement suivant les usages,
les conventions et les idéaux en cours. L'exclusive qui avait été
jetée par le roman héroïque contre les personnages réputés
inférieurs ou même simplement médiocres en raison de leur
manque d'élévation sociale ou morale, fut donc répudiée.

Certes, cela n'était pas sans précédents : il existait une assez
solide tradition burlesque ou gauloise représentée récemment
par des écrivains de talent et de valeur comme Sorel, Scarron ou
Furetière. Mais précisément, par leur préférence quasi exclusive
pour des personnages vulgaires, ces romanciers burlesques
s'étaient éloignés autant ou presque du réel, quoique par la
voie opposée, que les romanciers héroïques ou précieux dont
leur intention était de se moquer. Le Berger extravagant, le
Roman comique ou le Roman bourgeois, dans la mesure où ils
étaient des parodies des romans d'aventures aristocratiques de
l'époque, n'étaient guère plus réalistes qu'eux. Ou plutôt, le
réalisme n'était pas pour leurs auteurs un idéal d'art valable en
soi, mais une simple arme offensive destinée à percer et à dégon-
fler l'énorme baudruche précieuse à la mode.

A cet égard Gil Blas témoigne déjà d'un très important pas
en avant. Certes, ce roman révèle encore clairement son ascendance picaresque et parodique et demeure donc à bien des égards
dans la lignée de Sorel et de Scarron : goût pour les bas-fonds
de la société et pour le monde interlope des bandits, des prostituées et des acteurs ; hostilité pour l'idéalisation morale du
héros, marquée par le choix d'un personnage de valet, etc.
Mais l'univers de Lesage se révèle infiniment moins étroit que
celui de ses plus illustres prédécesseurs français du siècle précé-

dent. En effet, non seulement Gil Blas devient-il à l'occasion une
manière de seigneur lui-même, mais la peinture qu'il fait des
milieux sociaux les plus aristocratiques n'est souvent ni parodique
ni satirique. Bref le monde qui sert de scène aux aventures de
Gil Blas témoigne déjà de l'effort fait par Lesage pour suggérer
dans son roman la diversité et la complexité du réel. A cet égard
il montre le chemin en particulier à Prévost, à Mouhy et à Marivaux, dont les romans révéleront à leur tour l'intérêt curieux
et souvent sympathique de leurs auteurs pour les milieux
sociaux les plus divers de leur temps.

De même qu'il paraissait à peu près impossible de dissocier
les deux premiers modes de réalisme que nous avons distingués, à
savoir le réalisme du décor et celui de la méthode narrative, de
même il paraît à ce point-ci de l'analyse difficile de séparer les
deux nouvelles directions réalistes, sociale et morale, dans
lesquelles s'aventura la curiosité de romanciers tels que Lesage
et ses successeurs. Cela ne veut pas dire bien entendu que la
bassesse morale fût tenue à l'époque pour la conséquence inéluc-
table de la bassesse de naissance, ni non plus qu'on considérât
la noblesse du sang comme entraînant nécessairement l'élévation
des mœurs et des sentiments. Le roman de l'époque n'a pas ignoré
le personnage de l'homme du peuple vertueux, ni surtout celui
de l'aristocrate perverti. La liaison organique qui nous paraît
avoir existé entre l'admission dans le roman de personnages de
basse naissance et d'êtres moralement corrompus n'est donc
pas une liaison logique ou psychologique, mais une liaison esthétique et littéraire. Autrement dit ce fut en vertu de la même
réaction contre l'idéal romanesque précieux, idéal aristocratique
et héroïque, que les romanciers du xviiie siècle s'efforcèrent
systématiquement d'ouvrir leurs romans à des personnages
qui en auraient été exclus par leurs prédécesseurs à cause de
la médiocrité de leur naissance ou de la bassesse de leurs mœurs.
Ce fut donc moins à cause de l'intérêt même que pouvaient
présenter en soi des personnages de ce genre, que pour se différencier des romanciers les plus illustres du passé, et même
quelquefois du présent, dans le cas, par exemple, de Mme de Tencin, et pour affirmer ce faisant la prétention du genre romanesque
à une extension infiniment plus vaste, tendant en fait à
l'universalité.

Ces deux nouveaux modes de réalisme plus tardifs devaient
attirer aux romanciers de graves difficultés avec la critique, ce
qui, nous l'avons rappelé, n'était pas vrai des deux premiers.
Il faut cependant répéter que la première orientation réaliste

du roman, celle qui, vers 1670-1690, le poussait vers le réalisme
du décor et des procédés narratifs, laissait prévoir cette deuxième
orientation, celle qui, vers 1715-1735, devait le pousser vers des
personnages d'un réalisme social et moral plus audacieux.
En effet, ce second mouvement ne faisait qu'accentuer le glissement du roman vers l'histoire. La fidélité de l'histoire au réel
n'exigeait-elle pas, en effet, que l'historien ne réduisît pas ses
écrits à ceux des actions vertueuses du passé et n'exclût pas de
ses ouvrages les classes sociales médiocres ou basses dont l'influence est quelquefois déterminante sur la destinée historique
des nations ? En fait Lenglet-Dufresnoy, tout partisan du roman
qu'il fût, ne put pas approuver cette deuxième orientation
réaliste si remarquable au moment même où, en 1734, il publiait
son traité *De l'usage des romans*. Réaffirmant l'appartenance
poétique et non pas historique du roman, il n'hésita pas à
proscrire les personnages autres que ceux du premier rang :

> Ne choisir que des sujets nobles, et qui puissent mériter l'attention
> des honnêtes gens. Je l'ai déjà dit, un roman est un poème héroïque en
> prose. Tous ceux qui sont venus jusqu'à nous ne peignent que des rois,
> des princes, des héros ; il faut faire ses preuves pour y avoir place (1).

Dans le même ouvrage, Lenglet-Dufresnoy, reprenant le
raisonnement de l'Aracie de l'abbé de Pure, tel qu'il a été rapporté
dans le chapitre précédent, affirme hautement qu'un des avantages les plus estimables du roman sur l'histoire est que celle-ci
admet naturellement le récit d'actions immorales, qui doivent
demeurer interdites au roman :

> On ne saurait donc désavouer que l'histoire ne livre de terribles
> assauts aux bonnes mœurs, lorsqu'on y voit des tyrans mourir tran-
> quillement dans leurs lits, des rois vertueux porter leurs têtes sur un
> échafaud, ou périr comme devrait faire un mauvais prince. [...] Il est
> vrai que pour couvrir ce bel étalage de princes qui se déshonorent de
> tout sens, et de princesses qui se livrent joyeusement à la discrétion
> d'une douzaine de galants qui ne s'y épargnent pas, on dit que l'histoire
> est le portait de la misère humaine. C'est le mal que j'y trouve ; au lieu
> que dans le roman le prince vicieux ou le roi tyran périt toujours comme
> son crime le demande. [...] On écarte tout ce qui n'est pas mesuré ; tout
> ce qui n'est point dans les règles de la bienséance n'ose y paraître ; et,
> s'il veut s'y présenter, on a soin d'abord de lui en refuser l'entrée, de
> peur de le faire désirer même en le blâmant avec trop de détail. Ainsi
> laissons à l'histoire ce titre glorieux d'être le portrait de la misère
> humaine, et reconnaissons au contraire que le roman est le tableau de

---

(1) LENGLET-DUFRESNOY, *op. cit.*, t. I, p. 188.

la sagesse humaine, c'est-à-dire de cette sage politesse, de cette urbanité si estimable, de cet amour, d'une douce et tranquille société, je dirai même de cette tendre passion, les délices des cœurs les plus nobles et les mieux placés (1).

Contrevenant à ces préceptes rétrospectifs de Lenglet-Dufresnoy, les romanciers des années 1730 allaient traiter avec de plus en plus de légèreté les fameuses règles des bienséances explicitement prônées dans ce passage du traité *De l'usage des romans*, toutes les fois où ces règles allaient les entraver dans leur progression vers la vraisemblance. Aubert de La Chesnaye des Bois, critique relativement plus libéral encore, ou simplement plus tardif que Lenglet-Dufresnoy, fait à cet égard une remarque symptomatique dans un ouvrage important, paru en 1743, et que nous aurons l'occasion de citer encore par la suite. Commentant à la date du 1er février 1743 un roman intitulé *les Deux cousines*, il reproche à l'auteur de manquer de perspective cultu-relle et de pécher contre le vraisemblable un peu comme la *Clélie* selon la critique de Boileau (2) : « Si les romanciers faisaient attention aux endroits où ils placent la scène, leurs romans seraient faits avec goût, et il n'en paraîtrait pas tant, je le puis dire, de contraires au bon sens (3). » A cet égard un romancier voyageur comme Prévost savait à l'occasion échapper à ce défaut de perspective, mais se voyait alors reprocher par des critiques conservateurs de choquer les bienséances en donnant à ses personnages des mœurs insolites pour un Français de l'époque. Dans un texte exceptionnellement explicite à ce propos, Prévost, critiqué pour avoir dans *Cleveland* transgressé les règles de la vraisemblance et des bienséances dans la peinture qu'il avait faite des Anglais et de leurs mœurs, répliquait nette-ment dans *le Pour et Contre* :

Je demanderais à mes lecteurs assez d'attention et d'équité pour se souvenir toujours que l'*Histoire de Cleveland* est une histoire anglaise, et que loin d'avoir blessé dans mes caractères la vraisemblance des manières et des usages, j'aurais mérité précisément ce reproche si j'avais assujetti des personnages étrangers à toutes nos bienséances (4).

(1) *Ibid.*, pp. 81-83.
(2) Cf. ci-dessus, chap. Ier, p. 35.
(3) Aubert de La Chesnaye des Bois, *Lettres amusantes et critiques sur les romans en général, anglais et français, tant anciens que modernes ; adressées à Mylady W***, Paris, Gissey, Bordelet, David, 1743, lettre VIII, p. 162. L'auteur de *les Deux cousines, ou le Mariage du chevalier de **** n'est pas connu.
(4) *Le Pour et Contre*, nombre 238, t. XVII (1739), pp. 23-24.

On voit donc combien il était dans la logique de l'orientation
réaliste, qui poussait sans cesse le roman plus loin de la poésie
et plus près de l'histoire, de limiter de moins en moins le recrutement des personnages de roman aux privilégiés du monde
social ou moral. L'admission des membres des classes sociales
réputées inférieures est particulièrement claire dans les romans
de Lesage, de Marivaux et de Mouhy. L'occasion se présentera,
vers la fin de cet ouvrage, de consacrer tout un chapitre à ces
premières tentatives dans la direction qui sera celle du naturalisme, puis du populisme. Quant à l'admission des personnages
de moralité douteuse ou même franchement corrompue, elle
est surtout témoignée, encore une fois, par les romans de Lesage
et de Marivaux, mais, plus encore peut-être, par ceux de Prévost,
de Crébillon et de Duclos.

Il s'agit là, en fait, de ce qu'on pourrait appeler réalisme
psychologique au sens le plus large du mot. Il explique la conception par ces écrivains de personnages dont les mobiles n'ont plus
l'exaltation de rigueur dans les romans précieux, dans les nouvelles historiques de la fin du XVIIe siècle et même dans les
romans de Mme de Tencin ; mais de personnages dont les gestes
et les pensées s'expliquent au contraire par des motifs sinon
condamnables, du moins fort communs, prosaïques et terre-à-
terre, en un mot, comme le disait Magdelon à Gorgibus, « du
dernier bourgeois ». Or, si la même Magdelon trouve qu'il n'y a
« rien de plus marchand » que l'idée que se fait son bonhomme
de père du mariage, il n'est pas douteux qu'habituée comme elle
l'est aux romans de Mlle de Scudéry dont elle porte le prénom,
elle aurait eu, pour parler comme elle, « mal au cœur » si elle avait
pu lire les romans de Lesage ou de Marivaux.

C'est bien, en effet, dans la conception et la peinture de
l'amour qu'est surtout remarquable dans les romans de l'époque
envisagée ici la réduction réaliste à la moyenne de cette exaltation de l'amour qui était conforme à l'une des traditions les
plus anciennes et les plus universelles du roman. La transformation bien connue de l'amour en « goût », en ce début du
XVIIIe siècle, ne doit donc pas seulement s'expliquer par l'évolution des mœurs : une raison littéraire, dont on ne doit pas sous-
estimer l'importance ni l'influence, vient s'ajouter aux raisons
sociologiques trop complaisamment invoquées d'ordinaire. « Ce
qu'alors les deux sexes nommaient amour, était une sorte de
commerce où l'on s'engageait, souvent même sans goût, où la
commodité était toujours préférée à la sympathie, l'intérêt au
plaisir, et le vice au sentiment. » Ainsi s'exprime, en 1736, Crébil-

lon au début du célèbre tableau de la société de la Régence qui sert d'ouverture aux *Égarements du cœur et de l'esprit*. Sans vouloir donc nier un changement dans les mœurs dont témoigne toute la littérature du temps, il faut souligner le fait évident que si ce changement eut vite tant de notoriété et s'il est encore si bien connu de nous aujourd'hui, c'est parce que la littérature, et, en particulier le roman, consentit à décrire et ainsi à immortaliser les nouvelles mœurs. Sans doute conviendrait-il de mentionner aussi le rôle parallèle des arts plastiques et notamment de la peinture et de la gravure. Du point de vue qui est le nôtre ici, c'est moins la nouvelle conception des rapports entre les sexes qui compte — et, au reste, *nil novi sub sole* — que son illustration dans les romans du temps, illustration qui eût été inconcevable auparavant. Il suffit pour s'en persuader de rapprocher deux portraits romanesques d'hommes à femmes séparés par soixante années : le duc de Nemours dans *la Princesse de Clèves* et le comte de Versac dans *les Égarements du cœur et de l'esprit*. Voici le héros du roman de 1678 :

Ce prince était un chef-d'œuvre de la nature ; ce qu'il avait de moins admirable était d'être l'homme du monde le mieux fait et le plus beau. Ce qui le mettait au-dessus des autres, était une valeur incomparable, et un agrément dans son esprit, dans son visage et dans ses actions, que l'on n'a jamais vu qu'à lui seul : il avait un enjouement qui plaisait également aux hommes et aux femmes, une adresse extraordinaire dans tous ses exercices, une manière de s'habiller qui était toujours suivie de tout le monde, sans pouvoir être imitée, et, enfin, un air dans toute sa personne qui faisait qu'on ne pouvait regarder que lui dans tous les lieux où il paraissait. Il n'y avait aucune dame, dans la cour, dont la gloire n'eût été flattée de le voir attaché à elle ; peu de celles à qui il s'était attaché pouvaient se vanter de lui avoir résisté ; et même plusieurs à qui il n'avait point témoigné de passion, n'avaient pas laissé d'en avoir pour lui. Il avait tant de douceur et tant de disposition à la galanterie, qu'il ne pouvait refuser quelques soins à celles qui tâchaient de lui plaire : ainsi, il avait plusieurs maîtresses ; mais il était difficile de deviner celle qu'il aimait véritablement (1).

Et voici le héros du roman de 1736 :

Versac [...] joignait à la plus haute naissance, l'esprit le plus agréable, et la figure la plus séduisante. Adoré de toutes les femmes qu'il trompait et déchirait sans cesse, vain, impérieux, étourdi : le plus audacieux petit-maître qu'on eût jamais vu et plus cher peut-être à leurs yeux par ces mêmes défauts, quelque contraires qu'ils leur soient. Quoi qu'il en

---

(1) Mme de LAFAYETTE, *la Princesse de Clèves*, vers le début de la Première Partie.

puisse être, elles l'avaient mis à la mode dès l'instant qu'il était entré
dans le monde, et il était depuis dix ans en possession de vaincre les
plus insensibles, de fixer les plus coquettes et de déplacer les amants les
plus accrédités, ou s'il lui était arrivé de ne pas réussir, il avait toujours
su tourner les choses si bien à son avantage, que la dame n'en passait
pas moins pour lui avoir appartenu (1).

C'est donc bien au même type d'homme que nous avons
affaire dans les deux romans. Au reste les deux portraits ont
bien des points en commun qui tiennent autant à la ressemblance
des deux modèles qu'à des procédés de style analogues, qu'une
lecture un peu attentive permet de découvrir sans peine. Mais
il est clair que, pour Mme de Lafayette, les succès féminins de
M. de Nemours ne sont ici mentionnés que pour rehausser
l'éclat de son mérite, un peu comme, dans *le Cid*, l'amour de
l'Infante pour Rodrigue accroît le prestige de celui-ci. Le caractère même du personnage n'est pas essentiellement affecté
par une puissance de séduction aussi enviable et aussi insolite.
En fait, sa passion soudaine pour Mme de Clèves rendra Nemours
miraculeusement capable d'oublier les charmes des femmes les
plus séduisantes de la cour, et même ceux de la couronne d'Angleterre, et, d'irrésistible séducteur et d'amateur effréné de
femmes qu'il était, il deviendra un homme seul, incapable de
s'intéresser à toute autre femme qu'à celle qui, précisément,
résiste victorieusement à sa séduction. Les choses sont bien
différentes pour Versac, dont le caractère est tout entier condi-
tionné par son mystérieux pouvoir sur les femmes, et judicieusement assaisonné d'une petite pointe de cruauté et de misogynie
qui ne messied point chez un roué. A partir de deux personnages
qui, à l'origine, sont étroitement apparentés, Mme de Lafayette
biaise, recule et finalement métamorphose au cours du roman
son héros, et le modèle à l'effigie du « mourant » cher à l'éthique
précieuse ; tandis que Crébillon, lui, obéit à la logique du caractère qu'il a créé, et développe audacieusement dans son roman
les traits psychologiques révélés dès le portrait qui vient d'être
cité.

Or, comme l'amour joue presque invariablement un rôle
central dans tous les romans de l'époque, le nouveau réalisme
psychologique, suivant lequel ce sentiment ou cette passion est
conçue par des romanciers comme Prévost, Marivaux ou Crébillon, ne pouvait pas manquer de transformer profondément

_____

(1) CRÉBILLON, *les Egarements du cœur et de l'esprit*, vers la fin de la Première Partie, éd. P. Lièvre, Paris, Le Divan, 1929, p. 119.

l'aspect même du roman. Il allait, d'ailleurs, d'autant plus exposer le roman aux objections fondées sur les exigences des bienséances et de la morale, que les romanciers, comme ivres de la liberté ainsi conquise sur les restrictions de l'idéal précieux, allaient vite passer d'un extrême à l'autre. De la passion incontrôlable, fatale et socialement dégradante d'un des Grieux pour Manon, ils iront jusqu'au libertinage d'un paysan parvenu, d'un comte de *** ou d'un Versac, et même jusqu'à la simple manie érotique.

C'est, en effet, au cours des années 1745-1751 que paraissent les plus illustres — avant ceux de l'époque pré-révolutionnaire et révolutionnaire — des romans obscènes classiques du XVIIIᵉ siècle. *Le Portier des Chartreux* de Gervaise de Latouche paraît dès 1745 et peut-être même plus tôt. Dès 1748, le marquis d'Argens expose dans sa célèbre *Thérèse philosophe* une mécanique érotique déjà fort proche par son didactisme détaché et minutieux de *la Philosophie dans le boudoir*. Enfin, pour nous limiter aux ouvrages les plus illustres du genre, Fougeret de Montbron publie en 1750 *Margot la ravaudeuse*. En fait, si l'on veut tirer quelque démonstration statistique des bibliographies de Mornet (1), on s'apercevra qu'il classifie sous la rubrique « Romans et contes licencieux » trente-cinq nouveaux titres parus entre 1741 et 1760, et seulement neuf entre 1761 et 1780 ; et surtout que vingt-quatre de ces quarante-quatre titres parus entre 1740 et 1780 furent publiés pendant la brève période de sept années qui va de 1745 à 1751. Il y eut certes, dès ce moment, une première tentative extrême de pousser jusqu'au bout le réalisme désormais à la mode dans la peinture de l'amour brutalement dépoétisé, arraché à la sublimité de l'empyrée précieux, et réduit déjà à la pure sexualité. Jamais peut-être on n'avait été aussi vite dans la surenchère réaliste. On peut même douter que les naturalistes aient réussi, malgré leur fracas, à battre un aussi remarquable record.

Il ne faudrait pas croire, en effet, que le réalisme érotique soit fondamentalement différent des autres aspects moins discutables du réalisme. Les meilleurs des romans évoqués ci-dessus témoignent de manière très claire que la curiosité de leurs auteurs pour le réel ne se limite pas aux réalités sexuelles. *Margot la ravaudeuse*, par exemple, mérite parfaitement de figurer au catalogue de l'Enfer, mais son mérite ne se limite pas là. L'auteur témoigne d'un talent remarquable dans la peinture du détail des repas,

(1) MORNET, *op. cit.*, pp. 356-357 et 380.

des costumes, du mobilier, voire des bagarres fort picaresques
auxquelles se livrent certains des personnages du roman. Il
s'efforce aussi d'écrire ses dialogues dans un style, sinon franchement populaire, du moins évidemment parlé. Il éprouve même
le besoin révélateur d'expliquer en notes certaines expressions
ou métaphores dont le sens pourrait échapper au lecteur. Bref
ce roman, qui évoque au passage divers ouvrages contemporains
de Montesquieu, de Marivaux, de Mouhy, du marquis d'Argens,
est un excellent exemple, malgré sa réputation « spéciale » d'une
certaine « avant-garde » du roman réaliste de son temps.

A mesure que les romans de l'époque s'éloignaient de l'invraisemblance et de l'extravagance dans les domaines examinés au
cours des pages qui précèdent, à mesure ils progressaient bien
entendu aussi vers un degré supérieur de simplicité et de naturel
dans l'intrigue. Si nous ne consacrons, toutefois, pas à cet aspect
pourtant important du réalisme une catégorie particulière dans
ce chapitre, c'est pour diverses raisons que le moment est venu
d'exposer brièvement. Tout d'abord c'est parce que l'intrigue
réaliste n'est ni logiquement ni organiquement séparable du
réalisme psychologique et du réalisme de décor qui la condition-
nent et l'entraînent dans leur sillage. C'est aussi parce que les
déclarations doctrinales des romanciers de l'époque mentionnent
si rarement ce mode de réalisme qu'on ne peut pas considérer
qu'il ait été pour eux un but qu'ils aient clairement et consciemment essayé d'atteindre indépendamment des autres. C'est
enfin, comme on pouvait donc s'y attendre, parce que le réalisme
d'intrigue est un objectif qui, à l'époque, a été nettement moins
souvent atteint que les autres buts du roman réaliste. Des romans
aussi admirablement réalistes du point de vue historique et
psychologique que, par exemple, les *Mémoires et aventures d'un
homme de qualité* ou *le Paysan parvenu*, ou, mieux encore, que
les meilleurs romans de Mme de Tencin ou du chevalier de
Mouhy, sont souvent construits sur des intrigues arbitraires,
encombrées de coïncidences, de reconnaissances fortuites, de
coups de théâtre et d'invraisemblances de détail. Si le roman de
l'époque a pourtant incontestablement atteint dans le domaine
de l'intrigue un plus haut degré de réalisme, de vraisemblance et
de naturel que beaucoup des romans du xviie siècle, exception
faite de quelques nouvelles historiques de la fin de ce siècle,
ce n'est donc pas grâce à l'intention claire et explicite des romanciers, mais, pourrait-on dire, indirectement, grâce aux conséquences qu'entraînaient logiquement les autres modes de

réalisme, analysés plus haut, et auxquels les romanciers du temps s'efforçaient consciemment, on l'a vu, de conformer leurs œuvres.

III

Pour compléter ce rapide tableau des conquêtes réalistes effectuées par les romanciers français entre 1725 et 1760, il conviendrait d'examiner aussi leur bilan stylistique. Mais ici une déception nous attend. Malgré le souci réel, qui fut celui de ces écrivains, de se différencier de leurs prédécesseurs démodés du siècle précédent en évitant leurs extravagances stylistiques, la plupart d'entre eux ne sentirent pas clairement que le meilleur moyen de réaliser cette intention était d'orienter aussi vers le réalisme leurs recherches de langue et de style. Malgré la précision des critiques dirigées contre le jargon romanesque par des écrivains d'obédience classique comme Molière et Boileau, et même, nous l'avons vu, comme Mme de Sévigné, la plupart des romanciers du début du xviiie, à l'exception de Lesage et de quelques autres plus nettement rattachés à la tradition picaresque, recoururent à des styles qui donnèrent, à beaucoup de leurs lecteurs du temps, l'impression d'être de véritables jargons. Marivaux fut sans doute à l'époque le romancier le plus fréquemment accusé d'être à proprement parler inintelligible. Les termes qui reviennent le plus souvent dans les comptes rendus contemporains de *la Vie de Marianne*, par exemple, sont ceux de « babil » et de « jargon », quoique plusieurs critiques s'accordent à penser que l'obscurité du style de Marivaux soit moins marquée dans ses deux grands romans que dans d'autres de ses écrits. Commentant, par exemple, la troisième partie de *la Vie de Marianne*, parue en 1735, l'abbé Desfontaines, souvent hostile et hargneux, avoue cependant qu' « il y a tout l'esprit que le public a droit d'attendre de M. de M... On y trouve peu de ces étranges façons de parler qu'on lui a si souvent reprochées (1). » Le style si particulier de Marivaux, cette « préciosité nouvelle », qui fut à la mode vers 1720-1730 dans le cercle d'Houdar de La Motte, dans les salons de Mme de Lambert et de Mme de Tencin, et à la cour de Sceaux, a été récemment et magistralement étudié dans un ouvrage remarquable que l'on consultera avantageusement sur ce sujet (2). Rappelons seulement en passant les nombreuses remarques

---

(1) *Observations sur les écrits modernes*, t. III (1735), p. 230.
(2) Frédéric DELOFFRE, *Une préciosité nouvelle : Marivaux et le marivaudage. Etude de langue et de style*, Annales de l'Université de Lyon, 3e série, Lettres, fasc. 27, Paris, Belles-Lettres, 1955.

sarcastiques de Voltaire sur la manière d'écrire de Marivaux, les allusions critiques de Lesage dans le VIIe Livre de *Gil Blas* (chap. XIII), et surtout les cinglants chapitres XXIV, XXV et XXVI de *l'Écumoire* où Crébillon, en 1734, pastiche le style de *la Vie de Marianne*, et met en scène des personnages qui feignent d'être incapables de comprendre cette langue insolite, présentée comme étant celle de « l'île Babiole ».

Marivaux, du reste, ne fut pas le seul dont le style fût à l'époque jugé confus et obscur. En fait, comme c'était de bonne guerre, Marivaux, quelques mois après la publication de *l'Écumoire*, accuse à son tour Crébillon de confusion dans sa manière de s'exprimer : « A l'égard de votre style, je ne le trouve point mauvais, à l'exception qu'il y a quelquefois des phrases allongées, lâches, et par là confuses, embarrassées ; ce qui vient apparemment de ce que vous n'avez pas assez débrouillé vos idées, ou que vous ne les avez pas mises dans un certain ordre (1). » Et, de même que Crébillon avait pastiché le style de Marivaux pour se moquer de son obscurité, de même Diderot, sans ses *Bijoux indiscrets*, pastiche en 1748 le style de *l'Écumoire* pour en railler l'inintelligibilité. Le discours académique de « Girgiro l'entortillé » — ainsi est désigné Crébillon — est rapporté à Mirzoza par le sultan Mangogul qui le préface par ces remarques : « J'ai retenu son amphigouri mot pour mot, bien qu'il soit tellement dénué de sens et de clarté, que si vous m'en donniez une fine et critique exposition, vous me feriez, madame, un présent gracieux (2). »

C'est encore à Marivaux et aussi à Mouhy que s'en prend d'Argens dans ses *Lettres juives*. Les deux écrivains sont chargés de la responsabilité d'avoir façonné « un nouveau langage » fait de « termes alambiqués » et de « phrases quintessenciées ». Mais Marivaux est jugé beaucoup plus dangereux à cet égard que son confrère : « C'est un des chefs des novateurs. [...] Ses bonnes qualités sont absolument éteintes par la manière dont il s'exprime (3). » Le roman incriminé ici par d'Argens est *le Paysan parvenu*, auquel il emprunte une citation dont il critique sans pitié le style. Plus loin, dans les mêmes *Lettres juives*, d'Argens reprend son attaque contre le style incompréhensible de certains

(1) MARIVAUX, *le Paysan parvenu*, IVe Partie, éd. F. Deloffre, « Classiques Garnier », 1959, p. 201.
(2) DIDEROT, *les Bijoux indiscrets*, chap. XXXIX. Cf. également le commentaire de Pierre LIÈVRE dans son édition citée de l'*Ecumoire*, pp. XXV-XXXII.
(3) Ces citations sont toutes empruntées à la 174e des *Lettres juives* (éd. citée, t. V, pp. 289-291), où d'ARGENS renvoie lui-même à une critique antérieure dirigée contre Marivaux dans la 13e des *Lettres juives* (*ibid.*, t. I, p. 108).

romans du temps — sans doute encore ceux de Marivaux et de Mouhy — et poursuit :

> Que n'est-on pas en droit de dire contre ceux qui semblent n'être faits que pour renverser le langage, pour accoutumer à penser d'une manière quintessenciée, pour apprendre à se rendre inintelligible à ses lecteurs, et enfin pour enseigner à n'offrir à l'esprit qu'un vain amas de mots, dont la liaison étonne, et dont on est obligé de chercher le sens avec autant de peine qu'en a un commentateur à expliquer quelques passages difficiles d'un auteur de deux ou trois mille ans (1) ?

Quant à Desfontaines, il se laisse prendre d'assez bon gré au charme du *Paysan parvenu*, mais il ne peut en tolérer l'affectation du langage (2). Pour ce qui est du *Cleveland* de Prévost, il en reprend sévèrement le style peu châtié et y relève même — horreur ! — des néologismes (3).

Mais il n'est pas nécessaire de multiplier davantage les témoignages. Il est clair qu'on ne peut pas, lorsqu'on passe en revue les progrès du roman vers le réalisme, mettre les mérites stylistiques sur le même plan supérieur que les autres éléments relevés et analysés plus haut dans ce chapitre. Même si l'on défalque de ces commentaires contemporains la jalousie d'auteur, l'exagération du critique professionnel et, en général, la mauvaise humeur et la hargne courantes dans la jungle littéraire de l'époque ; même si l'on note que quelques romanciers du temps — Lesage, Mme du Tencin, Duclos, par exemple — sont relativement épargnés ; on doit admettre que le principal mérite des romans publiés entre *Gil Blas* et *la Nouvelle Héloïse* n'est généralement pas senti à l'époque comme étant stylistique. Ce sera même là une des causes du succès du roman de J.-J. Rousseau qui, lui, s'imposera immédiatement par son style. En fait, ceux des romanciers de cette époque dont le style nous plaît sans doute le plus aujourd'hui sont précisément Marivaux et Crébillon, qui écrivent de la manière certainement la moins naturelle, la plus sinueuse, la plus affectée, et qui furent donc, à une époque où le goût n'avait pas encore été formé par un Proust ou un Giraudoux, les moins goûtés et les plus critiqués à cet égard.

Ces impressions que produit le style des romanciers de cette période se trouvent simultanément confirmées par une dernière remarque : il semble que ce soit par le style seul que ces écrivains

---

(1) *Ibid.*, t. VI, p. 63.
(2) *L'Esprit de l'abbé Desfontaines*, éd. citée, t. IV, p. 334.
(3) *Ibid.*, t. IV, pp. 317-318.

aient réussi à échapper à l'influence dominante et persistante du réalisme classique. Et c'est là, semble-t-il, la raison pour laquelle, dans certains cas, le style paraît au lecteur d'aujourd'hui en désaccord avec la matière romanesque. Et c'est encore pourquoi un certain humour, qui n'est peut-être pas toujours volontaire de la part des romanciers, se dégage parfois de ces récits où les gestes ou les réflexions rigoureusement réalistes que font des personnages vraisemblables dans un décor reconnaissable et au nom de valeurs médiocrement à l'échelle de l'homme, nous sont décrits dans un style qui semble bien s'ingénier à ne pas être au diapason de ce qu'il décrit, à être volontairement et constamment d'un octave plus ou moins élevé que les émotions ou les actions qu'il est censé exprimer.

Ou bien il demeure résolument abstrait et glacé, et semble s'efforcer de se détacher par une sécheresse calculée de la réalité qu'il figure. Plus il est alors éteint et dénué d'images, mieux il réussit quelquefois à suggérer par une sorte de sorcellerie purement cérébrale ce qu'il ne décrit pas réellement. L'exemple suivant illustrera ces remarques. Il est emprunté au dialogue de Crébillon *la Nuit et le moment*, composé en 1725 et publié en 1755. Après de longues manœuvres et un entretien plein de circonlocutions, Cidalise cède enfin à Clitandre qui obtient d'elle les faveurs précises qu'il convoitait. Au cours d'un entracte pudique dans leur conversation, l'auteur interpose un commentaire dont le fragment suivant est extrait :

En cet endroit Clitandre doit à Cidalise les plus tendres remerciements et les lui fait. Comme on ne peut pas supposer qu'il n'y ait parmi nos lecteurs quelqu'un qui ne soit, ou n'ait été dans le cas d'en faire, ou d'en recevoir, ou de dire et d'entendre ces choses flatteuses et passionnées que suggère l'amour reconnaissant, ou que dicte quelquefois la nécessité d'être poli, l'on supprimera ce que les deux amants se disent ici, et l'on ose croire que le lecteur a d'autant moins à s'en plaindre, que l'on ne le prive que de quelques propos interrompus, qu'il aura plus de plaisir à composer lui-même d'après ses sentiments ou ses souvenirs, qu'il n'en trouverait à les lire.

Il est bien vrai qu'il peut y en avoir quelques-uns qui, ne sachant pas encore ni comment on remercie, ni comment on est remercié, ne seraient pas fâchés de pouvoir ici s'en instruire ; mais on ne veut pas rendre dans l'un la nature artificieuse, et avoir la barbarie d'ôter à l'autre le plaisir de la surprise (1).

(1) CRÉBILLON, *la Nuit et le moment*, éd. Pierre Lièvre, Paris, Le Divan, 1929, p. 84.

Les qualités évidentes de ce style suffisent à faire comprendre que les réserves exprimées plus haut sur la valeur stylistique des romanciers de l'époque ne tendaient aucunement à nier le mérite de leur style, mais seulement à souligner que ce mérite relève d'un domaine esthétique foncièrement différent du réalisme. Il faut ajouter que cette combinaison d'un contenu réaliste avec une expression abstraite et gourmée est souvent responsable du charme artificieux mais efficace de certains de ces romans, notamment de ceux de Marivaux, de Crébillon et de Duclos. Est-ce là ce qu'on pourrait appeler le rococo littéraire, si l'on avait le goût des rapprochements dangereux ? Il n'est pas douteux, en tout cas, qu'un morceau comme celui qui vient d'être cité, ne peut manquer d'évoquer ces gravures et tableaux libertins de l'époque, où l'expression imperturbable des personnages est démentie par les activités érotiques auxquelles ils se livrent ; où l'ordonnance impeccable de la perruque poudrée, le plissé parfait du satin, échappent paradoxalement au désordre systématique qu'ils cachent.

Lorsqu'il n'est pas compassé, comme chez Crébillon et quelquefois aussi chez Marivaux et Duclos, le style des romans de l'époque tend volontiers au contraire vers une certaine grandiloquence qui, à grand renfort d'adjectifs emphatiques, de phrases exclamatives et d'images démesurées et banales, s'efforce d'exprimer une sentimentalité exagérée ou des passions dont l'excès n'est pas toujours immédiatement compréhensible. Parmi les romanciers les plus connus de cette période, Prévost est sans doute le principal représentant de ce style dont l'influence se fit sentir sur celui de J.-J. Rousseau, de Diderot et de leurs émules. En voici un exemple moyen extrait des *Mémoires et aventures d'un homme de qualité*. Au reçu d'une lettre d'une aristocrate anglaise autrefois connue et aimée de lui, et surtout passionnément éprise elle-même de lui, le narrateur, maintenant sexagénaire, se sent repris par un charme incontrôlable. Le passage que voici est extrait d'un plus ample morceau où est longuement évoquée et commentée cette bouffée d'amour imprévue et violente. Il suit la relation des tendres rêveries suscitées d'abord par la lecture de la lettre.

O Dieu ! faut-il que les passions aient tant d'empire sur nos malheureux cœurs ! Je me couchai sans faire attention à ce qui se passait autour de moi, ni aux questions de mon valet. Je lui ordonnai de se retirer promptement. Quoi ! m'écriai-je, quand je fus seul, je n'aurai pas la force de me rendre maître des mouvements de mon âme ! Je sens le honteux poison qui se glisse dans mes veines, et je manquerai de

courage pour le repousser ! Mais qu'ai-je dit ?... Quel poison ?... Bon
Dieu ! Est-ce de moi-même que je parle ? De moi, que tout le monde
croit sage et vertueux ; de moi, qui me charge de former les autres à la
vertu et à la sagesse ; de moi, dont tous les sentiments et toutes les
actions doivent être des modèles ? Voilà donc, ajoutai-je la larme à
l'œil, le fruit de mon âge, de mon expérience, de ma religion ; voilà le
fruit de soixante ans passés dans les voies de l'honneur et de la vertu.
Ah ! je mourrais de honte et de douleur, s'il fallait perdre mon innocence
et ma réputation. Non, non, je ne suis point capable d'une faiblesse qui
rend criminel ou qui déshonore ; mon cœur m'en répond. Je m'alarme
mal à propos. Ce n'est point une passion que je sens pour milady R... ;
ce n'est qu'une tendre estime qui est due bien justement à ses malheurs
et à celle qu'elle a pour moi. Là-dessus je rappelais, pour me fortifier,
toutes les perfections de mon épouse et ce que je devais éternellement à
sa mémoire. Je me représentais cette chère ombre, attentive à toutes
mes démarches et me redemandant compte de tous mes sentiments. La
moitié de moi-même est au ciel, continuai-je avec un peu plus de tran-
quillité ; elle n'aura pas à me reprocher de l'avoir avilie par des liaisons
indignes d'elle. Je veux qu'elle me retrouve tel qu'elle m'a laissé ; tendre,
constant, fidèle, avec le souvenir de ses vertus dans l'esprit, et son
image tout entière dans le cœur (1).

On sent dans un style oratoire comme celui-ci comme le
souvenir des discours latins de collège, de ces exercices d'amplification où, quel que soit le sujet proposé, l'écolier est invité à se
conformer aux prescriptions de Quintilien et à imiter de son
mieux les éloquentes périodes cicéroniennes que ses maîtres lui
ont fait admirer. Bref, nous sommes aux antipodes de la concision
et de la sécheresse froide à la Crébillon.

Entre l'amplification et l'ellipse, entre la litote et l'hyperbole,
il semble que le style des romans du temps se soit plus ou moins
maladroitement cherché, et que, faute sans doute d'expérience
et de modèles indiscutables, il n'ait pas réussi à trouver son
équilibre ni sa mesure. C'est à cet égard qu'on peut s'étonner
qu'il ait réussi si exceptionnellement à échapper à l'influence
classique qui s'exerçait alors avec une efficacité si évidente sur
tous les autres aspects de l'art des romanciers.

* * *

C'est, en effet, comme nous l'avons vu, au nom de principes
esthétiques réalistes dérivés de l'étude des chefs-d'œuvre du
classicisme triomphant qu'avaient été formulées les critiques

(1) Prévost, *Mémoires et aventures d'un homme de qualité qui s'est retiré
du monde*, liv. X, éd. citée, t. III, pp. 73-74.

précises qui endiguèrent le flot des romans précieux. Comme nous le verrons dans le chapitre IV, ce fut encore le souvenir précis des arguments opposés par les grands écrivains classiques, et notamment les dramaturges, aux attaques de certains de leurs adversaires, qui aidera les romanciers des années 1730-1760 à tenir tête à leurs critiques les plus malintentionnés. Enfin le nouveau réalisme romanesque, dont le présent chapitre a essayé de préciser certains aspects, ne fut bien entendu lui aussi rendu possible que par le rayonnement des grands modèles du classicisme. Molière fut peut-être le plus important à cet égard : son influence évidente sur des romanciers comme Lesage et Crébillon devait persister, en effet, jusqu'à la fin du siècle, où l'on voit encore un Laclos l'appeler à sa rescousse en 1782 dans sa correspondance avec Mme Riccoboni au sujet des *Liaisons dangereuses*. Mais Racine ne fut guère moins influent, non seulement sur Marivaux, mais aussi sur Prévost qui prêtait à un de ses héros la prédilection qui était sans doute la sienne pour le théâtre de Racine, pour *Télémaque* et pour les *Caractères* de La Bruyère (1). On aurait du mal aussi à exagérer, en effet, l'influence sur les romanciers, non seulement de l'exemple éclatant de Fénelon, mais encore des modèles offerts par les moralistes du grand siècle, La Bruyère au premier chef, et La Rochefoucauld peut-être après lui ; et aussi sans doute de certains orateurs sacrés, en particulier Bourdaloue. Il n'est pas exagéré de dire que ce furent ces œuvres du classicisme qui rendirent possible le développement d'un art romanesque original, d'une valeur presque sans précédent. Quoique le classicisme se fût illustré dans des genres littéraires autres que le roman, ce fut, en effet, grâce aux expériences libératrices et aux réussites des écrivains du xviie siècle, que le roman réussit, dès les premières décennies du xviiie siècle, à se rénover et à se tonifier dans ce réalisme à la fois historique, technique, social, moral et psychologique que nous avons évoqué et qui lui permit très

---

(1) Au début de la IVe Partie des *Mémoires et aventures d'un homme de qualité* (éd. citée, t. I, p. 154), le héros, prisonnier des Turcs, déclare : « J'avais dans mes poches trois livres que j'ai toujours aimés, et que j'aimais encore plus alors parce qu'ils étaient nouveaux : le *Télémaque* de M. de Fénelon, les *Caractères* de La Bruyère, et un tome des tragédies de Racine. » Or, d'après le texte même du roman, la captivité de l'homme de qualité commence un an environ avant la signature de la Paix de Karlowitz qui est du 26 janvier 1699 (mentionnée *ibid.*, p. 188), à une date à laquelle *Télémaque* n'avait donc pas encore été publié. Une petite étourderie de ce genre confirme l'impression produite par la lecture et selon laquelle l'homme de qualité est ici le porte-parole fidèle des goûts littéraires de son auteur. On trouvera plusieurs rapprochements ingénieux et frappants entre *Manon Lescaut* et Racine chez Raymond PICARD, « L'univers de *Manon Lescaut* », *Mercure de France*, CCXLII (mai 1961), pp. 100-101.

vite d'échapper à l'accusation d'invraisemblance, laquelle, inspirée de l'idéal classique, avait eu raison du grand roman précieux du siècle précédent. En fait, quand fut publié en 1735 le *Voyage merveilleux* du P. Bougeant, les romans qui avaient alors paru de Lesage, de Prévost et de Marivaux échappaient déjà à la plupart des sarcasmes dont l'auteur les y accablait au nom du vraisemblable. De même encore, le livre de 1734 de Lenglet-Dufresnoy, auquel répondait Bougeant, révélait déjà, malgré sa plaidoirie pour le genre romanesque, qu'il avait perdu le contact avec les directions les plus dynamiques et les plus prometteuses que prenait ce genre à ce moment. En fait, dès ces années 1730, le roman du XVIIIe siècle avait, grâce à son réalisme original et décidé, désarmé l'attaque esthétique décrite au début du chapitre précédent. Grâce à la vraisemblance qu'il avait si victorieusement atteinte, il échappait aux flèches de Boileau, comme à celles de ses émules, Bougeant, Voltaire et consorts.

Une dernière citation viendra témoigner de cette nouvelle dignité littéraire à laquelle avait accédé le roman français, dès avant la publication de *la Nouvelle Héloïse*, et même auprès d'une femme de lettres encore fort conservatrice en matière de goûts littéraires. Mme de Benouville, en effet, ne fait pas partie des partisans résolus du roman ; loin de là. Mais elle a lu, semble-t-il, assez de bons romans de son temps pour préciser de manière plutôt exceptionnelle et parfois même inattendue le profit qu'on peut se promettre de la lecture de romans judicieusement choisis :

Si j'entre dans le sentiment de ceux qui blâment cette sorte de livres, je suis bien éloignée de ceux qui pensent qu'il faut les supprimer entièrement. Je sais par expérience qu'ils ont une sorte d'utilité pour ceux qui ont une âme ferme et le jugement formé : ils donnent de l'élégance sans qu'on s'en aperçoive ; et comme leur principal mérite est d'être ordinairement bien écrits, il s'ensuit que les lecteurs acquièrent une certaine facilité à s'exprimer, soit dans les lettres, soit dans la conversation, qui ne laisse pas de les faire valoir dans la société. C'est donc uniquement à cette intention qu'il faut en lire, ainsi le choix n'en est pas indifférent ; mais il faut avoir un âge raisonnable et un fonds de bonnes choses, avant que de jeter les yeux sur ces ingénieuses fadaises (1).

Malgré ce que ce jugement a de nuancé et peut-être de trop prudemment modéré et de condescendant, il faut admirer Mme de Benouville pour avoir pensé et écrit que, loin de « gâter » le goût, la lecture des romans pouvait le former. Et surtout

---

(1) Mme de BENOUVILLE, *Les Pensées errantes ; avec quelques lettres d'un Indien*, Londres-Paris, Hardy, 1758, pp. 52-53.

rendons-lui grâce de s'être aussi clairement désolidarisée de « ceux qui pensent qu'il faut les supprimer entièrement ». En effet, comme nous le verrons dans le chapitre suivant, ces extrémistes auxquels elle fait allusion ici avaient manqué de fort peu de gagner la partie, et de faire triompher l'obscurantisme sur les Lumières.

* *

Car le détroit était périlleusement resserré entre le Charybde de l'invraisemblance et la Scylla de l'immoralisme. Victimes de leur propre inexpérience de navigateurs, les meilleurs romanciers de cette époque, justement soucieux d'éviter les abîmes du premier, réputés si dangereux pour les raisons rappelées plus haut, échouèrent à qui mieux mieux sur les écueils traîtres et mal reconnus de la seconde. Cette catastrophe, du reste, était pour ainsi dire inévitable. La mauvaise foi, ou, en tout cas, l'hostilité trop passionnée des adversaires du roman était telle que, pour s'en défendre victorieusement, il aurait fallu que les romanciers fissent face simultanément sur tous les fronts. Or l'ubiquité n'était pas au nombre de leurs mérites. Ils s'étaient courageusement affairés et avaient réussi à repousser avec succès l'attaque lancée au nom de la vraisemblance. Mais le réalisme auquel ils avaient recouru à cet effet les entraînait nécessairement — en particulier le réalisme social, et, encore plus, moral et psychologique — vers des positions dangereusement exposées aux attaques lancées au nom des valeurs morales. Comme l'occasion s'est présentée dans le chapitre précédent de le rappeler, le grand roman précieux avait été, lui, en général respectueux de la morale, des convenances, des apparences et des bienséances. Bien mieux : plus il s'était éloigné du réalisme, plus il avait idéalisé la morale et la psychologie des héros de roman, plus il en avait fait des surhommes merveilleusement admirables et des modèles exemplaires, et plus il s'était protégé contre les attaques toujours possibles des partisans du moralisme en littérature. Bref, tout s'était passé comme si l'invraisemblance et l'irréalisme avaient été le prix qu'il avait fallu payer pour avoir des romans moraux. La condamnation de l'histoire par l'Aracie de l'abbé de Pure (1) illustre parfaitement ce point : l'histoire est insupportable parce que, étant vraie, elle est nécessairement choquante. Estimant, au contraire, que ce qui était vraiment choquant, c'était de fermer les yeux et de se voiler la face devant le réel, les romanciers,

(1) Cf. ci-dessus, chap. Ier, p. 37.

dès la fin du xviie siècle, avaient condamné la politique de
l'autruche. Immédiatement surgirent, des endroits où on se
serait quelquefois le moins attendu à les trouver, des disciples
indignés de la précieuse Aracie, et des partisans nostalgiques de
l'idéal moral de la préciosité. C'est ainsi que Bayle, dès la
première édition de son *Dictionnaire*, affirme en 1697, au nom des
bienséances et des bonnes mœurs, la supériorité du romanesque
sur l'historique et sur le légendaire :

> Les auteurs mythologiques et les écrivains de romans modernes ont
> tenu des routes bien différentes : ceux-là s'approchent trop de l'histoire ;
> ceux-ci s'en éloignent trop : je ne considère que la description des mœurs
> ou que le portrait qu'ils nous donnent d'un héros. Dans la mythologie,
> les héroïnes sont, non seulement trop amoureuses, mais trop prodigues
> de leurs faveurs. Les héros ne sont pas constants ; ils engrossent les
> héroïnes ou font ce qu'il faut pour cela, et puis ils se moquent d'elles.
> Cela ressent trop l'histoire, et n'est point de bon exemple ni pour l'un
> ni pour l'autre sexe. Il vaut mieux prendre l'extrémité opposée comme
> on fait dans nos romans ; il vaut mieux, dis-je, en dépit du vraisemblable,
> forger des héros et des héroïnes qui ne fassent aucune faute (1).

La logique de Bayle, sinon son bon goût, paraît inattaquable.
On n'en est pas moins surpris de voir un Prévost, pourtant peu
coupable lui-même de « forger des héros qui ne fassent aucune
faute », faire exprimer à son porte-parole, l'homme de qualité
connu sous le nom de M. de Renoncour, des sentiments assez
semblables :

> Quelque prévenu qu'on soit aujourd'hui [...] contre les romans
> héroïques, tels que *Cassandre*, *Cléopâtre*, *le Grand Cyrus*, *Polexandre*, etc.,
> j'aurais moins de peine à les mettre entre les mains des jeunes gens, que
> cette multitude d'histoires amoureuses et de nouvelles galantes, qu'on
> est dans le goût d'écrire depuis trente ou quarante ans. En voulant
> peindre les hommes au naturel, on y fait un portrait trop charmant de
> leurs défauts ; et loin que de pareilles images puissent inspirer la haine
> du vice, elles en cachent la difformité pour le faire aimer. Au lieu que
> dans les romans héroïques, rien n'est appelé vertu que ce qui en mérite
> le nom. Si l'amour y joue les premiers rôles, il y produit du moins des
> sentiments si nobles et de si grandes actions, qu'un lecteur n'y saurait
> trouver de quoi justifier ses faiblesses. Au contraire, on se sent élevé
> au-dessus de soi-même, en lisant une suite d'événements produits par
> les motifs les plus sublimes ; et je craindrais moins qu'une telle lecture
> ne fît des lâches et des voluptueux, que des superbes qui dédaignassent

(1) Pierre Bayle, *Dictionnaire historique et critique*, article : « Hypsipyle »,
n. C., éd. 1697, t. II, p. 97 ; éd. 1720, t. II, p. 1477. Cf. ci-dessus, chap. Ier,
pp. 37-39 ; et ci-dessous, chap. V, pp. 153-155.

le commun des hommes, et qui n'eussent que du mépris pour tous ceux qui n'auraient pas les grandes qualités des Oroondates et des Artamènes (1).

Une dizaine d'années plus tard, Prévost revient sur cette idée assez inattendue chez lui de manière encore plus nette et plus catégorique. Sans plus recourir à un personnage interposé comme l'Homme de qualité, Prévost consacre toute une partie du nº 183 du *Pour et Contre* à discuter le roman héroïque de Desmarets, de La Calprenède et de Mlle de Scudéry. Il loue surtout cette dernière d'avoir rétabli les bienséances dans le roman, puis, évoquant l'article « Hypsipyle » du *Dictionnaire* de Bayle, que nous venons de citer, il exprime son accord et son approbation et ajoute : « On pourrait répondre à Bayle que rien n'oblige à forger des héros impeccables, mais qu'il suffit de ne leur rien attribuer de contraire à la bienséance, et d'éviter dans le sujet comme dans les termes tout ce qui paraît capable de la blesser » (2).

L'effort que fait là Prévost pour échapper au dilemme en misant à la fois sur les deux tableaux, celui des bienséances et celui de la vraisemblance, est remarquablement en évidence, beaucoup plus en fait que dans ses œuvres romanesques. L'une des raisons de ce phénomène tient, semble-t-il, à la date même de ce numéro du *Pour et Contre*. 1738, en effet, comme on le verra dans le chapitre suivant, est l'année noire du roman français du XVIIIe siècle : c'est le moment où le gouvernement le proscrit. Un homme aussi averti des choses littéraires de son temps que Prévost, un homme qui, comme lui, cumulait, de façon encore assez rare, à son époque, la carrière de romancier et le métier de journaliste, ne pouvait manquer d'être au courant de la proscription des romans, et sensible au dilemme du roman, il ne pouvait pas ignorer non plus le rapport unissant l'une à l'autre. Les romanciers de sa génération, et lui parmi eux, avaient renversé la hiérarchie traditionnelle des valeurs romanesques. Visant au vraisemblable d'abord, les meilleurs romans de son temps en étaient inévitablement venus à sacrifier suffisamment les valeurs morales pour s'exposer aux revendications chagrines et indignées des défenseurs de la vertu outragée. *Manon Lescaut*

(1) PRÉVOST, *Mémoires et aventures d'un homme de qualité...*, liv. VII, éd. citée, t. II, pp. 81-82. Comme l'action du roman se passe alors peu après la mort de Louis XIV, on peut se demander si les « trente ou quarante ans » mentionnés par l'homme de qualité renvoient au temps fictif (soit : 1675-1685) ou au temps historique (soit : 1690-1700).

(2) *Le Pour et Contre*, nombre 183, t. XIII (1738), pp. 138.

avait, dès 1733, fait les frais de l'opération. Mais ce n'était encore qu'une escarmouche préliminaire, un coup de main qui n'aurait rien de mémorable s'il s'agissait d'un roman destiné à moins de gloire, bref un incident qui ne laissait en rien présager l'interdit sans précédent dont n'allait plus tarder à être frappé le genre romanesque tout entier.

CHAPITRE III

LA PROSCRIPTION DES ROMANS

Si la grande colère des ennemis du roman s'explique bien en partie par l'audace croissante du réalisme caractérisant les romans des années 30, il faut observer aussi qu'un autre facteur, de nature différente, venait s'ajouter à cette audace et l'aggraver : le nombre grandissant des romans qui paraissaient alors. Celui-ci était tel qu'il fallait bien supposer — et déplorer — un goût parallèlement grandissant de la part du public pour ce genre de lecture ; sans quoi comment s'expliquer l'ardeur croissante des libraires à publier tant de romans ?

Grâce à la précieuse bibliographie de S. P. Jones, la documentation numérique ne manque pas pour établir solidement ce fait. Si l'on ne se reporte pas, en effet, aux statistiques de librairie de l'époque, on essaiera vainement de comprendre pourquoi un lettré de l'éminence et de la distinction du P. Porée a pu prononcer le 25 février 1736 un discours d'une telle passion vengeresse contre le roman en général, qu'il faut y voir la crête de la première grande vague d'hostilité contre le genre romanesque au xviiie siècle. En effet, d'après la bibliographie Jones (1), les six années 1725-1730 n'avaient vu paraître qu'un total de 51 romans français nouveaux, soit une moyenne annuelle d'environ 8 ou 9, tandis que les six années suivantes (1731-1736) venaient d'en voir paraître largement plus du double, en tout 129, soit une moyenne annuelle de 21 ou 22.

Ces quelques chiffres, déjà éloquents en soi, apparaîtront encore plus frappants, si l'on rappelle la distinction et le succès remarquable et mérité d'un très grand nombre des romans publiés au cours des quelques années précédant immédiatement l'explosion de rhétorique du célèbre régent du Collège Louis-le-

(1) S. P. Jones, *op. cit.*, p. xiv.

Grand. Entre 1728 et 1736, véritable âge d'or du roman français, étaient, en effet, parus presque tous les grands romans de l'abbé Prévost, une grande partie de ceux de Lesage, de Mme de Tencin, de Marivaux, de Crébillon, du chevalier du Mouhy, du marquis d'Argens, de Hamilton, de Mme de Gomez, de Mlle de Lussan, pour ne rien dire des plus obscurs de leurs confrères et consœurs. De toute évidence la fertilité et le succès du genre romanesque rendaient celui-ci aussi encombrant qu'insolent. La menace qu'il représentait depuis toujours pour le salut des âmes en devenait même d'autant plus pressante que le réalisme débridé de beaucoup de ces romans en accroissait encore le danger. C'est incontestablement dans cette combinaison de facteurs divers qu'il faut chercher la raison effective qui détermina alors le P. Porée à donner avec une grandiloquence quasi officielle le signal d'une résistance enfin militante.

Selon les meilleurs principes de l'art militaire, cette résistance tourne vite à la contre-attaque. En effet, dans sa vibrante péroraison, le P. Porée apostrophe vigoureusement les autorités civiles de son temps. Au nom du bon goût et des bonnes mœurs également outragés, l'illustre professeur jésuite n'hésite pas à requérir contre le genre romanesque tout entier le secours dispensé par la force des lois :

Hoc animadvertant sapientissimi rerum Moderatores publicarum ; et, ne malum serpat longius, opportuna et indeflexa legum severitate provideant.

Lege cautum est, ne quis maleficio cujuscumque generis perniciem homini cuivis inferat. Quidni lege caveatur pariter, ne scribantur libri, qui maleficio quolibet pejores, infatuant hominum mentes, et animos fascinant ?

Lege prohibitum est, ne quis venales proponat cibos, qui noxia morborum semina visceribus ingerant. Quidni lege prohibeatur etiam, ne veneant codices, qui pabulo quovis, nocentiore lethifera amorum venena pectoribus inserunt ?

Lege sancitum est, ne qui merces inducat peregrinas, quibus aliqua pestilentiae suspicio adhaerat. Quidni lege sanciatur quoque, ne avehantur ex Hispania, ex Italia, ex Anglia, ex Batavia, ex Graecia, ex Perside, ex Malabria, ex Japonia merces amatoriae, quae quavis peste pestilentiores, Aulam, Urbem, Provincias, foedissima tabe contaminant ?

Quod in uno periculo provisum est, cur non providetur in altero ? At magnas in Republica cautiones exigit corporum incolumitas ? An minores postulat integritas animarum ? Detur hoc igitur Reipublicae, quod flagitat corrupta jampridem apud nos, ac propre perdita ingeniorum, animorumque sanitas. Configantur edictis, aboleantur flammis, exterminentur (quod ad ejus fieri potest) ex omnibus terris, omnia

Romanensium Auctorum veneficia. Atque ita rei litterariae, publicaeque tandem aliquando consulatur (1).

Dans l'esprit du P. Porée, il ne s'agit donc de rien moins que de mettre le roman hors la loi, au ban de la République des Lettres et du royaume de France. Le texte latin de sa brûlante harangue fut rapidement imprimé, réimprimé, traduit, condensé et commenté, de manière aussi favorable qu'abondante dans les périodiques du temps. Les jésuites de Trévoux consacraient 45 pages du numéro de juillet 1736 de leurs célèbres *Mémoires* à diffuser ce texte, traduisant certains développements, en résumant d'autres, saluant le tout de commentaires enthousiastes. De son côté l'abbé Granet avait rempli toute la lettre n° LXIV, du 26 mai 1736, des *Observations sur les écrits modernes* d'un long résumé du discours, entrelardé de copieuses citations. La *Bibliothèque Française* d'Amsterdam lui consacrait un petit entrefilet. Et le reste à l'avenant.

Certes, la République des lettres était depuis longtemps accoutumée aux violences verbales et aux menaces de voies de fait. On l'avait bien vu un siècle plus tôt, au moment de l'affaire du *Cid*. Mais ce que l'alliance redoutable des pédants, des jaloux et des dévots n'avait pas réussi à faire pour neutraliser le théâtre français du XVIIe siècle, Porée et ses émules parvinrent ou presque à le faire pour « exterminer » le roman français du XVIIIe.

_____

(1) C. PORÉE, *De libris qui vulgò dicuntur romanses oratio...*, pp. 50-51.

« Que les sages administrateurs des Etats portent leur attention sur ce fait, et, afin que le mal ne s'insinue pas davantage, qu'ils y veillent avec la sévérité opportune et rigoureuse des lois.

« La loi veille à ce que personne ne nuise à quiconque par quelque méfait que ce soit. Que ne veille-t-elle également à ce qu'on n'écrive pas de livres, qui bien pires encore par leur méfait, troublent l'esprit des hommes et fascinent leurs cœurs ?

« La loi interdit à quiconque de mettre en vente des aliments susceptibles d'introduire dans l'organisme les germes nuisibles des maladies. Que n'interdit-elle encore de vendre des ouvrages qui, par une nourriture bien plus nocive encore, font pénétrer dans les cœurs les poisons mortels de l'amour ?

« La loi prescrit que personne n'importe de l'étranger des marchandises auxquelles soit attaché le moindre soupçon de contagion. Que ne prescrit-elle aussi que ne soient pas introduites d'Espagne, d'Italie, d'Angleterre, de Hollande, de Grèce, de Perse, de l'Inde, et du Japon des marchandises érotiques qui, bien plus malsaines encore par leur contagion, contaminent la cour, la ville et les provinces de leur virus infâme ?

« Pourquoi ce qui est prévu pour un danger n'est-il pas prévu pour l'autre ? Est-ce parce que, dans l'état, la santé des corps exige de grands soins ? Mais l'intégrité des âmes en demande-t-elle de moindres ? Que soit donc accordé à l'état ce qu'exige la santé, corrompue depuis longtemps chez nous, et bientôt perdue, des esprits et des cœurs. Que les lois transpercent, que les flammes détruisent, et fassent disparaître si faire se peut de tout le territoire toutes les œuvres empoisonnées des auteurs de romans. Et qu'ainsi on prenne enfin soin un jour de la littérature et de l'état. »

En effet, l'intérêt exceptionnel de ce discours du P. Porée
est qu'il précède de moins de deux ans une mesure administra-
tive extraordinaire qui semble en être la conséquence
logique : à partir de 1738, et sans doute même dès 1737, la
publication des romans est soumise en France à un régime
d'exception qui équivaut presque à l'interdiction pure et
simple.

Il convient d'ouvrir ici une assez longue parenthèse, à laquelle
sera consacrée la majeure partie de ce chapitre, pour essayer de
tirer au clair, autant que faire se peut, l'affaire peu connue et
passablement embrouillée de la proscription des romans. Elle
touche, en effet, de trop près à quelques-uns des propos les plus
importants du présent livre pour la traiter comme une simple
digression. De plus, à certains égards, elle est d'un intérêt
qui transcende largement cet épisode de l'histoire littéraire
française et comporte certains enseignements qui n'ont pas
encore perdu toute leur opportunité.

I

Dans un remarquable article déjà mentionné, paru en Angleterre en 1928 et auquel, semble-t-il, personne n'a donné suite,
le Pr F. C. Green attira pour la première fois l'attention sur cette
affaire. Il apportait en témoignage trois documents de 1738,
1739 et 1741, dus à trois hommes de lettres très en vue à cette
époque, les abbés de Laporte et Granet, et le chevalier de Mouhy.
Ces textes font tous trois allusion, assez clairement quoique fort
prudemment, à certaine mesure mystérieuse prise en haut lieu
contre la publication immodérée d'ouvrages romanesques. Sur
la foi de ces témoignages, F. C. Green pouvait conclure : « It
seems clear, in fact, that some sort of decree was issued by the
police severely limiting and perhaps proscribing the publication
of novels (1). » Puis, examinant les faits avec circonspection,
F. C. Green conjecturait que, plutôt que de proscrire uniformément tous les romans — hypothèse, en effet, *a priori* extrava-
gante — le décret supposé, qu'il datait avec hésitation de 1735 ou
1736, avait pour objet « a more rigorous prosecution of novelists
who in their works made any allusion to contemporary events, per-

---

(1) « Il semble clair en effet que la police promulgua un décret ayant pour
but de limiter rigoureusement et peut-être même de proscrire la publication
de romans » F. C. GREEN, « The Eighteenth Century French Critic and the
Contemporary Novel », *Modern Language Review*, XXIII (1928), p. 176.

sons or institutions, calculated to offend religion or morality » (1).

Quoique le texte officiel de ce décret, que Green avait recherché en vain, n'ait toujours pas été retrouvé, il est possible maintenant, grâce à un certain nombre d'autres documents et témoignages de l'époque, de rectifier ce jugement un peu trop optimiste, comme aussi de préciser plusieurs aspects de cette curieuse aventure, en particulier en ce qui touche la date, la source, la nature et les effets de l'ordre de répression.

II

Cet ordre, en effet, est nécessairement postérieur à la harangue du P. Porée, sans quoi l'appel éloquent de celui-ci au bras séculier aurait été dénué de justification, et ses commentateurs n'auraient pas manqué de le relever. Car, comme on le verra plus loin, les mesures administratives en question ne furent ni secrètes, ni ignorées des gens de lettres de l'époque. On est même en droit de se demander si, étant donné le retentissement de ce discours de 1736, ce ne fut pas lui qui, en dernière analyse, attira l'attention des autorités civiles sur la nécessité urgente d'endiguer le flot grossissant des romans. La date des mesures restrictives est donc postérieure à celles de 1735 ou 1736 entre lesquelles hésitait Green. La raison de cette erreur de la part d'un érudit aussi attentif tient, semble-t-il, à une faute d'impression dans le catalogue de la Bibliothèque Nationale.

Le premier texte que cite Green est, en effet, un passage d'un article daté du 16 juillet 1738, publié par l'abbé de Laporte dans les *Observations sur les écrits modernes*, Dans cet article, Laporte cite et commente la préface aux *Nouveaux motifs de conversion* du chevalier de Mouhy. Celui-ci, écrit Laporte, « fait entendre d'une manière fort touchante qu'il est une des principales victimes de la funeste proscription des romans » (2). Voici le passage en question de la préface de Mouhy, que Green ne semble connaître que par l'intermédiaire de l'article de Laporte :

> J'avais travaillé jusqu'ici par d'innocentes fictions à porter mes lecteurs à l'amour de la vertu, et à la haine du vice : l'expérience m'avait fait connaître que ceux qui lisent, ne s'attachent qu'autant qu'ils trouvent de l'amusement et de l'intérêt. Je n'étais pas le seul qui avait

_____

(1) « ... une poursuite plus rigoureuse des romanciers qui dans leurs ouvrages faisaient la moindre allusion à des événements, personnes ou institutions contemporaines, avec pour objet d'outrager la religion ou la morale », *ibid.*, pp. 176-177.

(2) Lettre CXCVIII (16 juillet 1738), in *Observations sur les écrits modernes*, t. XIV, p. 70. Cité par F. C. GREEN, *loc. cit.*, p. 176.

imaginé cette manière de moraliser, et de porter dans le cœur les semences du sentiment et de l'honneur. Il semblait même que cette méthode n'avait pas mal réussi ; l'ardeur que le public montrait pour ces sortes de lectures, le fruit qu'il en tirait, la manière de raisonner de ceux qui s'y attachaient, et même leur conduite, étaient des témoignages que cette façon d'instruire n'était pas infructueuse, et qu'elle occupait l'esprit assez agréablement pour l'empêcher de se laisser aller à des amusements bien plus dangereux. Mais l'abus qu'ont fait les auteurs de la liberté qu'ils avaient de produire sans achever leurs ouvrages, a sans doute occasionné le frein qui les retient aujourd'hui. Ce n'est point à moi de raisonner sur cette matière, il me convient de garder un respectueux silence, et de tâcher de me mettre au ton où l'on me veut. Je suis persuadé même que c'est le grand parti, et qu'il y a plus de gloire de se conformer aux volontés supérieures, que d'y résister et de s'entêter de ses propres sentiments (1).

Rien n'indique dans ce texte, qui est en date le premier des documents allégués par Green à faire allusion au « frein » en question, que celui-ci remonte à une date très antérieure à « aujourd'hui ». Or les *Nouveaux moyens de conversion* sont un livre dont Laporte dit bien, le 16 juillet 1738, conformément à la citation qu'en donne Green, que Mouhy *vient de* le *publier*. Il est, en effet, incontestablement de 1738 : l'exemplaire qu'en possède la Bibliothèque Nationale comporte une approbation datée du 20 avril 1738, un privilège daté du 16 mai 1738, et indique que l'ouvrage a été « registré » à la Chambre royale et syndicale des Libraires et Imprimeurs de Paris en date du 11 juin 1738. Seul le catalogue imprimé de la Bibliothèque Nationale indique par erreur 1736 comme date de publication (2). Il est vrai que le volume incriminé de ce catalogue ne fut publié qu'en 1933, soit cinq ans après l'article de F. C. Green. Il est permis, cependant, de supposer que l'erreur de date existait déjà dans le catalogue antérieur qu'a pu consulter Green au moment où il faisait les recherches qui aboutirent à son article de 1928.

Quoi qu'il en soit, le second texte cité en partie dans cet article est dû à la plume de l'abbé Granet. Il est de 1739. En voici des

---

(1) Chevalier de MOUHY, *Nouveaux motifs de conversion à l'usage des gens du monde, ou Entretiens sur la nécessité, et sur les moyens de se convertir. Avec des stances pour le Vendredi saint*, Paris, Valleyre et de Poilly, 1738, pp. 9-11. Ce texte de Mouhy, qui semble bien être le premier en date à attirer franchement l'attention du public sur les mesures répressives prises contre les romans, reçut une assez large publicité dans la littérature périodique de l'époque. En dehors de l'article des *Observations sur les écrits modernes*, il est remarquable, en effet, que le *Mercure de France* de juillet 1738 (pp. 1590-1591) ait jugé bon de citer, sans commentaires, quelques passages significatifs de ce texte, notamment les lignes mentionnant le « frein » mis à la liberté des auteurs de romans.
(2) T. CXX, p. 603.

extraits sensiblement plus larges — pour des raisons qui apparaîtront plus loin — que ceux qu'en donne l'article de Green.

En 1722, les romans plongés dans l'oubli et le mépris depuis plusieurs années, commencèrent enfin à reparaître. Une *Comtesse de Vergy*, une *Adèle de Ponthieu*, une *Comtesse de Savoie*, fictions délicieuses et amusantes, eurent une vogue qui remit ces sortes de livres en crédit, au moins dans le monde féminin. Combien en a-t-il paru depuis ! On en a été inondé de tous côtés, et accablé de toutes mains. Ce n'a pas été toujours des *Mémoires d'un homme de qualité*, des *Manon Lescaut*, des *Clevelands*, des *Mariannes*, des *Paysans parvenus*, ouvrages ingénieux et agréables. On a vu les cheminées successivement couvertes d'une multitude innombrable de rhapsodies romanesques, dont on avait le front de présenter les misérables commencements, et de promettre la suite dans le même genre et du même goût. On a vu jusqu'à cinquante historiettes en embuscade à la fin des vacances, pour s'emparer de nos dames à leur retour de la campagne. Chaque libraire se donnait mille mouvements pour se procurer un romancier, comme d'autres pour chercher des faiseurs d'almanachs et d'étrennes. Le goût misérable des romans, ainsi ressuscité, paraissait un peu ralenti ces dernières années par le zèle du chef de la magistrature, qui les a proscrits avec raison : mais les Français aiment trop la bagatelle et l'amusement pour pouvoir se passer longtemps de livres puérils et frivoles. On veut des romans de quelque genre que ce soit. Goût méprisable et fatal, contre lequel on a beau s'élever. En dépit du discours éloquent du P. Porée contre les romans, il y en aura toujours en France, tant qu'on y verra régner le bel esprit ignorant et l'oisiveté libertine, dont les fictions romanesques sont la plus délicieuse nourriture (1).

Quant au troisième texte cité par F. C. Green, c'est une lettre inédite dont il a découvert le manuscrit à la Bibliothèque de l'Arsenal, dans les Archives de la Bastille. Elle est datée du 19 mai 1741 et adressée à Maurepas par Mouhy alors en prison pour avoir publié à « Londres » en 1740 un recueil de contes en huit volumes intitulé *les Mille et une faveurs*. Dans cette supplique Mouhy fait allusion à « la proscription des romans » comme à une mesure qui n'est alors ni récente ni inconnue.

En attendant mieux, notre meilleur *terminus ad quem* est donc bien le 20 avril 1738, date de l'approbation des *Nouveaux moyens de conversion* du chevalier de Mouhy, dont la préface est jusqu'ici le premier texte faisant allusion à ce qu'il appelle en 1741 « la proscription des romans ». Afin de chercher un *terminus a quo*,

---

(1) Abbé François GRANET, *Réflexions sur les ouvrages de littérature*, Paris, Briasson, t. IX (1739), pp. 49-50. Selon la bibliographie Jones, *la Comtesse de Vergi* du comte de VIGNACOURT est bien de 1722, mais *Edèle de Ponthieu* du même auteur est de 1723, et *la Comtesse de Savoie* de la comtesse de FONTAINES est de 1726.

remontons maintenant en arrière d'un peu plus d'un an. Au cours de l'année 1737, toute une série de mesures fut prise pour réorganiser et renforcer le système plus ou moins archaïque et inefficace de la censure des imprimés, et le mécanisme compliqué et parfois incohérent des privilèges royaux et permissions tacites. A la demande de divers membres influents de la Compagnie de Jésus, le lieutenant de police Hérault créait en 1737, par décret royal, le poste d'inspecteur de la librairie auprès de la Chambre syndicale (1). Ce fut en mars 1737 que le comte d'Argenson était nommé à la direction de la Chancellerie de la Librairie, ce qui, au dire de son frère, le facétieux marquis d'Argenson, lui conférait la distinction douteuse « de se trouver à la tête du parti moliniste, inquisiteur et persécuteur » (2). Enfin et surtout ç'avait été le 20 février 1737 que l'austère et vieux chancelier Daguesseau (il était né en 1668) récupérait la charge insigne et influente de Garde des sceaux, dont il avait été privé depuis 1722. Or, le responsable des mesures restrictives prises alors à l'égard des romans, comme aussi sans doute d'un certain nombre de celles énumérées ci-dessus, est sans aucun doute possible le janséniste et gallican Daguesseau. A lui seul, le texte de l'abbé Granet qui vient d'être cité suffirait à établir ce fait par son allusion révélatrice au « chef de la magistrature », autrement dit au Garde des sceaux, si divers autres témoignages de poids ne venaient le confirmer de manière plus précise encore.

III

Dans sa *Vie de Voltaire*, Condorcet, faisant allusion aux difficultés faites par Daguesseau en 1738 aux *Éléments de la philosophie de Newton*, ajoute : « Sa sévérité [à Daguesseau] pour les *Éléments de la philosophie de Newton* n'est pas la seule petitesse qui ait marqué son administration de la librairie : il ne voulait point donner de privilèges pour les romans, et il ne consentit à laisser imprimer *Cleveland* qu'à la condition que le héros changerait de religion (3). » Condorcet ne se borne pas à imputer ici en

---

(1) Cf. Albert BACHMAN, *Censorship in France from 1715 to 1750 : Voltaire's opposition*, New York, Publications of the Institue of French Studies, Inc., 1934, pp. 54-70. On pourra consulter également la bonne étude de David POTTINGER, « Censorship in France during the Ancien Régime », *Boston Public Library Quarterly*, VI (1954), pp. 23-42 et 84-101 ; étude réimprimée dans le remarquable volume du même auteur, *The French Book Trade in the Ancien Régime (1500-1791)*, Cambridge, Harvard University Press, 1958.

(2) A. BACHMAN, *op. cit.*, pp. 72-74.

(3) CONDORCET, « Vie de Voltaire », in éd. Moland des *Œuvres* de VOLTAIRE, t. I, p. 213.

passant la responsabilité de la proscription des romans à Daguesseau, mais il indique enore que, dans l'esprit du Garde des sceaux, cette proscription était générale. On trouve confirmation à ce témoignage, comme aussi quelques précisions supplémentaires dans un texte de Chamfort dont on connaît mal la date puisqu'il fait partie d'une publication posthume datée de 1803 : « M. le chancelier Daguesseau ne donna jamais de privilège pour l'impression d'aucun roman nouveau, et n'accordait même de permission tacite que sous des conditions expresses. Il ne donna à l'abbé Prévost la permission d'imprimer les premiers volumes de *Cleveland* que sous la condition que Cleveland se ferait catholique au dernier volume (1). »

Ce témoignage de Chamfort, cité à deux reprises par Sainte-Beuve (2), appelle plusieurs remarques. Tout d'abord, il est un peu trop catégorique, puisque, comme on le verra plus loin, quelques romans reçurent exceptionnellement des privilèges dès 1738 au su du chancelier Daguesseau, pour ne rien dire de ceux qui, comme on le verra aussi, furent subrepticement autorisés par les magistrats subalternes, à l'insu de leur maître, le Garde des sceaux. On pourrait ensuite jeter le doute sur le témoignage de Chamfort, comme aussi sur celui de Condorcet qui en est peut-être la source, en raison du fait que, lors de la publication des premiers volumes de *Cleveland* (1731-1732), le chancelier Daguesseau, disgrâcié en 1722, était encore privé des sceaux qu'on lui avait retirés alors. Mais l'objection tombe si l'on remarque que la rentrée en grâce du chancelier Daguesseau s'était faite en deux temps : il est vrai, comme on l'a vu, que les sceaux ne lui furent rendus qu'en 1737, mais, dès l'été de 1727, sous le ministère du cardinal de Fleury, il avait été rappelé aux affaires de son exil en son château de Fresnes en Brie (3). Enfin, comme le savent les lecteurs de *Cleveland*, le héros de Prévost, malgré une

---

(1) CHAMFORT, *Caractères et anecdotes*, chap. XIII, Paris, Mercure de France, « Collection des plus belles pages », s. d., p. 240.

(2) SAINTE-BEUVE cite Chamfort en 1831 en note à son article sur Prévost, paru dans la *Revue de Paris* et repris dans ses *Portraits littéraires* (éd. Maxime Leroy, « Bibliothèque de la Pléiade », t. I, pp. 908-909, en note). En 1851, il cite la même anecdote (*Causeries du lundi*, t. III, pp. 426-427) dans l'article qu'il compose à l'occasion de la réimpression de la grosse étude d'Auguste-Aimé BOULLÉE, *Histoire de la vie et des ouvrages du chancelier d'Aguesseau* (1ʳᵉ éd., Paris, Desenne, 2 vol., 1835). Notons, à ce propos, que cette étude sur Daguesseau — pas plus, du reste, que celle de Monnier mentionnée dans la note suivante — ne souffle mot de cette affaire, pourtant, comme on le voit, nullement secrète.

(3) Cf. Francis MONNIER, *Le chancelier d'Aguesseau, sa conduite et ses idées politiques, et son influence sur le mouvement des esprits pendant la première moitié du XVIIIᵉ siècle*, Paris, Didier, 1860, pp. 277-279.

assez brumeuse et tiède conversion vers la fin du roman, ne se fait pas du tout catholique au dernier volume (1). Comment Prévost réussit-il à transgresser impunément la promesse qu'il est censé avoir faite à Daguesseau ? On le verra aussi sous peu.

De toute manière le rôle décisif du chancelier Daguesseau en cette affaire ne fait pas le moindre doute. Au cours des pages qui suivent, d'autres témoignages de l'époque, invoqués à propos d'autres aspects de cette affaire, viendront encore le confirmer. Ceci nous permet donc, en attendant mieux, d'assigner comme *terminus a quo* à l'ordre de proscription la date à laquelle les sceaux furent rendus à Daguesseau : le 20 février 1737. Il est probable, du reste, que ce ne fut pas là la première mesure prise par le nouveau Garde des sceaux. S'il faut en juger, en effet, par son rôle dans la persécution des *Éléments de la philosophie de Newton* de Voltaire, ce n'est que près d'un an plus tard qu'il intervint personnellement dans une question de censure des imprimés. Après avoir longtemps attendu le verdict de la Librairie, ce n'est, en effet, que le 25 janvier 1738 que Voltaire annonce à Thiériot que Daguesseau lui-même lui a refusé le privilège (2). Vers le milieu de l'année 1738, la *Bibliothèque Française, ou Journal littéraire de la France* publiée par un libraire d'Amsterdam se fera l'écho, dans sa rubrique « Nouvelles littéraires. De Paris », de deux incidents troublants révélant l'arbitraire avec lequel les magistrats dépendant du Chancelier-Garde des sceaux sévissaient contre les éditeurs parisiens, n'hésitant même pas à révoquer des privilèges et à interrompre la publication en cours de divers ouvrages non romanesques. « Le pays des lettres est maintenant ici fort stérile, et la librairie fort peu encouragée » (3) écrit sous forme d'euphémisme le correspondant parisien de la *Bibliothèque Française*.

IV

Mais, en attendant que soit retrouvé, en admettant qu'il existe, le texte officiel de l'ordre de proscription, nous ne pourrons cerner davantage la date précise de sa mise en vigueur qu'en essayant d'en mesurer les effets sur la publication des romans au cours de cette période cruciale.

(1) Sur le contenu théologique de *Cleveland*, cf. Henri BUSSON, « La théologie de l'abbé Prévost », in *Littérature et théologie*, Paris, Presses Universitaires de France, 1962, pp. 195-242.
(2) Cf. à cet égard la correspondance de la fin de l'année 1737 et du début de 1738, en particulier, dans l'édition Theodore Besterman, t. VI, pp. 282 et 285 ; et t. VII, pp. 10, 12, 15, 46, 55, 56, etc.
(3) *Bibliothèque Française*, t. XXVI (1738), IIe Partie, p. 372.

Contrairement, en effet, à ce qu'on pourrait conclure du texte de Chamfort, cité plus haut, quelques privilèges, approbations ou permissions continuèrent à être accordées, même après l'ordre de proscription. Pendant l'année 1738, on peut relever six exemples de cette anomalie. Il s'agit des seuls nouveaux romans décrits dans la bibliographie Jones et portant ouvertement comme lieu de publication Paris. En voici la liste complète :

L'Enfant trouvé, ou l'Histoire du Chevalier de Repert écrite par lui-même, Paris, aux dépens de la Société, 1738.

Entretiens littéraires et galants ; avec les aventures de Don Palmerin et de Thamire. Par M. Du Perron de Castera, Paris, Pissot, 1738. Avec approbation et privilège.

Prodige de vertu. Histoire de Rodolphe et de Rosemonde, Paris, J. Édouard, 1738. Avec permission. Approuvé par le censeur de police le 24 juillet 1738 ; permis d'imprimer du 24 juillet 1738 ; « registré » le 26 juillet 1738.

Essais sur la nécessité et sur les moyens de plaire [de Paradis de Moncrif], Paris, Prault, 1738. Approbation du 30 septembre 1737, privilège du 29 novembre 1737 ; « registré » le 2 décembre 1737.

Suite des anecdotes de la cour de Philippe Auguste. Par Mlle de Lussan, Paris, Pissot, 3 vol. 1738. Avec approbation et privilège.

Mizirida, princesse de Firando [du sieur du Hautchamp, mentionné dans le privilège], Paris, Musier, 1738. Approbation du 3 avril 1737 ; privilège du 28 février 1738 ; « registré » le 20 avril 1738.

Ces deux derniers ouvrages furent l'objet dans les périodiques de l'époque de commentaires significatifs révélant clairement que les critiques et le public étaient, dès alors, au courant de l'ordre de proscription et considéraient donc ces romans comme des exceptions. Voici, par exemple, ce qu'écrit le commentateur des *Observations sur les écrits modernes* dans sa lettre du 6 décembre 1738 à propos de la *Suite des Anecdotes de la cour de Philippe Auguste* de Mlle de Lussan :

C'est un préjugé légitime, Monsieur, en faveur de la *Suite des Anecdotes de la cour de Philippe Auguste*, que ce livre n'ait point été frappé de la foudre, comme tous les autres ouvrages de cette espèce, et qu'il ait glorieusement échappé à la proscription générale des romans, dont la multitude était devenue dangereuse aux lettres, et insupportable aux gens de bon goût. Les lois les plus sages souffrent de certaines dispenses. D'ailleurs, il ne faut pas s'imaginer que toute sorte de fiction eût été condamnée. Il en est qui servent beaucoup pour la culture de l'esprit et des mœurs, pour la science du monde, pour la connaissance du cœur. Le vice n'y est pas toujours revêtu de couleurs séduisantes : quelquefois la vertu y est parée de tous ses attraits. Il en est, où l'on enseigne aux jeunes personnes du sexe à prévenir, ou à combattre un penchant dangereux ; à se défier d'elles-mêmes et de ceux qui leur font la cour ; et aux jeunes hommes à se bien conduire, pour n'être ni les dupes ni les martyrs de leurs inclinations ; à ne point abuser des avantages de la naissance, de la richesse, des talents, et à estimer peu tout ce qui n'est pas vertu et raison. Voilà les principaux fruits qu'on peut retirer de la lecture d'un fort petit nombre de romans, dictés par la sagesse, par l'esprit délicat, et par le bon goût. La jeunesse s'y amuse, en se formant le jugement, l'esprit, et le langage. [...]

Quoique nous ne soyons plus depuis longtemps dans l'usage de parler des romans dans nos lettres, nous croyons que l'exception honorable qu'a méritée de la part des supérieurs le nouveau travail de Mlle de Lussan, mérite aussi de la nôtre une distinction particulière (1).

A partir de ce moment, en effet, les comptes rendus d'œuvres romanesques se font extrêmement rares dans les *Observations sur les écrits modernes*. Quant aux raisons pour lesquelles exception fut alors faite en faveur de cet ouvrage de Mlle de Lussan, on peut se demander si elles ne tiennent pas à l'intervention d'une protectrice influente. Le premier volume de la *Suite des anecdotes* contient, en effet, une épître dédicatoire adressée « à Son Altesse Sérénissime Madame la Duchesse douairière », dans laquelle la romancière remercie la grande dame au seuil de son ouvrage, parce que celle-ci « a eu la bonté de le lire, de lui donner son suffrage, et de lui accorder sa protection ».

Mizirida, princesse de Firando présente un cas semblable à celui de l'ouvrage de Mlle de Lussan. Ce roman parut environ deux mois avant la *Suite des anecdotes*. Le *Mercure de France*, qui devait annoncer par quelques lignes enthousiastes le roman de Mlle de Lussan dans son numéro de novembre 1738, avait consacré plusieurs pages de son numéro de septembre 1738 à *Mizirida*. Voici quelques extraits particulièrement significatifs de ce long compte rendu :

Le sage magistrat qui préside à la littérature, voyant l'abus que l'on faisait des petits romans, qui, pour la plupart, n'inspiraient point de mœurs et ne donnaient pas lieu à un amusement raisonnable, a jugé à propos de les supprimer, et de ne permettre que ceux qui joignent au délassement de l'esprit une morale sage et qui peut fournir des règles de conduite.

Il prétend surtout que l'ouvrage soit publié tout entier et non pas par petites portions, dont la lenteur fait languir le public, et qui d'un livre, qui serait vendu comme les autres, en fait ordinairement un

---

(1) *Observations sur les écrits modernes*, t. XV (1738), pp. 289-291.

ouvrage d'un prix exorbitant, et qui est quelquefois porté au triple de sa valeur.

Celui que nous annonçons, et qui n'a passé qu'après un examen très sévère, est tel que le demandent les magistrats. [...]

On voit par là qu'il a suivi les règles des maîtres de l'art, qui veulent que dans les poèmes en prose, c'est-à-dire dans les romans, on ait soin d'observer le vraisemblable, et de ne point faire comme nos ancêtres, qui ne composaient ces sortes d'ouvrages que pour donner dans des extravagances incroyables par leur peu de vraisemblance. [...]

Dès que les romans seront formés sur un semblable plan, on ralentira les déclamations qu'on pourrait faire contre ce genre de livres, qui est dangereux, quand on n'a pas soin d'y observer, aussi exactement que dans celui-ci, les règles de la bienséance, et même les principes de la religion, que l'auteur ne manque pas d'y faire paraître, sans néanmoins qu'il prenne le ton ni de controvertiste ni de prédicateur (1).

Voilà donc, au cours de la seule année 1738, deux dérogations officielles à l'édit de proscription alors tout récent. Il y en eut sans aucun doute plusieurs autres par la suite. Mais, en sus de ces permissions exceptionnelles, approuvées, semble-t-il, par le Garde des sceaux lui-même, il est clair que d'autres romans furent épargnés au cours de ces années critiques avec la complicité de certains de ses collègues ou de fonctionnaires plus humbles et plus obscurs, qui s'employèrent de leur mieux à assouplir l'application des ordres de leur supérieur hiérarchique. C'est là, en effet, ce qu'affirme une autorité non moindre que celle de Malesherbes. Or celui-ci devait être particulièrement bien renseigné sur ces questions, non seulement en raison de ses fonctions de directeur de la Librairie, mais du fait que son père, Lamoignon avait, en 1750, remplacé Daguesseau au poste de chancelier. En 1759, dans le premier des ses admirables *Mémoires sur la librairie et sur la liberté de la presse*, Malesherbes, opposé par son tempérament comme par ses convictions, à toute mesure radicale et impopulaire, se plaisait à souligner dans les termes que voici l'inefficacité relative de la proscription des romans :

Dans les dernières années de la vie de M. le chancelier d'Aguesseau [il mourut en 1751], le parti que prit ce grand magistrat de ne permettre ni romans ni brochures frivoles, engagea d'autres ministres à établir une espèce de tribunal secret de tolérance, où on assurait les auteurs et les

---

(1) *Mercure de France*, septembre 1738, pp. 1994-1997. Le passage que nous avons omis contient un commentaire élogieux sur le réalisme historique, géographique et technologique de *Mizirida*. L'entrefilet consacré à la *Suite des anecdotes de la cour de Philippe Auguste* se trouve dans le *Mercure* de novembre 1738, p. 2436.

libraires qu'ils ne seraient point poursuivis en se soumettant à un examen particulier (1).

En raison même de sa nature clandestine, il est peu probable qu'on puisse se renseigner aujourd'hui de manière rigoureuse sur le fonctionnement de ce « tribunal secret de tolérance ». Mais il n'est pas douteux que son existence était connue dans les milieux littéraires du temps. On en jugera par ce passage d'une lettre adressée en 1754, trois ans seulement après la mort de Daguesseau, par J.-J. Rousseau à son ami Perdriau, professeur et pasteur de Genève :

... vous savez qu'à force de se rendre difficile sur des permissions indifférentes on invite l'homme à s'en passer : c'est ainsi que l'excessive sévérité du feu chancelier sur l'impression des meilleurs livres fit enfin qu'on ne lui présentait plus les manuscrits, et que les livres ne s'imprimaient pas moins, quoique cette impression faite contre les lois fût criminelle (2)...

Nous verrons un peu plus loin que les quelques romans qui furent ainsi épargnés ne représentent qu'une très faible proportion de la production romanesque de l'époque. Tous les autres étaient publiés à l'étranger ou clandestinement en France avec des indications fantaisistes quant à leur origine, y compris un roman satirique que le P. Porée lui-même fit paraître à La Haye en 1738 et 1739 : *la Mandarinade, ou Histoire comique du mandarinat de M. l'abbé de Saint-Martin, marquis de Miskou, docteur en théologie et protonotaire du Saint-Siège apostolique* (3).

V

Quant aux raisons qui poussèrent le chancelier Daguesseau à sévir ainsi contre le genre romanesque, il suffit de rappeler le caractère rigide et austère de l'homme pour se convaincre qu'elles furent de nature avant tout morale. Un janséniste aussi convaincu que Daguesseau ne pouvait faire cause commune avec un père jésuite comme Porée que sur la base la plus étroite de préjugés moraux conservateurs. Au reste, tous les textes de l'époque qui viennent d'être cités à ce propos, font allusion à l'immoralité des romans jugée intolérable par le chancelier. Cependant, comme trois de ces textes mentionnent également une imputation d'ordre

---

(1) MALESHERBES, *Mémoires sur la librairie et sur la liberté de la presse*, Paris, Agasse, 1809, pp. 1-2.
(2) Jean-Jacques ROUSSEAU, lettre datée de Paris, le 28 novembre 1754, in *Correspondance générale*, éd. Th. Dufour et P.-P. Plan, t. II, p. 133.
(3) Cf. S. P. JONES, *op. cit.* pp. 67-68 et 70. L'attribution au P. Porée, n'est pas certaine.

moins idéologique, il convient d'examiner rapidement ce qu'il en est, ne serait-ce que pour confirmer que le souci de sauvegarder les intérêts de la morale traditionnelle joua bien le rôle déterminant en cette affaire.

Dans la préface, citée plus haut, des *Nouveaux motifs de conversion*, après avoir longuement parlé de la valeur morale de ses propres romans, Mouhy conjecture que « l'abus qu'ont fait les auteurs de la liberté qu'ils avaient de produire sans achever leurs ouvrages, a sans doute occasionné le frein qui les retient aujourd'hui » (1). Même remarque dans le texte, publié peu après et cité plus haut, du *Mercure* de septembre 1738, qui, après avoir évoqué les soucis moraux du « sage magistrat qui préside à la littérature », affirme que celui-ci « prétend surtout que l'ouvrage soit publié tout entier et non pas par petites portions, dont la lenteur fait languir le public, et qui d'un livre, qui serait vendu comme les autres, en fait ordinairement un ouvrage d'un prix exorbitant, et qui est quelquefois porté au triple de sa valeur » (2). Enfin, dans le texte un peu plus tardif de l'abbé Granet, également cité plus haut, celui-ci proteste semblablement contre la « multitude innombrable de rhapsodies romanesques, dont on avait le front de présenter les misérables commencements, et de promettre la suite dans le même genre et du même goût » (3).

Certes il n'est pas impossible que le chancelier Daguesseau se soit indigné de la malhonnêteté d'un procédé qui permettait de mettre en vente des ouvrages destinés à demeurer inachevés, et qu'il ait voulu mettre un frein aux bénéfices commerciaux injustifiés de certains libraires et auteurs. Des soucis de cet ordre s'accorderaient très bien avec ce qu'on sait par ailleurs des principes élevés de Daguesseau. Mais il y a lieu de se demander aussi s'il ne s'agit pas là d'un simple grief imaginaire gratuitement attribué au chancelier par le chevalier de Mouhy, puis simplement répété par les journalistes. Si l'on étudie, en effet la bibliographie Jones, on s'aperçoit que Mouhy, qui était un écrivain professionnel vivant de sa plume (4), avait, à la date de 1738, publié tous ses romans sous la forme particulièrement avantageuse de volumes successifs, vendus séparément, et échelonnés parfois sur plusieurs années. Quatre d'entre eux étaient alors entièrement parus : *Mémoires de M. le marquis de Fieux*, 3 volumes (1735-1736) ;

(1) Cf. ci-dessus, p. 80.
(2) Cf. ci-dessus, pp. 86-87.
(3) Cf. ci-dessus, p. 81.
(4) Cf. F. C. GREEN, « The Chevalier de Mouhy, an eighteenth century French novelist », *Modern Philology*, XXII (1924-1925), pp. 225-237.

Paris, ou le Mentor à la mode, 2 volumes (1735-1736) ; *la Paysanne parvenue*, 7 volumes (1735-1737) ; et *la Vie de Chimène Spinelli*, 6 volumes (1737). Deux d'entre eux étaient en cours de publication et devaient voir leurs derniers volumes paraître en Hollande : *Lamekis*, 4 volumes parus (1735-1737) sur 8 ; et *Mémoires du comte de D... B...*, 3 volumes parus (1735-1737) sur 4. Enfin, deux autres étaient destinés à demeurer inachevés : *le Répertoire, ouvrage périodique*, 1 volume paru (1735) ; et *la Mouche, ou les Aventures de M. Bigand*, 2 volumes parus séparément en 1736, dont le second fait à la fin la promesse suivante destinée à demeurer sans lendemain : « La troisième partie paraîtra incessamment. »

On voit à quel point l'ordre de proscription lésait les intérêts d'un écrivain comme Mouhy, surtout si, ainsi qu'il l'affirme, cet ordre visait en particulier les romans publiés par tranches successives comme les siens. Mais était-ce bien le cas ? Il y a lieu d'en douter. Si l'on examine, en effet, ce qu'en dit l'abbé Granet en 1739 dans le passage cité des *Réflexions sur les ouvrages de littérature*, on remarquera une inconséquence révélatrice. Juste avant de stigmatiser les « rhapsodies romanesques » dont les premiers volumes sont mis en vente et les suivants simplement promis, Granet, en effet, distingue soigneusement des romans qu'il enveloppe dans un mépris universel cinq ouvrages récents, dont le choix témoigne de son bon goût. Ce sont les *Mémoires et aventures d'un homme de qualité, Manon Lescaut* et *Cleveland* de l'abbé Prévost ; et *la Vie de Marianne* et *le Paysan parvenu* de Marivaux. Or, non seulement ces cinq romans sont-ils coupables, eux aussi, d'avoir été mis en vente par volumes séparés échelonnés sur plusieurs années, y compris *Manon Lescaut*, qui, comme on le sait, était d'abord le tome VII des *Mémoires et aventures* ; mais trois de ces romans, *Cleveland, Marianne* et *le Paysan*, étaient alors inachevés, puisque les deux derniers volumes de *Cleveland* ne paraissent en Hollande qu'en 1739. Et surtout, on le sait maintenant, les deux romans de Marivaux ainsi distingués par Granet, ne devaient jamais être terminés par leur auteur.

Il reste encore une observation à faire sur cette cause hypo-thétique de la proscription des romans. C'est que les ouvrages qui, comme on l'a vu, échappèrent à cette proscription, n'étaient pas nécessairement plus innocents que ceux qui n'y échappèrent pas, du crime fort répandu à l'époque d'être publiés par tranches successives. En effet, sur les six romans énumérés plus haut qui furent autorisés en 1738, trois seulement présentaient le

douteux avantage d'être publiés au complet en un ou deux
volumes : les *Entretiens littéraires et galants, Prodige de vertu*
— qui ne compte que 35 pages — et les *Essais sur la nécessité
et sur les moyens de plaire.* Les trois autres se conformaient à
la norme et faisaient partie d'ensembles plus importants. Seul le
premier volume de *l'Enfant trouvé* paraît en 1738 ; les deux
autres devaient paraître en 1739 et 1740. Les trois volumes
de Mlle de Lussan qui paraissent en 1738 sont justement intitulés
Suite, car les trois premiers étaient parus cinq ans plus tôt en 1733.
Quant aux trois volumes de *Mizirida* qui paraissent aussi en 1738,
ils devaient être suivis de trois autres volumes destinés à voir
le jour cinq ans plus tard en 1743.

Il ne semble donc pas probable que l'habitude courante à
l'époque, chez les auteurs et libraires, de débiter leurs ouvrages
par tranches successives ait été une raison déterminante de la
proscription des romans. Ou bien l'imagination fertile du chevalier de Mouhy a inventé de toutes pièces ce grief auquel ses
propres habitudes l'exposaient plus qu'un autre ; ou bien ce fut
là un honnête prétexte dont on se servit officiellement pour
justifier une mesure d'exception dont la raison profonde tenait
aux convictions morales du chancelier Daguesseau.

VI

D'une manière comme d'une autre, il est parfaitement
évident que l'ordre de proscription fut appliqué avec une efficacité surprenante. Cette proscription qui, selon le texte contradictoire des *Observations* de décembre 1738 cité plus haut, était
« générale » sans pour cela condamner « toute sorte de fiction »,
épargna un nombre infime de romans. Certes, le nombre total des
nouveaux romans publiés en français à partir de 1738 demeure
sensiblement le même qu'avant, mais le lieu de publication
change. Les indications de lieu de publication, comme personne
ne l'ignore, sont extrêmement fantaisistes à l'époque, et donc
sujettes à caution. Les libraires parisiens n'hésitaient pas à
imprimer sur la page de titre de leurs ouvrages clandestins
Cologne, Utrecht, Rome, Gaznah, Pékin, Constantinople, ou
encore Luxuropolis, Cythère, Paphos, Lampsaque ou Badino-
polis. Mais, lorsqu'un roman français des années 1738-1750 est
publié avec pour indication d'origine Amsterdam, Leipzig,
Lausanne ou Londres, peu importe de savoir s'il s'agit là d'une
provenance authentique ou d'une imposture : dans un cas comme
dans l'autre, le livre est clandestin et l'indication d'origine

suffit à révéler, de la part de l'auteur et du libraire, le désir
d'échapper aux règlements en vigueur en France gouvernant la
publication des imprimés. Or l'examen, d'après la bibliographie
Jones de l'indication d'origine des romans publiés avant et
après l'accession du chancelier Daguesseau à la charge de Garde
des sceaux en 1737, constitue peut-être la plus persuasive des
contre-épreuves.

Dans le tableau qui suit, les chiffres représentent uniquement
des ouvrages originaux et ne tiennent compte ni des collections
(*Cabinet des fées, Aventures choisies, Bibliothèque de campagne,
Amusements des dames*, etc.), ni des réimpressions, même lorsque
le titre de la première édition est modifié pour laisser croire qu'il
s'agit d'une nouveauté. Afin de ne pas compliquer les choses à
l'excès, ces chiffres ne tiennent compte que du premier volume
paru, dans le cas de romans publiés par tranches successives
échelonnées sur plus d'une année. Or, comme on le verra un peu
plus loin, si l'on tenait compte au contraire d'un roman donné
autant de fois que ses diverses parties sont parues à des dates
différentes, cela aurait pour effet certain de gonfler les chiffres
représentant les romans parus avec indications d'origine étrangère. Notons encore qu'une indication d'origine française ne
dénote pas obligatoirement un roman soumis à la censure et
pourvu d'une autorisation en règle. Dans le cas, par exemple,
d'au moins deux romans de l'abbé Prévost parus après le début
de la proscription, il semble, comme on le verra à la fin du chapitre V, que leur publication en France n'ait été rendue possible
que par un subterfuge grâce auquel l'auteur et le libraire réussirent
à faire passer ces romans pour des ouvrages historiques. Ajoutons
enfin que, dans les chiffres qui suivent, ont été aussi considérés
comme étant de provenance étrangère les quelques romans qui
parurent alors avec comme indication d'origine soit Avignon,
qui ne fut annexé à la France que pendant la Révolution, soit
Nancy ou Metz qui ne devinrent légalement françaises que
lorsque le duché de Lorraine fut rattaché à la couronne après la
mort du roi Stanislas en 1766 (1).

(1) Sur l'activité des imprimeurs avignonnais et le commerce des livres clandestins en provenance du Comtat, voir ce que DIDEROT en dira à Sartine en 1767
dans sa grande *Lettre sur le commerce de la librairie* (*A.-T.*, t. XVIII, pp. 55
et 59). Parmi les romans français publiés en Lorraine à l'époque, nous sommes
particulièrement bien renseignés sur l'*Amour apostat* d'Augustin DELMAS
(Metz, 1739), grâce aux travaux d'Oscar A. HAAC, notamment son article
« L'amour dans les collèges jésuites : une satire anonyme du XVIIIe siècle », *Studies on Voltaire and the Eighteenth Century*, t. XVIII, pp. 95-111, Genève, Institut et Musée Voltaire, 1961.

Nombre de nouveaux romans français publiés entre 1730 et 1744

Années	Indication d'origine		Totaux
	française	étrangère	
1730	7	6	13
1731	17	7	24
1732	22	7	29
1733	11	6	17
1734	6	9	15
1735	21	9	30
1736	17	21	38
1737	12	24	36
1738	6	20	26
1739	6	24	30
1740	3	36	39
1741	3	37	40
1742	4	23	27
1743	3	30	33
1744	2	29	31

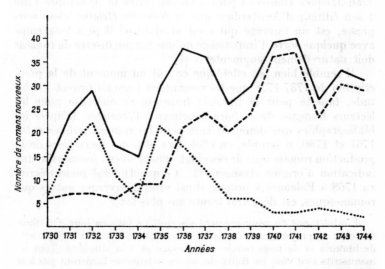

...... Indication d'origine française ----- indication d'origine étrangère ——— Totaux

Pendant les sept années 1730-1736, précédant la reprise des sceaux par le chancelier Daguesseau, les nouveaux romans publiés avec une indication d'origine française, et donc probablement avec un privilège ou une permission tacite, représentent plus de 60 % de la production totale de nouveaux romans français pendant cette période. En revanche, pendant les sept années 1738-1744, ils n'en représentent plus que 11 %. La rigueur de la proscription ne s'assouplit pas même après 1744. En 1746 et 1747, le nombre de romans portant une indication d'origine française tombe à zéro. Mlle de Lussan qui, en 1738, avait reçu une permission exceptionnelle pour sa *Suite des Anecdotes de la cour de Philippe-Auguste*, doit publier ses ouvrages ultérieurs à l'étranger. Ses *Anecdotes de la cour de François Ier* paraissent, en 1748, avec comme indication « Londres, J. Nourse » ; et ses *Annales galantes de la cour de Henri II* en 1749 avec comme indication « Amsterdam, J. Desbordes ». En attendant qu'on dispose pour les romans de la deuxième moitié du xviiie siècle d'une suite à la bibliographie Jones, laquelle ne va pas au-delà de 1750, on ne peut pas même être certain que les conditions soient devenues plus favorables après la retraite définitive du chancelier Daguesseau en 1750, ni même après sa mort en 1751. Jean-Jacques Rousseau pourra encore écrire le 20 octobre 1759 à son éditeur d'Amsterdam que *la Nouvelle Héloïse*, alors sous presse, est un ouvrage qui « est attendu ici depuis longtemps avec quelque sorte d'impatience qu'une longue disette de romans doit naturellement augmenter » (1).

Il semble bien, en effet, que ce soit au moment de la proscription de 1737-1738 que les romanciers français prirent l'habitude, funeste pour la librairie française et onéreuse pour les lecteurs français, de se faire imprimer à l'étranger. D'après les bibliographies que donne Mornet pour les romans publiés entre 1761 et 1780, il semble, en effet, que plus des deux tiers de la production romanesque de ces vingt années soient parus avec une indication d'origine étrangère (2). Ce que Diderot pourra écrire en 1768 à Falconet à propos, il est vrai, d'ouvrages autres que romanesques, est déjà vrai trente ans plus tôt :

L'intolérance du gouvernement s'accroît de jour en jour. On dirait que c'est un projet formé d'éteindre ici les lettres, de ruiner le commerce de librairie et de nous réduire à la besace et à la stupidité. Tous les manuscrits s'en vont en Hollande, où les auteurs ne tarderont pas à se

(1) J.-J. Rousseau, *Correspondance générale*, éd. citée, t. IV, p. 319.
(2) Cf. Mornet, *op. cit.*, pp. 358-385.

rendre. Ils ont fait naître une contrebande de livres où il y a dix fois plus à gagner que sur les indiennes, le tabac et le sel. Ils dépensent des sommes immenses pour nous faire acheter des brochures à un prix fou, méthode sûre pour ruiner l'État et le particulier (1).

Le rédacteur anonyme de la *Bibliothèque Française*, périodique paraissant lui-même à Amsterdam, n'a pas tort, à propos de la publication à La Haye, en 1739, des *Mémoires et aventures d'une dame de qualité qui s'est retirée du monde* de l'abbé Lambert, d'évoquer avec une indignation amusée « cette foule innombrable de productions informes, qui font sans relâche gémir les presses étrangères, depuis que de sages règlements ont mis les presses en France à l'abri de cette espèce de déluge » (2).

Si l'on examine maintenant les cas particuliers de quelques romans célèbres en cours de publication au moment où l'ordre de proscription s'abat sur le genre romanesque tout entier, on pourra non seulement trouver confirmation à ce qui précède, mais encore préciser davantage la date à laquelle cet ordre fut mis en vigueur. On verra, en effet, tous les romans dont les premiers volumes étaient parus en France avant 1738, poursuivre, après un délai variable, la publication de leurs volumes ultérieurs en Hollande. Voici les faits pour six des grands romans de l'époque, à commencer par celui sur lequel notre attention a été attirée par les témoignages de Condorcet et de Chamfort. Pour les cinq premiers tous les renseignements bibliographiques ci-dessous sont empruntés à l'ouvrage de S. P. Jones.

Les cinq premiers tomes de l'édition originale de *Cleveland* paraissent avec les indications suivantes : I et II, Paris, Didot, 1731 ; III, IV, et V, Paris, Didot (ou J. Guérin), 1732. Les trois derniers avec celles-ci : VI, Utrecht, E. Néaulme, 1738 ; VII, Utrecht, E. Néaulme, 1739 ; VIII, s. l., 1739. Et c'est ainsi sans doute que Prévost, qui n'en était pas à un subterfuge près, put ne pas tenir la promesse, censée faite en 1731 à Daguesseau, de faire baptiser catholique le bâtard de Cromwell à la fin du roman. N'était-ce pas, après tout, de bonne guerre, puisque le chancelier lui-même, par son ordre de proscription, revenait en fait sur son autorisation de 1731 (3) ?

(1) *A.-T.*, t. XVIII, p. 265. Cf., dans ce même volume, passages de la *Lettre sur le commerce de la librairie* (pp. 61-63), et d'une autre lettre à Falconet (p. 277). Cf. encore lettre de Diderot à Marc-Michel Rey, du 14 avril 1777 (M. Tourneux, *Diderot et Catherine II*, Paris, Calmann-Lévy, 1899, p. 514).
(2) *Bibliothèque Française*, t. XXXI (1740), Première Partie, p. 171.
(3) Sur une phase antérieure de l'histoire encore mal connue de la rédaction et de la publication de *Cleveland*, on consultera l'article de Marie-Rose Ruther-

Les six volumes du roman suivant de l'abbé Prévost, *le Doyen de Killerine*, malgré leur ton de religiosité plus profonde et leur point de vue plus catholique, subirent les mêmes avatars que ceux de *Cleveland* : I, Paris, Didot, 1735 ; II, La Haye, P. Poppy, 1739 ; III, s. l., 1739 ; IV, V et VI, s. l., 1740.

Dans d'autres cas, l'intervalle de temps séparant les volumes « français » des volumes « étrangers » est moins long que dans celui de ces deux romans de Prévost, mais les faits confirment encore l'hypothèse selon laquelle 1737 fut l'année critique et 1738 celle à partir de laquelle la proscription fut effective.

Les trois volumes de l'édition originale des *Égarements du cœur et de l'esprit* de Crébillon fils parurent de la façon suivante : I, Paris, Prault fils, 1736 ; II et III, La Haye, Gosse et Néaulme, 1738.

Quant aux deux romans du chevalier de Mouhy mentionnés plus haut comme étant en cours de publication au moment où le chancelier Daguesseau reprit la garde des sceaux, on les voit prendre le même chemin. Les quatre volumes de ses *Mémoires posthumes du comte de D... B...* paraissent avec les indications que voici : I, Paris, P. Ribou, 1735 ; II et III, Paris, G. A. Dupuis, 1737 ; IV, La Haye, J. Néaulme, 1741. Le cas de son second roman, *Lamekis, ou les Voyages extraordinaires d'un Égyptien*, est plus remarquable encore, du fait de la plus grande régularité avec laquelle ses huit volumes furent publiés. Voici les indications qu'ils portent : I, Paris, L. Dupuis, 1735 ; II, Paris, L. Dupuis, 1736 ; III et IV, Paris, Poilly, 1737 ; V, VI, VII et VIII, La Haye, Néaulme, 1738.

Enfin l'exemple le plus révélateur est celui de *la Vie de Marianne* de Marivaux. Grâce aux travaux récents de Frédéric Deloffre, nous disposons de renseignements exceptionnellement précis sur les dates auxquelles parurent les onze tomes de l'édition originale de ce roman. Le tableau chronologique qui suit est entièrement fondé sur les renseignements contenus dans sa propre « Chronologie » (1). Seule la date qu'il donne pour la publication de la huitième partie sera appelée un peu plus loin à être légèrement corrigée.

FORD. « Un inédit sur l'abbé Prévost », *French Studies*, IX (1955), pp. 227-237. Dans un article ultérieur, paru alors que le présent ouvrage était déjà sous presse, Mme de LABRIOLLE-RUTHERFORD est donc sans doute victime d'une méprise lorsqu'elle note : « La permission d'imprimer [*Cleveland*] fut enfin accordée par le chancelier d'Aguesseau plus tolérant que son prédécesseur » (« *le Pour et le Contre* et les romans de l'abbé Prévost », RHL, LXII (1962), p. 35).

(1) MARIVAUX, *la Vie de Marianne*, éd. F. Deloffre, Paris, « Classiques Garnier », 1957, pp. XC-XCV.

La Vie de Marianne

Vers juin 1731 :
 Première partie, Paris, Pierre Prault, 1731.

Fin janvier 1734 :
 Seconde partie, Paris, Prault père, 1734.

Novembre 1735 :
 Troisième partie, Paris, Prault fils, 1735.

Mars-avril 1736 :
 Quatrième partie, Paris, Prault fils, 1736.

Septembre 1736 :
 Cinquième partie, Paris, Prault fils, 1736.

Décembre 1736 :
 Sixième partie, Paris, Prault fils.

Février 1737 :
 Septième partie, Paris, Prault fils.

Janvier 1738 :
 Huitième partie, La Haye, Gosse et Néaulme, 1737.

27 mars 1742 :
 Neuvième partie, Fleuron triangulaire, s. l., 1741.
 Dixième partie, Fleuron triangulaire, s. l., 1741.
 Onzième partie, La Haye, Jean Néaulme, 1741.

Toujours selon la chronologie Deloffre le volume contenant la septième partie de cette édition originale contient l'approbation du censeur J. Saurin qui avait déjà approuvé les six tomes précédents. Cette approbation est signée du 27 janvier 1737, soit environ quatre semaines avant que le chancelier Daguesseau reprenne les sceaux et, avec eux, la haute direction de la censure. Quant au tome VIII, qui est bien le premier de ceux qui parurent en exil, la date de 1737 qu'il porte est, semble-t-il, correcte. Ce volume fut, en effet, connu avant la date de janvier 1738 que propose Deloffre, puisque le compte rendu des *Observations sur les écrits modernes*, mentionné dans l'édition Deloffre, se trouve dans la lettre nº CLXI de ce périodique, datée du 28 décembre 1737 (1).

Ce compte rendu des *Observations*, très favorable en général à la huitième partie de *Marianne*, mais contenant fort peu de remarques intéressantes, est, à notre connaissance, le commentaire le plus ancien d'un ouvrage qui semble lui-même être une des

(1) *Observations sur les écrits modernes*, t. XI, pp. 259-264.

premières victimes de la proscription des romans. L'intérêt exceptionnel de ce compte rendu est qu'il paraît à une date à laquelle la rédaction des *Observations* semble encore ignorer cette proscription pourtant déjà effective. Ce n'est, en effet, qu'environ sept mois plus tard, le 16 juillet 1738, que devait être rédigé, pour le même périodique, le compte rendu cité plus haut des *Nouveaux motifs de conversion* de Mouhy. Et ce n'est qu'à partir de cette date qu'obéissant aux intentions et peut-être aux consignes du Garde des sceaux, les *Observations* cessent presque entièrement de parler de romans dans leurs pages. Rompant exceptionnellement ce silence en faveur de l'ouvrage de Mlle Lussan en décembre 1738, on a vu, en effet, les rédacteurs des *Observations* affirmer alors ne plus être « depuis longtemps dans l'usage de parler de romans ». Il semble donc parfaitement clair que la proscription des romans fût mise en vigueur plusieurs mois avant d'être connue, non seulement du public lettré, mais même des littérateurs de profession. Un dernier exemple le confirme : dans leur lettre du 12 avril 1738, les *Observations* annoncent, toujours sans paraître se douter de rien, la publication du tome VI de *Cleveland* qui pourtant, comme on l'a vu, est le premier des tomes « exilés » de ce roman.

Il existe cependant un écho intéressant de l'ordre de proscription, qui semble bien antérieur à 1738, quoiqu'il n'ait donné lieu à une nouvelle imprimée qu'en 1739. Il s'agit d'un article publié à Amsterdam dans la *Bibliothèque Française* dans la première partie du volume de 1739. Cet article, intitulé « Lettre où l'on rend compte de divers ouvrages nouveaux », est daté du 2 décembre 1737, et la rédaction indique en note au début de l'article : « Nous n'avons pu insérer plus tôt cette lettre faute de place (1). » L'auteur anonyme de cet article fait d'abord un compte rendu copieux et élogieux du premier volume des *Égarements du cœur et de l'esprit* de Crébillon (volume paru en 1736), en s'excusant de son retard. « Je souhaite que la suite de cet ingénieux roman paraisse bientôt » (2), déclare-t-il ensuite, ce à quoi la rédaction ajoute en note : « Depuis que cette lettre a été écrite on a publié la seconde et la troisième partie de cet ouvrage. » Comme on l'a vu plus haut, les tomes II et III étaient, en effet, parus en 1738. Après quoi, le journaliste, décidément bien informé, donne sur un ton à la fois détaché et ironique la nouvelle sensa-

---

(1) *Bibliothèque Française*, t. XXVIII (1739), Première Partie, p. 139. La date du 2 décembre 1737 apparaît à la fin de l'article, p. 162.
(2) *Ibid.*, p. 147.

tionnelle que voici, à laquelle on ne peut pas être certain qu'il croie vraiment lui-même :

A propos de romans, on vient de me conter fort sérieusement que l'on ne donnera plus dorénavant en France de permission d'imprimer ces sortes de livres. Si cela est vrai, que nous allons avoir d'imprimeurs et de lecteurs désœuvrés ! Au reste, cela pourra produire un bon effet. Quand on n'aura plus de romans à lire, il faudra bien, pour se désennuyer, recourir aux bons livres. D'un autre côté, nos jeunes auteurs qui s'amusaient à ces bagatelles, et qui trouvaient dans la facilité de les composer, et dans le débit presque sûr qu'elles avaient, de quoi flatter leur amour-propre et leur paresse, se trouveront obligés à faire un meilleur usage de leurs talents. Ainsi nous retirerons infailliblement deux grands avantages de la proscription des romans : on imprimera bien moins de livres, et ceux qui paraîtront seront bien plus utiles que ce tas d'historiettes dont nous sommes accablés tous les jours. Quand je songe cependant au plaisir que m'a fait la lecture des *Mémoires de Meilcour* [sous-titre des *Égarements*], je ne puis m'empêcher de regretter qu'on veuille bannir toute cette espèce d'ouvrages sans restriction (1).

Si ce texte a bien été écrit le 2 décembre 1737, comme il n'y a pas vraiment lieu d'en douter, il est sans doute significatif que ce premier écho de la proscription des romans se soit fait entendre dans une revue publiée à l'étranger. En France, comme nous l'avons vu, le premier texte publié faisant allusion à cette proscription est la préface du chevalier de Mouhy, à ses *Nouveaux motifs de conversion*, dont l'approbation est datée du 20 avril 1738. Le *terminus ad quem* que nous avions provisoirement tiré de ce texte s'applique donc, non pas à l'ordre de proscription lui-même, mais à la connaissance qui fut prise de cet ordre dans le public lettré de l'époque. Les littérateurs professionnels, on vient de le voir, avaient commencé à en colporter la rumeur dès la fin de l'année précédente. Mais ce n'est qu'à partir du printemps 1738 que les périodiques publiés en France commencent à observer vis-à-vis des nouveaux romans ce qui semble bien avoir été une sorte de consigne du silence plus ou moins officiellement imposée d'en haut. Tout semble s'être passé comme si, du moment qu'on ne pouvait pas empêcher les romans, désormais proscrits en France, de se faire imprimer à l'étranger, on veillait au moins à ce que les périodiques publiés en France ne les fissent pas bénéficier d'une publicité abusive. Il semble bien, en effet, que ce soit en vertu de cette consigne hypothétique que Frédéric Deloffre n'a pu retrouver dans la

(1) *Ibid.*, p. 148.

presse de l'époque aucun compte rendu des trois dernières
parties de *Marianne* (1), parues en 1742, alors que la huitième
partie, pourtant déjà « exilée » était parue assez tôt pour donner
lieu, non seulement au long compte rendu des *Observations* de
décembre 1737, mais aussi à un bref écho dans le *Pour et Contre*
du printemps suivant, à un moment où Prévost, rédacteur de
ce périodique, connaissait sûrement l'existence de la proscription qui venait de le contraindre à faire paraître le tome VIII
de *Cleveland* à l'étranger (2).

On peut donc maintenant suggérer pour la mise en vigueur
de l'ordre de proscription un nouveau *terminus ad quem*. Celui-ci
devrait se placer environ deux mois avant la rédaction du compte
rendu de la huitième partie de *Marianne* dans la lettre des
Observations datée du 28 décembre 1737 : soit fin octobre 1737.
Cet écart de deux mois n'est, en effet, pas excessif pour per-

(1) Voici ce qu'écrit DELOFFRE dans l'excellente introduction à son édition
citée (pp. LXXVII-LXXVIII) : « Sur les trois dernières parties, parues à La Haye,
nous ne trouvons plus de compte rendu. Le *Journal littéraire* et le *Pour et Contre*
avaient cessé de paraître, les *Observations* et surtout *La Bibliothèque Française* sont inexplicablement muettes à leur sujet. » Citons à cet égard une note
curieuse et suggestive parue dans la *Bibliothèque Française* de 1740 (t. XXXI,
p. 363) : « Toutes les feuilles périodiques sont cessées : il y a plusieurs mois
que l'on a terminé les *Réflexions sur les ouvrages de littérature*, au 12⁰ volume
inclusivement. L'abbé Prévost a pris congé depuis du public dans la dernière
feuille du 20⁰ volume de son *Pour et Contre* ; et on a obligé MM. Desfontaines
et Granet de discontinuer leurs *Observations sur les écrits modernes*, que le
public recherchait avec beaucoup d'empressement. » S'il est vrai, en effet, que
les *Réflexions* de l'abbé GRANET arrêtèrent de paraître au cours de la même
année 1740 que le *Pour et Contre* de l'abbé PRÉVOST, on voit mal à quoi le
journaliste de la *Bibliothèque Française* fait allusion en ce qui concerne les
Observations. Celles-ci poursuivirent, en effet, leur publication jusqu'en 1743.
Sur les périodiques de cette époque, on pourra se reporter à l'excellente
documentation présentée par Gabriel BONNO, « Liste chronologique des périodiques de langue française du XVIII⁰ siècle », *Modern Language Quarterly*, V
(1944), pp. 3-25.
(2) *Le Pour et Contre*, n⁰ CCXXIV, t. XVI (1738), p. 50. Les feuilles de
ce périodique ne sont pas datées. On peut cependant hasarder la date d'avril
ou mai 1738 pour ce numéro où Prévost consacre à peine dix lignes en tout
au t. VIII de *Marianne* et aux t. II et III des *Egarements du cœur et de l'esprit*
de CRÉBILLON. F. DELOFFRE (*Marivaux et le marivaudage*, p. 544) suggère
« vers août » pour date de ce numéro du *Pour et Contre*. Mais Prévost parle
quelques lignes plus haut de deux pièces de théâtre, *Maximien* tragédie de
NIVELLE DE LA CHAUSSÉE, et le *Fat puni*, comédie de PONT DE VESLE. Or ces
deux pièces furent simultanément à l'affiche du Théâtre Français entre le
14 avril et le 3 mai 1738 (cf. H. C. LANCASTER, *French Tragedy in the Time
of Louis XV and Voltaire (1715-1774)*, Baltimore, Johns Hopkins Press,
2 vol., 1957, t. I, p. 241). Or, le t. VIII de *Cleveland*, premier des tomes exilés
de ce roman, était paru depuis quelque temps déjà à ce moment, puisque
l'écho qu'on en trouve dans les *Observations* est daté du 12 avril 1738. Sans
doute est-ce donc bien parce qu'il est au courant de la proscription des romans
que Prévost consacre alors prudemment si peu de lignes aux tomes des deux
romans de Marivaux et de Crébillon fils qui comptent parmi les toutes premières victimes de cette proscription.

mettre l'impression et la diffusion de ce volume de Marivaux (1).
L'ordre de proscription est donc à situer dans une période allant
de mars à octobre 1737, et sans doute à un moment plus proche
d'octobre que de mars, afin d'expliquer comment une douzaine
de romans a encore pu y échapper en 1737 (2).

* *

Telle fut dans ses grandes lignes, l'histoire de la proscription
des romans. Ce fut là sans conteste un des événements les plus
importants, sinon les plus célèbres, de l'histoire du roman français de l'époque. Si nous sommes en droit de nous étonner aujour-
d'hui qu'une mesure aussi extrême ait éveillé relativement si
peu d'échos auprès des contemporains, et surtout des échos si
modérés, que cet étonnement ne vienne pas jeter le moindre
soupçon sur l'authenticité de cette mesure. La modération des
réactions à l'époque n'est que le signe de l'habitude qu'on avait
prise de la censure et de l'arbitraire. La notion de liberté de la
presse est alors à peine répandue chez les esprits les plus avancés.
Un tiers de siècle plus tard, lors de la grande mêlée de l'*Encyclopédie*, l'idéal en jeu ne sera pas même encore celui de la liberté
de la presse. Cela n'amoindrit en rien l'importance de la proscription des romans dans l'histoire littéraire de cette époque.
Tout au plus cela modifie-t-il le genre d'importance qu'il convient
d'y attacher. Si, pour notre part, nous sommes prêt à y voir l'un

(1) On pourrait même conjecturer une date antérieure encore de plusieurs
mois. En effet, selon F. DELOFFRE (*Marivaux et le marivaudage*, p. 543), le
libraire Néaulme annonçait dans la *Gazette d'Amsterdam* du 21 mai 1737 avoir
sous presse la VIIIᵉ Partie de *Marianne*. La raison pour laquelle nous ne nous
en tenons pas à cette conjecture est que le même Néaulme, toujours selon
F. DELOFFRE (*ibid.*, p. 538), avait déjà annoncé dans la *Gazette d'Amsterdam*
du 6 mars 1736 avoir sous presse la VIᵉ Partie de *Marianne*, alors que cette
partie, comme la VIIᵉ, parurent encore ouvertement en France. Plutôt que
d'une édition « exilée », il s'agirait donc dans ce cas d'une contrefaçon.
(2) L'article déjà mentionné de Mme de LABRIOLLE-RUTHERFORD (*RHL*,
LXII (1962), p. 35) cite un manuscrit de la Bibliothèque de la Ville de Paris,
daté du 15 mai 1737. Ce document, paru alors que le présent ouvrage était déjà
sous presse, est la confirmation la plus ancienne des hypothèses émises dans
ce chapitre. Comme il permet donc à la fois de les renforcer et de les préciser,
nous croyons bien faire en le reproduisant : « Hier matin, chez Procope, les
beaux-esprits ordinaires se sont entretenus sur ce qu'on assure que M. le
Chancelier ne veut pas souffrir qu'il paroisse davantage de nouveaux romans
qui gâtent la littéraire [*sic*] et le goût, on a cité l'Abbé Prévost qui avait été
trouver M. le Chancelier au sujet de son cinquième tome de Cleveland qu'on
lui faisoit difficulté de passer comme roman, sur quoy quelques beaux esprits
ont essayé de parler en faveur des romans dont ils prétendent qu'on ne doit
point frustrer le Public quand il n'y a rien contre la religion et contre les
bonnes mœurs ». Remarquons qu'il s'agit sans doute du t. VI de *Cleveland* et
non du t. V, lequel était paru dès 1732.

des événements les plus significatifs de l'histoire du roman pendant cette période, c'est uniquement parce que, même si, du fait du commerce clandestin des livres, elle ne réussit aucunement à réduire au silence les romanciers français, elle n'en demeure pas moins le symptôme le plus évident de ce dilemme du roman auquel cet ouvrage est consacré, et dans lequel nous voyons le facteur le plus important de l'histoire du roman de l'époque. Rien, en effet, n'est mieux capable de mettre en lumière le cercle vicieux dans lequel les romanciers avaient été enfermés par les exigences critiques contradictoires des ennemis du genre romanesque. Fallait-il satisfaire les partisans d'une littérature d'édification morale, embellir donc la nature humaine en la peignant, l'idéaliser, et tomber, ce faisant, dans l'irréel et l'invraisemblable ? Ou fallait-il, au contraire, représenter la nature humaine telle qu'elle était, et donc, dans la mesure où le réalisme est à l'art ce que le cynisme est à la morale, tomber dans l'immoralité ? Comment éviter en même temps les sarcasmes du P. Bougeant et les foudres du P. Porée ?

Au gré des contemporains, ce fut l'école anglaise et ses disciples français qui devaient réussir le mieux à sortir de ce cercle vicieux. Il convient donc de noter ici que les romanciers anglais n'ignoraient pas plus que leurs confrères français l'existence du dilemme. La *Pamela* de Richardson est, à cet égard aussi, un des livres exemplaires de l'époque. Vers la fin de ce roman, dont l'édition anglaise originale est de 1740, Richardson fait faire à son héroïne les réflexions révélatrices que voici sur les ouvrages romanesques qu'on lisait alors en Angleterre, et dont beaucoup étaient des traductions des romans français du xviie et du début du xviiie siècle :

There were very few novels and romances that my lady would permit me to read ; and those I did, gave me no great pleasure ; for either they dealt so much in the *marvellous* and *improbable,* or were so naturally *inflaming* to the *passions,* and so full of *love* and *intrigue,* that hardly any of them but seemed calculated to *fire* the *imagination,* rather than to *inform* the *judgment* (1).

(1) « Il y avait très peu de nouvelles et de romans que Madame me permettait de lire ; et ceux que je lus ne me donnèrent guère de plaisir ; car, ou bien ils versaient tant dans le merveilleux et l'invraisemblable, ou bien leur nature était tellement propre à attiser les passions et ils étaient si pleins d'amour et d'intrigue, qu'ils semblaient à peu près tous sans exception être conçus pour enflammer l'imagination, plutôt que pour édifier l'esprit. » Richardson, *Pamela,* 102e lettre. Le texte anglais, avec ses italiques, est cité d'après l'édition Leslie Stephen, Londres et Manchester, Henry Sotheran & Co., 3 vol., 1883, t. III, p. 402. Ce texte n'ayant apparemment pas été traduit par l'abbé Prévost, la traduction qui précède est de notre main.

Cette répartition des romans en deux genres, pour lesquels
la langue anglaise disposait de deux substantifs différents, les
invraisemblables *(romances)* et les corrupteurs *(novels)*, révèle
parfaitement la lucidité avec laquelle le grand romancier anglais
avait pris conscience des conditions du genre littéraire qu'il
avait choisi. Le fait que Richardson ait reconnu l'existence de
ce dilemme dès son premier roman suffit peut-être à montrer
que ce fut sciemment et consciemment qu'il chercha avec *Pamela*
à résoudre l'antinomie qui risquait de paralyser le genre romanesque tout entier ou de le condamner du moins à la médiocrité. En tout cas l'enthousiasme avec lequel la traduction de
Pamela, due à l'abbé Prévost, fut reçue en France en 1742,
prend un sens nouveau à la lumière de ce qu'on vient de voir,
tant sur le plan du dilemme que sur celui de la proscription.
Les réactions de l'abbé Desfontaines dans les *Observations sur
les écrits modernes* sont particulièrement instructives à cet égard.
« Vous connaissez mon aversion pour les romans, dont les aventures heurtent presque toujours la vraisemblance, et dont
le style puéril, fade, languissant ou affecté, me cause des nau-
sées » (1), déclare Desfontaines en date du 23 juin 1742, annon-
çant que *Pamela* est si différente des autres romans qu'il se propose d'en parler plus longuement sous peu. Dès le 28 juillet
suivant, Desfontaines consacre, en effet, les douze pages de la
lettre CCCCXXIX des *Observations*, composée en caractères
exceptionnellement petits, à un compte rendu dithyrambique
de *Pamela*, vers la fin duquel les remarques suivantes paraissent
particulièrement révélatrices de la date à laquelle elles paraissent, moins de cinq ans après le début de la proscription :

Si tous nos romans ressemblaient à celui dont je viens de vous
entretenir, je crois que le feu P. Porée se serait dispensé de décrier ce
genre dans une harangue latine, et qu'il aurait plutôt écrit en leur
faveur. [...]
Il est assez surprenant qu'en Angleterre, où le gouvernement ne
défend ni de penser, ni d'écrire ce qu'on veut, il paraisse des ouvrages
qui renferment une morale si épurée, et qu'on n'y imprime jamais de
livres licencieux, quoique la presse y soit libre ; tandis que parmi nous
nos livres les plus chastes, en fait de romans, sont ceux où le vice est
mieux voilé sous les charmes d'une ingénieuse fiction, et sous les agréments d'un style voluptueusement délicat (2).

(1) *Observations sur les écrits modernes*, t. XXIX (1742), p. 70.
(2) *Ibid.*, pp. 212-213. A rapprocher de ce que DIDEROT écrira sur le même
sujet en 1767 dans sa *Lettre sur le commerce de la librairie* (A.-T., t. XVIII,
p. 68) : « La chose est tout à fait différente à Londres ; il n'y a ni privilèges ni

A partir de ce moment l'attitude des rédacteurs des *Observations* sur les romans en général se modifie sensiblement. Au point que, le 19 janvier 1743, une protestation s'élève dans les pages de ce périodique contre une hostilité trop systématique vis-à-vis du genre romanesque. Le tome VI de l'*Histoire littéraire de la France* publiée par les bénédictins venait alors de paraître. A propos des romans du x⁰ siècle, les auteurs de ce volume proscrivaient impitoyablement le genre romanesque tout entier, et s'attiraient de la part des *Observations* la mise au point significative que voici, dont il semble bien que l'inspiration fût venue droit de l'exemple mémorable de *Pamela* :

> Un roman bien fait et bien écrit, qui ne blesse point l'honnêteté des mœurs, qui ne roule point sur une fade galanterie, qui renferme une morale fine en action, ou qui réjouit le lecteur par des images plaisantes et des saillies comiques, est vraiment un ouvrage digne d'un homme de lettres, comme un poème épique, une tragédie, une comédie, un opéra (1).

Ce fut bien, en effet, l'exemple des romans de Richardson qui, combiné à celui de *la Nouvelle Héloïse*, devait fournir au romanciers français des années 1760 une formule nouvelle, capable d'accorder réalisme et moralisme, et d'échapper ainsi aux attaques persistantes des détracteurs systématiques du genre romanesque. Mais, en attendant que cette formule fût mise au point, les romanciers, malgré la possibilité de se faire imprimer clandestinement, auraient couru un péril mortel, s'ils étaient demeurés oisifs ou indifférents devant la vague d'accusations d'immoralisme qui déferlait sur eux (2). Pour ne pas être engloutis, ces romanciers durent se mettre sur la défensive, puis contre-attaquer avec une énergie et une imagi-

censeurs. Un auteur porte son ouvrage à l'imprimeur, on l'imprime, il paraît. Si l'ouvrage mérite par sa hardiesse l'animadversion publique, le magistrat s'adresse à l'imprimeur ; celui-ci tait ou nomme l'auteur : s'il le tait, on procède contre lui ; s'il le nomme, on procède contre l'auteur. Je serais bien fâché que cette police s'établît ici ; bientôt elle nous rendrait trop sages. »
(1) *Ibid.*, t. XXXI (1742), pp. 228-229.
(2) Voici encore un exemple de ces accusations. Daté de 1761, ce texte est tardif et témoigne bien de la persistance de ce genre d'arguments. Il est de la plume de l'abbé IRAILH, lequel s'autorise, pour censurer *la Nouvelle Héloïse*, alors tout juste parue, de l'immortalité et de la licence des romanciers qui précédèrent Rousseau : « On donne des couleurs aimables aux actions les plus basses et les plus noires ; on peint en beau l'ingratitude, la supercherie, la fraude, la trahison ; on court après les tableaux satiriques ou les tableaux licencieux. Une héroïne ne brille dans un roman que par le contraste de vingt femmes prostituées. Loin de tendre, comme on le devrait à la correction des mœurs, on semble conspirer pour leur ruine : on réveille presque toujours l'idée du libertinage » (*Querelles littéraires*, t. II, p. 346).

nation remarquables, sinon toujours avec une bonne foi absolue. C'est à l'examen des arguments qu'ils mirent alors en avant que sont consacrés plusieurs des chapitres qui suivent. Plutôt que de suivre rigoureusement l'ordre chronologique des mille et une embuscades et escarmouches qui composent la petite histoire du roman à l'époque, ces chapitres vont s'efforcer de regrouper de manière aussi logique et ordonnée que possible ce qui ne serait autrement qu'une chronique d'aventures disparates et décousues.

CHAPITRE IV

DÉFENSE DU RÉALISME
PSYCHOLOGIQUE ET MORAL

L'analyse historique que contiennent les chapitres précédents a peut-être eu le tort de simplifier et de systématiser à l'excès. Mais le dilemme qu'elle a permis de dégager et de mettre en relief n'est pas une simple conjecture ou construction de l'esprit. Il a réellement existé à l'époque envisagée, et peut-être existe-t-il encore aujourd'hui. On pourrait même se demander s'il n'est pas au nombre de ces paradoxes fondamentaux qui servent de base au genre romanesque, comme la catharsis à la tragédie.

En tout cas, qu'il ait ou non été toujours senti et compris avec précision et lucidité par tous les romanciers du temps, il n'est pas exagéré de dire que ce dilemme a joué un rôle de tout premier plan dans le développement du roman au XVIIIᵉ siècle. Il a été une des données les plus importantes du problème romanesque tel qu'il s'est posé à cette époque, car il mettait finalement en jeu l'existence même du roman en tant que genre littéraire. Consciemment ou inconsciemment la plupart des romanciers d'alors ont été contraints de reconnaître l'existence de ce dilemme ; à un certain point de vue, on pourrait même dire que chacun de leurs romans en constitue une tentative de solution.

Les préfaces, avertissements, avis au lecteur et autres épîtres préfatoires plus ou moins sincères, qu'ils firent imprimer avec une régularité aujourd'hui surprenante sur les pages liminaires de leurs romans, représentent, du reste, une véritable démonstration de ce fait. Il suffit, en effet, de feuilleter quelques-uns de ces textes introductoires pour observer que le refrain le plus persistant que chantent les préfaciers du temps est celui qui vante l'incomparable profit moral que le public ne pourra pas s'empêcher de tirer de la lecture, par ailleurs assurément divertissante, des ouvrages qu'ils présentent. L'Horace d'*omnis tulit punctum...,* que cite Lesage à la fin de son avis de « Gil Blas au lecteur », inspire en fait tous nos faiseurs de préfaces qui, tels les agents publicitaires d'aujourd'hui, s'empruntent à qui mieux mieux leurs idées et leurs slogans. A les en croire leur principal souci, en écrivant, a toujours été de mélanger l'utile à l'agréable. Cela n'est pas seulement vrai des textes accompagnant les romans évidemment composés pour illustrer les maximes les plus banales de la morale établie, et qui, du reste, ne sont ni les meilleurs, ni les plus nombreux, ni les plus lus des romans du temps. Il semble même au contraire que ce soit surtout vrai des textes précédant les romans qui s'opposent le plus ouvertement à cette même morale. On se souvient des préfaces de Crébillon et, plus tard, de celle de Laclos ; on se souvient peut-être aussi de la sinueuse phrase de conclusion sur laquelle Sade termine, sans doute en 1787, les remarques liminaires qui servent de préface à celui de ses romans dont l'idéologie morale se veut si absolument aux antipodes de la morale courante, *les Infortunes de la vertu* :

> Il est cruel sans doute d'avoir à peindre une foule de malheurs accablant la femme douce et sensible qui respecte le mieux la vertu, et d'une autre part, la plus brillante fortune chez celle qui la méprise toute sa vie ; mais s'il naît cependant un bien de l'esquisse de ces deux tableaux, aura-t-on à se reprocher de les avoir offerts au public ? Pourra-t-on former quelque remords d'avoir établi un fait, d'où il résultera pour le sage qui lit avec fruit la leçon si utile de la soumission aux ordres de la providence, une partie du développement de ses plus secrètes énigmes et l'avertissement fatal que c'est souvent pour nous ramener à nos devoirs que le ciel frappe à côté de nous les êtres qui paraissent même avoir le mieux accompli les leurs (1) ?

Enfin, pour citer un dernier exemple, qui ne sort pas, lui, du cadre chronologique que nous nous sommes proposé, l'avertissement que le chevalier de Mouhy, place en tête du second tome de *la Mouche*, en 1736, ne s'accorde guère avec les aventures parfois crapuleuses que raconte Bigand, le héros du roman, lequel, plus encore que Gil Blas ou que le paysan Jacob, gravit les échelons de la société grâce à son manque presque total de scrupules moraux. Cela n'est pas pour empêcher Mouhy de déclarer en principe :

> Je fais peu de réflexions ; chacun a son usage. Mais je souhaiterais qu'on en fît à ma place, afin de retirer le fruit qu'on doit se proposer dans toutes sortes de lectures, qui est de se fortifier dans l'usage des

---

(1) SADE, *les Infortunes de la vertu,* collection « Incidences », Paris, Editions du Point du Jour, 1946, pp. 38-39.

vertus lorsqu'on est vertueux, et de se retirer du précipice dans lequel on s'est laissé entraîner par le vice.

Les faits que rapporte un auteur, lus avec cet esprit, deviennent alors d'autant plus attrayants que l'utile est joint avec le gracieux. La morale est sèche naturellement, et porte un sérieux qui afflige : c'est un excellent musicien qui chante un bel air avec une voix désagréable. L'auteur, semblable à un médecin habile, qui, sentant la nécessité de purger son malade, trompe l'aversion qu'il a pour le remède en le lui présentant sous une apparence et une superficie appétissante, enlumine, s'il est permis de se servir de cette expression, les endroits sombres de sa morale, afin d'y attacher les yeux de l'esprit, et par là faire les impressions qu'il s'est proposées (1).

Le fait que cette doctrine n'est en aucune façon illustrée par le roman même qui sert de prétexte à son exposition, est confirmé par la présence de cette profession de foi en tête, non pas du premier tome, mais du second qui parut un peu plus tard. Sans doute la réception du premier avait-elle rendu nécessaire une protestation d'intentions morales, même si celles-ci ne rencontraient, tout au moins dans ce roman, aucune tentative sérieuse de réalisation.

Si, en effet, dès le début du siècle et de plus en plus régulièrement à partir de 1730 environ, les romanciers jugent bon d'avertir et de démontrer, dans des textes liminaires extérieurs aux romans eux-mêmes, que ceux-ci sont d'une utilité morale éminente, n'est-ce pas aussi parce qu'ils sont conscients, dans leurs romans, de prêter le flanc aux objections morales, en raison même du réalisme avec lequel ils peignent la morale et la psychologie de leurs personnages ? ... *qui miscuit utile dulci*... Si, en effet, l'utile est le moral et l'agréable le réaliste, le mélange risque fort de se comporter comme celui de l'huile et de l'eau. N'est-ce pas, enfin, parce que, en raison de l'itinéraire qu'avait suivi le roman du temps et que notre second chapitre a essayé de reconstituer, l'argument moral était enfin devenu — ou redevenu — la plus efficace et la plus redoutable des armes qui restaient encore accrochées à la panoplie antiromanesque ?

Seules donc, semble-t-il, des raisons de tactique littéraire comme celles-ci peuvent expliquer le moralisme insolite des défenses du roman et des préfaces des romans. On invoquerait à tort, en effet, l'atmosphère moralisante du siècle : l'explication sociologique porterait à faux. Car le moralisme apparaît, chez Prévost par exemple, bien avant que la grande vogue morali-

_____

(1) MOUHY, Avertissement de la IIIe Partie de *la Mouche, ou les Aventures de M. Bigand,* Paris, Dupuis, 2 vol., 1736, t. II, pp. 3-4.

satrice vienne inspirer le pinceau de Greuze et de Fragonard, et
la plume de Diderot ou de Marmontel, ou même celle de Nivelle
de La Chaussée. Dans le roman et dans la critique du roman, le
moralisme devance évidemment la mode. Ne disons pas qu'il la
lance, mais tout simplement qu'il ne s'explique pas par elle.
Certes, par la suite, la vogue du sentimentalisme aidant, le
moralisme du roman n'en deviendra que plus envahissant et plus
oratoire, mais que cela ne permette pas d'oublier que l'origine de
ce moralisme particulier n'est pas sociologique, mais sans doute
plus purement littéraire.

Au premier coup d'œil, ces protestations vertueuses et morales
trop abondantes et parfois trop verbeuses, qui encombrent les
premières pages des romans, et qu'auteurs ou éditeurs ont souvent
jugé bon de faire imprimer en caractères gras ou en italiques,
toutes ces professions de bonne ou de mauvaise foi paraissent
banales et redondantes, et semblent se répéter inutilement et
inlassablement l'une l'autre. L'amateur de romans est tenté de les
parcourir d'un regard distrait ou de les sauter tout bonnement.
Il regimbe en tout cas devant l'obstacle et le retard qu'elles
imposent au plaisir que lui promet la lecture des aventures romanesques elles-mêmes. Il serait pourtant sage de remettre ce plaisir
de quelques minutes et d'accorder à ces textes, d'apparence si
décevante, une attention un peu patiente et perspicace. Ils ne
tardent pas, en effet, à révéler que, loin de dire tous la même chose
avec les circonlocutions d'usage dans la prose de l'époque, ils
manifestent bien un souci commun à la plupart de ces romanciers,
mais aussi et surtout une invention et une ingéniosité point mépris-
ables dans la recherche d'argumentations différentes pour les
libérer de ce souci.

Le souci en question est, bien entendu, celui qui est suscité
par la prise de conscience du dilemme : comment présenter, sans
sacrifier l'esthétique réaliste et sans choquer la morale établie
de l'Église et de la « bonne compagnie », les aventures quelquefois
peu ragoûtantes d'un picaro comme Gil Blas, Bigand ou Jacob,
d'une belle fille sans scrupules comme Manon ou Marianne, d'un
petit maître libertin comme le chevalier de Meilcour ou le comte
de ***, d'une dame vertueuse mais constamment outragée comme
la Péruvienne Zilia ou Mme de Luz, d'une paysanne de l'Ile-de-
France relativement innocente, mais longuement persécutée par
la fortune avant de devenir marquise et de mériter l'épithète
de parvenue, comme la Jeannette au franc parler de Mouhy ?

Tout semble s'être passé comme si, désireux d'abord de
divertir et de faire vrai, les romanciers de l'époque avaient

commencé par écrire leurs ouvrages sans se soucier d'autre chose, puis comme si, conscients après coup des attaques morales bien-pensantes auxquelles leur réalisme les exposait, ils avaient alors rédigé leurs préfaces pour y parer par anticipation les coups qu'ils savaient s'être attirés par la trop grande franchise de leurs romans. Ils étaient ce faisant dans une tradition littéraire fran-çaise fort distinguée, et ils ne l'ignoraient pas. C'est bien comme cela, en effet, qu'en avaient usé les grands auteurs dramatiques classiques, à ceci près toutefois que leurs pièces étant jouées et donc critiquées et brocardées plusieurs mois avant d'être publiées, ce n'était pas contre des coups uniquement anticipés qu'ils retran-chaient et fortifiaient leurs textes derrière leurs préfaces. Dans quelques cas seulement, comme par exemple, celui de *la Mouche* de Mouhy qui vient d'être évoqué, ou de quelques autres romans dont les volumes paraissaient au cours d'un certain nombre d'années — *la Vie de Marianne*, par exemple —, il put en être ainsi du roman aussi. Le rapprochement d'ailleurs, entre le cas du roman au XVIIIe siècle et celui du théâtre au XVIIe va beaucoup plus loin, puisque, comme nous allons le voir maintenant, les arguments mis en avant par les romanciers au cours des années 1730-1760 reprenaient presque tous, dans leur variété et dans leur subtilité, ceux auxquels avaient dû recourir Corneille, Molière et Racine, harcelés par les cuistres et les dévots.

I

Un premier raisonnement, qu'on rencontre assez souvent dans les années 1730, est celui qui consiste à réconcilier portée morale et réalisme de facture en affirmant la valeur curative de tout portrait fidèle, où le modèle se voit en plein jour comme les autres le voient. Le romancier, qui sait présenter de manière ressemblante et peut-être même satirique un véritable tableau de la vie humaine, ou une galerie des ridicules humains, est assuré immédiatement d'avoir une utilité morale éminente, car le lecteur, qui y reconnaît ses défauts et ses ridicules, en sera frappé et voudra s'en corriger. C'est là, par exemple, la théorie même de Crébillon, telle qu'il l'expose en 1736 dans la préface des *Égarements du cœur et de l'esprit.* Le passage qui suit est d'autant plus intéressant qu'il illustre admirablement la démarche que nous avons prêtée un peu plus haut aux romanciers soucieux de naviguer prudemment entre Charybde et Scylla. En effet, après avoir expliqué l'utilité morale d'un tableau réaliste de la société de son temps, l'auteur des *Égarements* répond à l'avance à ceux

qui préfèrent l'héroïsme admirable des jeunes premiers romanesques du xviie siècle, en expliquant comment les romans
extravagants du siècle passé sont des modèles qu'il convient
d'éviter soigneusement :

Le roman, si méprisé des personnes sensées, et souvent avec justice,
serait peut-être celui de tous les genres qu'on pourrait rendre le plus
utile, s'il était bien manié, si, au lieu de le remplir de situations téné-
breuses et forcées, de héros dont les caractères et les aventures sont
toujours hors du vraisemblable, on le rendait, comme la comédie, le
tableau de la vie humaine, et qu'on y censurât les vices et les ridicules.
Le lecteur n'y trouverait plus à la vérité ces événements extraordinaires et tragiques, qui enlèvent l'imagination, et déchirent le cœur ;
plus de héros qui ne passât les mers que pour y être à point nommé pris
des Turcs, plus d'aventures dans le sérail, de sultane soustraite à la
vigilance des eunuques, par quelque tour d'adresse surprenant ; plus de
morts imprévues, et infiniment moins de souterrains. Le fait préparé
avec art, serait rendu avec naturel. On ne pécherait plus contre les
convenances et la raison. Le sentiment ne serait point outré ; l'homme
enfin verrait l'homme tel qu'il est ; on l'éblouirait moins, mais on
l'instruirait davantage (1).

Le rapprochement explicite que fait ici Crébillon entre le
roman et la comédie est d'autant plus remarquable que la lecture
des *Égarements* évoque plus d'une fois le souvenir précis de
Molière. Le personnage de Versac doit évidemment beaucoup
par sa conception psychologique, comme par son style volontiers
didactique, à celui de Don Juan ; d'autre part le tableau, par
exemple, de la visite chez Mme de Lursay au milieu de la deuxième
partie du roman, rappelle par la manière dont tous les personnages
s'y retrouvent et y conversent, la grande scène du salon de Céli-
mène au deuxième acte du *Misanthrope*, etc. Mais surtout la
défense même du roman par Crébillon ne peut pas manquer de
rappeler *la Critique de l'École des femmes* et, plus clairement
encore, la préface de *Tartuffe* ou les *Placets au Roi*. Car c'est,
selon Molière, parce qu'elle a une fonction morale que la comédie
peut et doit même peindre et railler n'importe lequel des travers
et des vices humains. Et de même du roman qui, en vertu de ce
raisonnement, non seulement évite de tomber sous le coup des
arguments moraux, mais s'arroge en même temps un véritable
droit à la critique universelle.

Le raisonnement de Crébillon rappelle aussi celui de La Bru-

(1) CRÉBILLON, *les Egarements du cœur et de l'esprit*, éd. Pierre Lièvre,
Paris, Le Divan, 1929, pp. 3-4.

yère au début de la préface des *Caractères* : « [Le public] peut
regarder avec loisir ce portrait que j'ai fait de lui d'après nature,
et s'il se connaît quelques-uns des défauts que je touche, s'en
corriger... » Il rappelle surtout ce passage des *Caractères* où La
Bruyère donne comme une première version abrégée de l'idée
que Crébillon développe au début du passage cité plus haut : « Il
semble que le roman et la comédie pourraient être aussi utiles
qu'ils sont nuisibles (1). » Si La Bruyère semble donc bien être la
source littérale de Crébillon, n'oublions pas que toute analogie
de pensée entre les deux hommes cesse là : en effet, la méthode
romanesque que préconise La Bruyère pour assurer l'utilité
morale au roman est de lui faire peindre « de si beaux et de si
parfaits caractères », que le lecteur et surtout la lectrice, en particulier lorsqu'elle est jeune, ne succombera plus jamais à la tentation de la réalité médiocre. Autrement dit, La Bruyère serait
plutôt, comme l'Aracie de l'abbé de Pure, ou comme l'auteur
du *Dictionnaire historique et critique*, partisan du roman héroïque
et de ses personnages idéalisés dotés d'une vertu utopique.

La critique littéraire de l'époque insiste souvent sur les analogies qui existent entre le roman et la comédie (2). Jaucourt,
par exemple, reprend à son compte dans son article « Roman »
de l'*Encyclopédie* la formule même de La Bruyère. Et surtout
l'argument affirmant que le roman réaliste devient riche d'utilité morale lorsqu'il est, comme la comédie, « le tableau de la vie
humaine », revient plus d'une fois à l'époque. C'est ainsi qu'on
lit, par exemple en 1738, dans la trente-cinquième des *Lettres
juives* du marquis d'Argens ce passage intéressant qui montre
clairement comment l'argument en question est logiquement et
historiquement lié à la nouvelle manière réaliste des romanciers
des années 1730 :

> Si les auteurs qui écrivent des romans dans ce goût nouveau, toujours
> attachés au vrai, ne se laissent point entraîner à quelque nouvelle mode
> (car les ouvrages d'esprit y sont sujets), il y a apparence que leurs
> écrits seront aussi utiles pour former les mœurs que la comédie, puisqu'on
> rendra les romans le tableau de la vie humaine (3).

Même le grincheux et pontifiant Desfontaines, reconnaissant
en 1736 le réalisme moral et social croissant des romans contemporains, affirme sur le ton dogmatique qui est volontiers le sien
être d'accord avec la préface des *Égarements* : « Un bon roman

---

(1) LA BRUYÈRE, *Caractères*, « Des ouvrages de l'esprit », 53.
(2) Cf. M. RATNER, *op. cit.*, pp. 64-65.
(3) D'ARGENS, *Lettres juives*, t. I, pp. 311-312.

doit être le tableau de la vie humaine, et selon l'Auteur l'on devrait y avoir principalement en vue de censurer les vices et les ridicules (1). » Ce sera en vertu de ce principe que Desfontaines s'enthousiasmera un peu plus tard pour les romans anglais et donnera lui-même dès 1743 une traduction de *Joseph Andrews*.

Quelques années plus tard, en 1745, Baculard d'Arnaud exprimera à nouveau le même opinion et ira jusqu'à mentionner explicitement le nom de Molière, ce qui rend son témoignage particulièrement précieux : « Un bon roman est autant capable de corriger l'esprit humain qu'une comédie de Molière ou le traité de morale le plus métaphysique ; jamais on n'arrachera les hommes de l'erreur que par la représentation de l'erreur même (2). »

On ne peut manquer de reconnaître encore dans un intéressant article sur l'art et la fonction du roman, paru en 1749, l'écho fidèle du texte si influent de Crébillon dans sa préface aux *Égarements* : « [Le genre romanesque] serait même estimable si au lieu de le remplir d'événements chimériques, de fictions puériles, de faits incroyables et de situations forcées, on le rendait, ainsi que la comédie, le tableau de la vie humaine, et qu'on le fît servir à la culture de l'esprit et à la connaissance du cœur (3). »

Poussant l'argument encore un peu plus loin, le romancier H. F. de La Solle, ripostant en 1754 à ceux qui traitent les romans de « colifichets », affirme au contraire que « ce sont des ouvrages plus importants qu'on ne croit, des monuments par lesquels notre postérité connaîtra nos mœurs et apprendra à imiter nos vertus, et à fuir nos vices et nos ridicules ». Comment cela ? Parce que, selon de La Solle, les hommes se laissant plus facilement séduire par l'imaginaire que par le réel — ainsi qu'en témoigne la fable de Pygmalion, laquelle est « comme une apologie allégorique de toutes les productions de l'imagination » — le roman a, comme le théâtre une force persuasive et édifiante immense. Au reste, affirme encore le très subtil de La Solle, « je regarde en général les spectacles et les romans comme une même chose » (4).

Si, comme tous ces textes l'indiquent, les romanciers cherchaient donc avec quelque insistance à lier le sort du roman à

(1) *Observations sur les écrits modernes*, t. IV (1736) p. 50. Texte cité dans *l'Esprit de l'abbé Desfontaines*, éd. citée, t. I, pp. 218-219.
(2) Baculard d'ARNAUD, « Discours sur le roman », publié en tête de sa *Theresa, histoire italienne*, La Haye, 2 vol., 1745, t. I, p. v.
(3) « Lettre de M. de Passe à Mme D... sur les romans », *Journal historique sur les matières du temps*, t. LXVI (2ᵉ semestre 1749), p. 103.
(4) Henri-François de LA SOLLE, Préface à ses *Mémoires de deux amis, ou Aventures de MM. Barniwal et Rinville*, Londres, s. n., 1754, pp. XI-XIII.

celui de la comédie, c'est parce que celle-ci avait ses lettres de
noblesse, et c'est surtout parce qu'elle avait consacré les droits
de la littérature à ouvrir ses portes à des personnages issus de
classes sociales moins aristocratiques que celles qui fournissaient
normalement leurs héros à la tragédie, à l'épopée et au roman
précieux. L'occasion s'est présentée au cours du premier chapitre
et se présentera à nouveau dans les chapitres qui suivent de
revenir sur un point aussi important. Mais il convient de remarquer sans plus tarder que cette défense du roman fondée sur
l'argumentation du « tableau de la vie humaine » n'est pas originale en 1730 (1). On commence, en fait, à la trouver dès les
premières nouvelles historiques de la fin du xviie siècle et, plus
particulièrement, après que le succès du livre de La Bruyère eut
mis à la mode, conformément à son titre et à son sous-titre, la
peinture non seulement des caractères, mais aussi des « mœurs
de ce siècle ».

C'est ainsi qu'on peut lire, dans le *Mercure galant* de 1694, les
réflexions critiques suivantes sur la production romanesque
récente :

> Il y a trente ans que, dans les histoires que l'on donnait au public
> plus pour son divertissement que pour son instruction, on rendait les
> hommes si parfaits dans les peintures que l'on en faisait, que personne
> ne pouvait se proposer d'atteindre à cette perfection. [...] On a changé
> de manière dans ces ouvrages. Ils ne sont ni si longs, ni si héroïques ; et,
> comme on ne se propose que de peindre la vérité et la nature toute pure,
> on n'y voit que des défauts et des faiblesses. On les met au jour ; les
> hommes s'y reconnaissent et se trouvant ou trop faibles, ou ridicules,
> ou vicieux, la plupart, après avoir rougi en secret, tâchent à se corriger.
> Ainsi les ouvrages d'aujourd'hui, qui ne paraissent faits que pour divertir,
> ne laissent pas d'être utiles à ceux qui veulent bien s'apercevoir de
> leurs défauts (2).

L'évolution récente du roman est ici fort bien vue par le
chroniqueur, et le passage du moralisme idéaliste de type précieux
au nouveau moralisme réaliste est clairement présenté du point
de vue du changement essentiel consistant à représenter moins
les vertus héroïques et exceptionnelles que les faiblesses les plus
courantes. L'influence de La Bruyère semble être évidente, au
moins autant que sur *le Diable boiteux* de Lesage (1707), dont
c'est devenu une véritable platitude de la critique de dire qu'il

(1) Cf. M. RATNER, *op. cit.*, pp. 63-64 et 84-85.
(2) *Mercure galant*, décembre 1694, p. 259, texte cité par M. RATNER,
op. cit., pp. 84-85.

est comme une seconde version, romancée et intégrée dans une trame romanesque élémentaire, des *Caractères*, délibérément plus décousue et plus disparate que l'original de La Bruyère (1). En fait, dans son épître dédicatoire du *Diable boiteux*, Lesage déclare en une formule qui ne peut manquer de rappeler le sous-titre du livre de La Bruyère : « Pour moi, qui borne mon ambition à égayer pendant quelques heures mes lecteurs, je me contenterai de leur offrir en petit un tableau des mœurs du siècle. »

Il n'est pas exagéré de conclure que, si au cours des années 1730, la défense du roman fondée sur l'argumentation du tableau de la vie humaine est devenue une sorte de lieu commun de la critique, le mérite en revient assez largement au prestige des modèles littéraires offerts dans des genres non romanesques par des écrivains classiques d'une influence aussi prépondérante à l'époque que Molière et La Bruyère.

Jusqu'où ne tardera pas à aller la banalité de cet argument, rien n'en témoigne sans doute plus éloquemment que de le voir servir à justifier un roman figurant au catalogue de l'*Enfer*. En effet, l'auteur inconnu de *Lucette* écrit dans la préface du premier tome (1765) : « Un roman doit avoir pour but de peindre des ridicules, de tracer le tableau de son siècle ; il faut qu'en le lisant on y reconnaisse ses usages, ses vices ; alors il deviendra agréable, utile (2). » Sans doute, comme nous l'avons déjà reconnu au cours du chapitre II, ce genre de romans obscènes qui commencent à fleurir peu avant le milieu du siècle, témoigne à sa manière du goût pour le réalisme. Mais, dans le cas de *Lucette*, cela ne suffit évidemment pas à convaincre le public de la valeur morale du roman, puisque le tome III, paru en 1766, proteste, dans sa préface, contre la réputation d'immoralité qu'on a faite aux deux premiers tomes et doit recourir à une autre sorte d'argument : « Mon livre est plus utile qu'un traité de morale » (3), affirme

(1) « Du *Diable boiteux*, ôtez la fable, qui, sans doute, n'y est pas essentielle, et numérotez les paragraphes comme on a fait ceux des *Caractères*, vous avez un livre du même genre », BRUNETIÈRE, « Le Sage », dans ses *Études critiques sur l'histoire de la littérature française*, 3ᵉ série, Paris, Hachette, 1890, p. 72. « Here [in le *Diable boiteux*] comparison with La Bruyère imposes itself upon the reader's mind, for it is as if we were witnessing the famous *Caractères* galvanised into action. » F. C. GREEN, *French Novelists, Manners and Ideas*, London and Toronto, J. M. Dent & Sons, Ltd., 1928, p. 73. Cf. encore G. LANSON, « Étude sur *Gil Blas* », dans ses *Hommes et livres*, Paris, Lecène et Oudin, 1895, pp. 210-211 ; et Pierre RICHARD, *La Bruyère et ses Caractères*, collection « Histoire des chefs-d'œuvre littéraires », Amiens, Malfère, 1946, p. 185, etc.
(2) *Lucette ou les Progrès du libertinage*, par M. N... (*Enfer*, nº 466), t. I, Londres, Jean Nourse (1765), p. III.
(3) *Ibid.*, t. III, Londres, s. n. (1766), p. IV.

l'auteur, puisqu'il se fait lire par un public qui ne toucherait pas à un livre sérieux. Cet argument, qui est une sorte de corollaire du premier, mérite à son tour d'être examiné d'un peu près.

II

L'argument du « tableau de la vie humaine » est sans nul doute celui qui est le plus souvent avancé à cette époque pour démontrer que le nouveau réalisme, loin d'entraîner la corruption des lecteurs de romans, est capable au contraire de les édifier et de les améliorer. Mais le second se rencontre presque aussi souvent pour prouver le même fait. Il se présente, d'ailleurs, nous venons de le voir, comme une variation ou un raffinement ou encore un corollaire du premier. Au lieu d'insister comme celui-ci sur l'avantage de la représentation réaliste des faiblesses humaines, ce qui, à la rigueur, s'appliquerait aussi bien au genre des caractères ou des portraits qu'à celui des romans, ce second argument insiste sur la valeur didactique incomparable de l'exemple concret. Il tend donc à mettre, du point de vue de la portée pratique de l'œuvre, le roman réaliste au-dessus, par exemple, de la maxime ou du sermon. A la différence du raisonnement précédent qui apparaissait, comme nous l'avons rappelé, dès la fin du XVIIe siècle, celui-ci commence seulement à se répandre, semble-t-il, vers le début du XVIIIe, mais conserve ses adeptes beaucoup plus longtemps que l'autre, comme on va le voir.

Dans l'« Avis de l'auteur des *Mémoires d'un homme de qualité* » qui sert de préface à *Manon*, Prévost déclare :

> Tous les préceptes de la morale n'étant que des principes vagues et généraux, il est très difficile d'en faire une application particulière du détail des mœurs et des actions. Mettons la chose dans un exemple. ...] Il n'y a que l'expérience ou l'exemple qui puissent déterminer raisonnablement le penchant du cœur. Or, l'expérience n'est point un avantage qu'il soit libre à tout le monde de se donner ; elle dépend des situations différentes où l'on se trouve placé par la fortune. Il ne reste donc que l'exemple qui puisse servir de règle à quantité de personnes dans l'exercice de la vertu. C'est précisément pour cette sorte de lecteurs que des ouvrages tels que celui-ci peuvent être d'une extrême utilité, du moins lorsqu'ils sont écrits par une personne d'honneur et de bon sens.

Il n'hésite pas, en tout cas, à affirmer que « l'ouvrage entier est un traité de morale, réduit agréablement en exercice », formule qui s'éclaire et révèle les méditations qui furent sans doute celles de Prévost sur son art, lorsqu'on la rapproche d'un autre texte à peu près contemporain. Il s'agit des lignes significatives du neuvième livre (1731) des *Mémoires et aventures d'un homme de qualité* où M. de Renoncour, l'homme de qualité, gouverneur du marquis de Rosemont avec qui il voyage pour lui former l'esprit, commente ainsi les motifs qui l'ont incité à écrire ces longs volumes où il rapporte ses mémoires et aventures :

Mon premier dessein, en écrivant cette histoire, était de rapporter dans l'occasion la plupart des discours que je lui tenais sur les mœurs et sur les sciences ; j'espérais rendre ainsi mon ouvrage utile à la jeunesse, qui aurait pu trouver des règles et des exemples de conduite dans un livre assez amusant pour se faire lire avec quelque plaisir. Mais plusieurs de mes amis, que j'ai consultés, m'ont détourné de cette méthode. Le public, m'ont-ils dit, n'aime pas l'air sec et pédant qui accompagne les préceptes. Voyez le sort des *Voyages de C...* Je me contenterai donc, comme j'ai fait jusqu'à présent, de mêler à mon récit quelques sentiments et quelques réflexions, telles que les conjonctures peuvent les faire naître ; et je tâcherai d'éviter tout ce qui pourrait inspirer le dégoût. Ce n'est point un traité de morale que j'écris ; c'est une histoire (1).

L'allusion ouverte aux *Voyages de Cyrus* du chevalier de Ramsay (1727), ajoutée aux indications révélatrices de ce texte, suffisent à montrer que l'influence dominante à laquelle Prévost, dès son premier roman, a eu le courage et le mérite de résister, fut celle de Fénelon. En effet, le *Télémaque*, modèle de Ramsay, est sans doute un des ouvrages où éclate avec l'évidence la plus immodérée l'application de l'argument sur la vertu didactique éminente de l'exemple. Fénelon, admiré et imité de tous à cette époque, pouvait fort normalement être, pour le bénédictin Prévost, un prédécesseur à proprement parler exemplaire, d'autant plus, comme on l'a rappelé dans un chapitre antérieur, que *Télémaque* était, avec les *Caractères* et le théâtre de Racine, le livre préféré du moine vagabond.

En 1738, le marquis d'Argens reprend le même argument dans le style plus truculent qui est le sien. A la suite du passage que nous avons cité quelques pages plus haut de la trente-cinquième de ses *Lettres juives*, il écrit simplement, utilisant des exemples qui une fois encore ne peuvent pas manquer d'évoquer la comédie moliéresque :

Un avare s'y verra dépeint par des traits si naturels, une coquette y reconnaîtra son portrait si ressemblant, que la réflexion qu'entraîne

(1) PRÉVOST, *Mémoires et aventures d'un homme de qualité qui s'est retiré du monde*, éd. citée, t. II, p. 223.

la lecture leur sera plus utile que les longues exhortations d'un moine qui s'enrhume à force de crier et qui souvent ennuie ses auditeurs (1).

La vogue soudaine et durable des romans de Richardson et de ses émules français, notamment Mme Riccoboni et J.-J. Rousseau, devait donner, après le milieu du siècle, un surcroît de vigueur à ce raisonnement fondé sur la puissance persuasive de l'exemple, même imaginaire. C'est ainsi qu'en 1761, Diderot pourra à son tour affirmer, dans son *Éloge de Richardson*, et dans des termes fort proches de ceux de Prévost :

Une maxime est une règle abstraite et générale de conduite dont on nous laisse l'application à faire. Elle n'imprime par elle-même aucune image sensible dans notre esprit : mais celui qui agit, on le voit, on se met à sa place ou à ses côtés, on se passionne pour ou contre lui ; on s'unit à son rôle, s'il est vertueux ; on s'en écarte avec indignation, s'il est injuste et vicieux (2).

Cette théorie devait avoir la vie dure. A la fin du siècle, en 1786, on la trouve exprimée avec une éloquence fougueuse par cet admirateur échevelé de Richardson, de Mme Riccoboni, de J.-J. Rousseau et de Marmontel qu'était Restif de La Bretonne. La citation suivante est empruntée au chapitre sur les romans qui se trouve dans *les Françaises*. Restif assure que ce chapitre n'est pas de lui, mais de « Marivet Courtenay, compatriote de l'auteur » ; simple et commode subterfuge qui lui permet à l'occasion de se couvrir lui-même de fleurs sans qu'on puisse l'accuser de fatuité excessive. Nous devrons faire appel plus loin à un des passages de ce texte où Restif parle de ses propres ouvrages, mais ce qui nous retient principalement ici, c'est la persistance de l'argument du roman qui prêche par l'exemple tel qu'il apparaît ici, soit plus d'un demi-siècle après la préface de *Manon* :

Qu'est-ce qu'un moraliste qui vous détaille sèchement vos devoirs ? C'est un pédant maladroit qui veut que vous le croyiez sur sa parole lorsqu'il ne vous dit que des vérités souvent métaphysiques. Qu'est-ce qu'un romancier ? C'est un moraliste qui ne vous dit pas impérieusement : faites ceci ! faites cela ! Mais un adroit Nestor qui vous expose ce qu'ont fait d'autres hommes, d'autres femmes, dont il vous retrace la conduite, en bien ou en mal, souvent des deux manières à la fois. Le romancier tient la carte à la main et vous montre la route. Les moralistes ne vous

(1) D'ARGENS, *Lettres juives*, t. I, p. 312.
(2) DIDEROT, *Œuvres complètes*, éd. Assézat et Tourneux, t. V, p. 213.

donnent que des sons qui ne peignent que faiblement à l'esprit et qui sont oubliés dès qu'on cesse de les entendre (1).

Tels sont les deux premiers raisonnements qu'on trouve à l'époque pour démontrer l'utilité morale du roman réaliste. Malgré leur solidité relative et leur popularité, ces raisonnements étaient limités dans leur application. Si, en effet, dépassant la simple peinture des ridicules, travers et faiblesses humaines, dépassant même celle des défauts et des vices plus sérieux, les romanciers voulaient peindre des péchés aussi graves que la fornication ou l'adultère, ou des crimes aussi atroces que le viol ou le meurtre, des arguments protecteurs tels que ceux qui viennent d'être analysés ne pouvaient évidemment suffire à compenser le danger inhérent à de pareilles peintures, dont la puissance de séduction risquait d'être jugée irrésistible, ou, en tout cas, dangereusement séditieuse.

III

C'est donc, semble-t-il, parce que les deux premiers arguments étaient insuffisants pour justifier la présence de personnages romanesques choisis parmi des criminels avérés ou de grandes pécheresses, que l'on recourut d'assez bonne heure à l'argument défensif fourni par le précepte traditionnel consistant à punir le vice et à récompenser la vertu. C'est au cours des années 1730-1745 que cet argument semble avoir commencé à se répandre sérieusement. On le trouve à cette époque exposé plus ou moins clairement dans un certain nombre de préfaces de romans (2). Le texte le plus remarquable peut-être à cet égard est celui que *le Pour et Contre* consacra à la défense de *Manon*, condamnée le 5 octobre 1733 pour diverses raisons, dont l'une des plus graves était, comme le nota sur-le-champ le *Journal de la Cour et de Paris*, que « le vice et le débordement y sont dépeints avec des traits qui n'en donnent pas assez d'horreur ». En effet, dans son « Avis de l'auteur des *Mémoires d'un homme de qualité* » qui tient lieu de préface à *Manon* et qui date donc d'avant la condamna-

---

(1) *Œuvres complètes de Restif de La Bretonne*, éd. Henri Bachelin, Paris, Editions du Trianon, t. II, pp. 360-361.
(2) M. RATNER, *op. cit.*, p. 86, n. 67, renvoie aux préfaces des romans suivants : LE BRUN, *les Aventures de Calliope* (1720) ; de VIGNACOURT, *les Aventures du prince Jakaya* (1732) ; ANSART, *Philoctète* (1737) ; BRUNET DE BROU, *la Religieuse malgré elle* (1720) ; GUER, *Mono-Simpleatos* (1741) ; LAMBERT, *Mémoires et aventures d'une dame de qualité* (1739) ; JOURDAN, *le Guerrier philosophe* (1744) ; DUBOIS, *Histoire secrète des femmes galantes de l'Antiquité* (1726) ; etc.

tion. Prévost avait, on l'a vu, jugé l'argument fondé sur la valeur
édifiante de l'exemple, suffisant pour justifier sa peinture réaliste
de la débauche et de la crapule. Mais, après la condamnation,
l'argument s'étant avéré piteusement inopérant, *le Pour et Contre*
dut recourir quelques mois plus tard à un autre raisonnement,
celui du vice puni :

> Quoique l'un et l'autre [des Grieux et Manon] soient très libertins,
> on les plaint ; parce qu'on voit que leurs dérèglements viennent de leur
> faiblesse et de l'ardeur de leurs passions, et que d'ailleurs ils condamnent
> eux-mêmes leur conduite et conviennent qu'elle est très criminelle. De
> cette manière l'auteur, en représentant le vice, ne l'enseigne point. Il
> peint les effets d'une passion violente qui rend la raison inutile lorsqu'on
> a le malheur de s'y livrer entièrement, d'une passion qui, n'étant pas
> capable d'étouffer entièrement dans le cœur les sentiments de la vertu,
> empêche de la pratiquer. En un mot, cet ouvrage découvre tous les
> dangers du dérèglement. Il n'y a point de jeune homme, point de jeune
> fille, qui voulût ressembler au chevalier et à sa maîtresse. S'ils sont
> vicieux, ils sont accablés de remords et de malheurs (1).

C'est en vertu de ce même précepte que, dans la 118e des
Lettres juives, consacrée aux romanciers espagnols, d'Argens
affirme la valeur morale possible des romans picaresques, même
lorsqu'ils ne sont pas des chefs-d'œuvre. D'Argens admet, par
exemple, que le *Guzman de Alfarache* de Mateo Aleman, adapté
en 1732 par Lesage, est inférieur à *Don Quichotte*, mais prétend
qu'il « peut même être de plus d'utilité » que le chef-d'œuvre de
Cervantes, « puisqu'en dépeignant fortement les égarements et
les désordres de la vie civile, il fait voir démonstrativement qu'ils
ne peuvent aboutir à la fin qu'à quelque vilain dénouement » (2).

Ce fut encore sur la question générale de la moralité ou de
l'immoralité du roman et, en particulier, sur celle de la portée
morale de cette justice immanente de l'univers romanesque,
qu'eut lieu en 1755 un débat qui connut quelque notoriété à
l'époque. Il mit notamment aux prises le très conservateur abbé
Jaquin et l'infatigable chevalier de Mouhy, toujours prêt à relever
le gant, comme il l'avait déjà fait une vingtaine d'années plus tôt

---

(1) *Le Pour et Contre*, nombre 36, t. III (1734), pp. 138-139. On a longtemps
cru que ce compte rendu était de la main de Prévost ; il est aujourd'hui établi
que ce n'est pas le cas. Cf. l'article déjà cité de Mme de LABRIOLLE-RUTHER-
FORD *(RHLF*, LXII (1962), pp. 28-29) ; et surtout Frédéric DELOFFRE,
« Un morceau de critique en quête d'auteur : le jugement du *Pour et Contre*
sur *Manon Lescaut.* » *Revue des Sciences humaines*, fasc. 106 (avril-juin 1962),
pp. 203-212.

(2) D'ARGENS, *Lettres juives*, t. III, p. 357.

en ripostant vigoureusement à l'abbé Desfontaines (1). Dans ses volumineux *Entretiens sur les romans*, Jaquin développe en près de 400 pages les principaux arguments contenus dans le discours latin du P. Porée. Après avoir rappelé l'histoire du genre romanesque, démontré « l'inutilité » de ce genre et dénoncé les dangers qu'il présente pour l'esprit comme pour le cœur, Jaquin conclut comme son prédécesseur de 1736 :

... que, puisque les romans ont toujours été inutiles pour les belles-lettres, dangereux pour l'esprit, plus dangereux encore pour le cœur, la religion, les mœurs et les sciences sont également intéressées à les rejeter ; qu'il est de la sagesse du gouvernement et de la vigilance des magistrats de les proscrire ; qu'il est enfin du devoir des parents de veiller avec la dernière attention, pour en empêcher la lecture à leurs enfants (2).

Dans la préface de 20 pages qu'il compose pour son roman *le Financier*, publié la même année 1755 à Amsterdam, Mouhy défend assez faiblement et assez mollement le genre romanesque contre l'attaque de Jaquin. S'en tenant exclusivement au domaine moral, le romancier reconnaît implicitement que son adversaire n'a pas tort en théorie, mais que les dangers qu'il dénonce ne sont pas l'exclusivité des romans, puisqu'ils sont également présents dans toute la vie de société. Interdire les romans, ajoute Mouhy, qui songe sans doute aux conséquences de l'ordre du chancelier Daguesseau, n'est pas un remède à ces dangers, puisque la curiosité du public ne peut guère être qu'aiguisée davantage par une mesure de ce genre. Le mal est donc irrémédiable, reconnaît — hypocritement, semble-t-il — le romancier. Que faut-il faire ? Condamner sans pitié les romans libertins, licencieux et indécents, mais épargner et encourager les romans moraux « où le vice est toujours puni et la vertu récompensée » (3).

_____

(1) Cf. à ce sujet Mouhy, *le Mérite vengé, ou Conversations littéraires et variées sur divers écrits modernes, pour servir de réponse aux Observations de l'Ab. DesF.*, Paris, Prault, 1736 ; et la réplique de Desfontaines dans la lettre n° CVIII (9 mars 1737) des *Observations sur les écrits modernes*, t. VIII (1737), pp. 49-66.
(2) Abbé Jaquin, *Entretiens sur les romans. Ouvrage moral et critique, dans lequel on traite de l'origine des romans et de leurs différentes espèces, tant par rapport à l'esprit, que par rapport au cœur*, Paris, Duchesne, 1755, pp. 363-364.
(3) Mouhy, « Préface, ou Essais pour servir de réponse à un ouvrage intitulé *Entretiens sur les romans*, par M. l'abbé J... », in *le Financier*, Amsterdam, Néaulme, 1755, p. XIII, Dans son article déjà cité sur la critique du roman au XVIIIᵉ siècle (*Modern Language Review*, XXII (1928), pp. 174-187), F. C. Green date par erreur l'ouvrage de Jaquin de 1754, ce qui l'amène à considérer la Préface de H.-F. de La Solle à ses *Mémoires de deux amis*, citée ci-dessus, p. 113, comme étant une réponse à Jaquin, alors que cette préface est antérieure aux *Entretiens sur les romans*.

Il faut voir dans une pareille allégation sous la plume du chevalier de Mouhy un signe des temps, et un indice de l'emprise des grands romans moraux de Richardson, dont la traduction du troisième, *Grandison*, paraissait justement en 1755. C'est, en effet, le moment où l'argument de la justice immanente commence à connaître sa plus grande vogue. Même les adversaires du roman ne tardent pas à subir la séduction de cet argument. L'abbé Irailh, par exemple, qui devait en 1761 résumer le débat Jaquin-Mouhy de 1755 dans son recueil des *Querelles littéraires*, malgré ses propres préventions antiromanesques, n'hésite pas à préférer à la démonstration de son confrère Jaquin les arguments avancés par le chevalier de Mouhy :

Ce dernier a jugé à propos de réfuter très sérieusement et très vivement un écrivain qui veut que les jeunes gens remplissent leurs moments de loisir par la lecture des livres de piété, de morale et d'histoire. Ce chevalier, blanchi dans la carrière pour laquelle il combat, soutient qu'un roman n'est pas plus dangereux que le bal, la comédie, la promenade et les jeux d'exercice ; que la voie la plus courte et la plus sûre pour instruire la jeunesse et lui donner le goût des choses solides, c'est de commencer par lui présenter les choses agréables ; que le roman a cet avantage de montrer la vertu récompensée et le vice puni, au lieu que l'histoire offre souvent le contraire, les gens vertueux dans le malheur et les scélérats au faîte des grandeurs et des prospérités ; que l'abus d'un bien, d'un plaisir innocent n'est pas une raison pour le défendre, tout étant relatif au caractère et ne devenant poison que lorsqu'on est mal disposé (1).

Dans l'histoire de la théorie et de la critique du roman, le précepte, sinon la pratique, de faire triompher la vertu et échouer le vice est donc en quelque sorte une innovation du xviiie siècle ; mais il avait, au cours du siècle précédent, figuré au premier plan des grandes querelles du théâtre, et notamment en matière de tragédie. On se souvient des termes dans lesquels Racine l'énonce et affirme s'y être conformé, dans ce plaidoyer condensé du théâtre qu'est la préface de *Phèdre* au début de 1677 :

... je n'ose encore assurer que cette pièce soit en effet la meilleure de mes tragédies. Je laisse aux lecteurs et au temps à décider de son véritable prix. Ce que je puis assurer, c'est que je n'en ai point fait où la vertu soit plus mise en jour que dans celle-ci. Les moindres fautes y sont sévèrement punies. La seule pensée du crime y est regardée avec autant d'horreur que le crime même. Les faiblesses de l'amour y passent pour

---

(1) Abbé I<small>RAILH</small>, *Querelles littéraires*, t. II, pp. 348-349.

de vraies faiblesses ; les passions n'y sont présentées aux yeux que pour montrer tout le désordre dont elles sont cause ; et le vice y est peint partout avec des couleurs qui en font connaître et haïr la difformité. C'est là proprement le but que tout homme qui travaille pour le public doit se proposer ; et c'est ce que les premiers poètes tragiques avaient en vue sur toute chose. Leur théâtre était une école où la vertu n'était pas moins bien enseignée que dans les écoles des philosophes.

Il y aurait fort à dire sur cette interprétation de la conception grecque de la tragédie, qui, comme il faudra le rappeler un peu plus loin, n'était en tout cas pas celle qu'on trouve dans la *Poétique* d'Aristote ; et l'on n'est pas même près de se mettre d'accord sur le degré de sincérité qu'il convient d'attribuer à cette profession de foi de Racine. Quoi qu'il en soit, une chose ressort clairement de ce texte, c'est que le poète y expose une doctrine dont il croit bien fondé de penser qu'elle est celle de la « bonne » critique majoritaire et bien-pensante de son temps. Que Racine ait eu raison d'en juger ainsi ne paraît guère douteux. Les réflexions de Corneille sur le même sujet dans le premier de ses trois discours de 1660 confirment l'impression que la critique du temps, plus ou moins mal disposée vis-à-vis des auteurs dramatiques à succès, a essayé d'imposer à ces écrivains la pratique du *happy ending* que ceux-ci, dans le fond, avaient le bon goût de tenir en piètre estime, mais n'étaient pas suffisamment assurés de leur indépendance artistique pour ne pas être contraints d'approuver, tout au moins du bout des lèvres.

Méditant, en effet, sur les divers procédés qui sont à la disposition de l'auteur dramatique pour mêler l'utile à l'agréable, Corneille distingue quatre méthodes différentes. Si l'on élimine la première, qui consiste simplement à truffer le dialogue, chaque fois que l'occasion s'en présente, de maximes morales et de sentences bien frappées, et la dernière, qui est fondée sur la théorie trop fameuse et trop mal comprise de la purgation des passions, on s'aperçoit que les deux qui restent sont précisément celles que nous venons de trouver chez les théoriciens du roman entre 1725 et 1760, à savoir celle de la peinture objective du tableau de la vie humaine, et celle de la justice immanente que les Anglais appellent poétique, et qui punit le vice et récompense la vertu :

La seconde utilité du poème dramatique se rencontre en la naïve peinture des vices et des vertus, qui ne manque jamais à faire son effet, quand elle est bien achevée, et que les traits en sont si reconnaissables qu'on ne les peut confondre l'un dans l'autre, ni prendre le vice pour vertu. Celle-ci se fait alors toujours aimer, quoique malheureuse ; et celui-là se fait toujours haïr, bien que triomphant (1).

Quant à la dernière méthode, celle qui fait notre propos ici, voici ce que Corneille en dit dans le même passage ou presque de son ouvrage :

C'est cet intérêt qu'on aime à prendre pour les vertueux qui a obligé d'en venir à cette autre manière de finir le poème dramatique par la punition des mauvaises actions et la récompense des bonnes, qui n'est pas un précepte de l'art, mais un usage que nous avons embrassé, dont chacun peut se départir à ses périls (2).

De tous les théoriciens du roman, à l'époque qui nous intéresse, Lenglet-Dufresnoy est certainement celui qui a insisté le plus sur la nécessité de la justice immanente dans le monde du roman. C'est là, selon lui, un des avantages les moins contestables du roman sur l'histoire, et une preuve de plus de l'attachement du critique à l'idéal romanesque de la préciosité :

Laissons à l'histoire à traverser les hommes vertueux, à détrôner les bons princes, à faire prospérer les tyrans, à établir des scélérats sur la ruine des plus gens de bien ; elle n'a que trop d'occasions de s'en acquitter. Mais le roman doit faire tout le contraire : la vertu y doit être honorée, la probité s'y doit faire estimer des princes, la sagesse y être récompensée. Cela n'arrive pas toujours, direz-vous : n'importe, cela ne laisse pas de donner des idées favorables du bien et de la vertu (3).

Ce passage révélateur appelle au moins deux remarques : d'abord que Lenglet-Dufresnoy n'est pas lui-même d'un optimisme aussi béat que sa doctrine pouvait le laisser supposer ; ensuite, surtout et par voie de conséquence, que le respect de ce principe par un romancier qui ne croit pas plus à son existence dans le monde réel que Lenglet-Dufresnoy, conduit nécessairement à un type d'art qui n'est évidemment plus réaliste. Peut-être vaut-il la peine de s'attarder un moment sur ces deux points.

On se souvient de l'optimisme désarmant qui inspira à Montaigne sa célèbre définition de la vertu dans l'essai *De l'institution des enfants*. Elle est à la source de la conception qu'eurent

---

(1) « Discours de l'utilité et des parties du poème dramatique », dans les *Œuvres de P. Corneille*, éd. Marty-Laveaux, t. I, p. 20.
(2) *Ibid.*, p. 21.
(3) LENGLET-DUFRESNOY, *de l'Usage des romans*, t. I, pp. 210-211.

certains esprits pragmatiques du xviiie siècle des avantages de
la vertu, et vaut donc d'être citée une fois encore :

La vertu [...] n'est pas, comme dit l'eschole, plantée à la teste d'un
mont coupé, rabotteux et inaccessible. Ceux qui l'ont approchée, la
tiennent, au rebours, logée dans une belle plaine fertile et fleurissante,
d'où elle void bien souz soy toutes choses ; mais si peut on y arriver,
qui en sçait l'addresse, par des routtes ombrageuses, gazonnées et
doux fleurantes, plaisamment et d'une pante facile et polie, comme est
celle des voutes celestes. Pour n'avoir hanté cette vertu supreme, belle,
triumfante, amoureuse, délicieuse pareillement et courageuse, ennemie
professe et irreconciliable d'aigreur, de desplaisir, de crainte et de
contrainte, ayant pour guide nature, fortune et volupté pour compagnes ;
ils sont allez, selon leur foiblesse, faindre cette sotte image, triste,
querelleuse, despite, menaceuse, mineuse, et la placer sur un rocher à
l'escart, emmy des ronces, fantosme à estonner les gens (1).

C'est sur la base d'une conception de ce genre que put être
édifiée au xviiie siècle, par des hommes qui n'étaient pas tous des
Pangloss, une philosophie optimiste de la vie morale, selon
laquelle la notion de vice puni et de vertu récompensée n'était
pas un simple conte de fées pour les enfants, ni même une promesse dont la réalisation était remise à l'au-delà, mais l'expression
de la réalité même. Diderot, par exemple, exaspéré par les
exemples d'injustice immanente criante que le baron d'Holbach
extrayait à son intention de ses nombreuses lectures historiques,
pouvait écrire le 26 octobre 1760 à Sophie Volland :

J'ai défié le baron de me trouver dans l'histoire un scélérat, si parfaitement heureux qu'il ait été, dont la vie ne m'offrît les plus fortes
présomptions d'un malheur proportionné à sa méchanceté ; et un homme
de bien, si parfaitement malheureux qu'il ait été, dont la vie ne m'offrît
les plus fortes présomptions d'un bonheur proportionné à sa bonté (2).

Et pourtant ces lignes sont écrites plusieurs années après le
tremblement de terre qui avait si profondément ébranlé les
fondements de l'optimisme de Leibniz et de Pope, en même
temps que s'écroulaient sur leurs habitants les maisons de
Lisbonne. L'optimisme se survécut et se transforma, mais quantité d'esprits continuèrent à y croire ou à vouloir y croire, et à

(1) MONTAIGNE, *Essais*, liv. I, chap. XXVI, éd. A. Thibaudet, Bibliothèque de la Pléiade, p. 172.
(2) DIDEROT, *Lettres à Sophie Volland*, édit. A. Babelon, Paris, Gallimard,
2 vol., 1938, t. I, p. 165 ; éd. G. Roth de la *Correspondance*, t. III, p. 195.
Nous avons déjà cité et commenté ce texte dans notre essai sur « Diderot
pessimiste » dans *Quatre Visages de Denis Diderot*, Paris, Boivin, 1951, pp. 39
et ss.

penser qu'il n'était peut-être pas nécessaire, après tout, d'attendre l'autre vie — celle qui vient, l'assure-t-on, après la mort — pour connaître la justice distributive et naturelle, et pour être récompensé ou puni conformément et proportionnellement à ses actions. A sa manière, J.-J. Rousseau voulut y croire lui aussi, tout au moins en partie, quand il mit dans la bouche du vicaire savoyard des paroles comme celles-ci :

Si la suprême justice se venge, elle se venge dès cette vie. Vous et vos erreurs, ô nations ! êtes ses ministres. Elle emploie les maux que vous vous faites à punir les crimes qui les ont attirés. C'est dans vos cœurs insatiables, rongés d'envie, d'avarice et d'ambition, qu'au sein de vos fausses prospérités les passions vengeresses punissent vos forfaits. Qu'est-il besoin d'aller chercher l'enfer dans l'autre vie ? Il est dès celle-ci dans le cœur des méchants (1).

En fait, dès le début du IVᵉ Livre d'*Émile*, Rousseau, soucieux de distinguer les lectures historiques susceptibles de contribuer à l'éducation morale de son élève imaginaire, prenait instinctivement le contre-pied du baron d'Holbach et trouvait dans l'histoire des leçons de morale pratique aussi réconfortantes que celle que signalait Diderot :

Tous les conquérants n'ont pas été tués ; tous les usurpateurs n'ont pas échoué dans leurs entreprises, plusieurs paraîtront heureux aux esprits prévenus des opinions vulgaires : mais celui qui, sans s'arrêter aux apparences, ne juge du bonheur des hommes que par l'état de leurs cœurs, verra leurs misères dans leurs succès mêmes ; il verra leurs désirs et leurs soucis rongeants s'étendre et s'accroître avec leur fortune ; il les verra perdre haleine en avançant, sans jamais parvenir à leurs termes, il les verra semblables à ces voyageurs inexpérimentés qui, s'engageant pour la première fois dans les Alpes, pensent les franchir à chaque montagne, et, quand ils sont au sommet, trouvent avec découragement de plus hautes montagnes au-devant d'eux (2).

Bref la philosophie de l'optimisme n'était pas trop démodée et conservait encore assez de popularité au début des années 1760 pour combiner ses effets à ceux de la vogue du roman richardsonien, ou du moins pour assurer à ce type de romans une popularité inchangée.

Si l'on se souvient, en effet, que la fameuse *Pamela* de Richardson a pour sous-titre *la Vertu récompensée*, ou encore que

(1) J.-J. ROUSSEAU, *Emile*, éd. F. et P. Richard, Paris, « Classiques Garnier », 1957, p. 345.
(2) *Ibid.*, p. 289.

Greuze exposa au Salon de 1765 une toile qui devait être parmi les plus goûtées de son époque et qui avait pour titre *le Mauvais fils puni*, on est amené à se demander si le public qui admirait ces œuvres y trouvait la satisfaction que nous pouvons éprouver devant les œuvres d'art qui donnent du réel l'interprétation qui est la nôtre, ou si, au contraire, il en dérivait le réconfort qu'apporte avec elle la contemplation d'une beauté qui corrige la laideur du monde et en console. Dans la mesure où il est possible de donner une réponse à une pareille question, on peut penser que l'accueil fait par le public à ces œuvres a suivi la fortune, au cours du siècle, de la philosophie de l'optimisme. On peut même se demander si la régularité avec laquelle les romans, sinon les meilleurs, du moins les plus goûtés semble-t-il, mènent pendant la deuxième moitié du siècle à des dénouements où les méchants sont punis et où les bons triomphent, n'est pas tout simplement due au fait que la plupart des esprits avaient dans le fond cessé de croire à la présence d'une justice immanente dans la cité des hommes, et si ces esprits désabusés ou désespérés ne se réfugiaient pas dans cette *Romancie* de l'imagination parce que, tout bien considéré, elle, au moins, était le meilleur des mondes possibles.

Le fragment cité il y a quelques pages du traité de Lenglet-Dufresnoy *De l'usage des romans*, montre qu'en 1734 déjà, un critique ouvertement et éloquemment favorable au roman, ne pouvait s'empêcher d'admettre que le dénouement heureux qu'il recommande aux romanciers « n'arrive pas toujours » dans la réalité. Il le prescrit néanmoins sans scrupule ni hésitation apparente, afin « de donner des idées favorables du bien et de la vertu ». C'était là, évidemment, retomber dans les aberrations de l'*Aracie* de l'abbé de Pure, et confier de nouveau au roman la mission et le privilège dangereux de satisfaire le goût des lecteurs et des lectrices pour ce qu'on appellera plus tard l'évasion.

Un romancier assez fécond de l'époque, l'abbé Lambert, réfléchissant en 1739 sur l'utilité morale du roman, justifie par les deux aspects à la fois de l'argument fondé sur la justice rétributive, la présence dans ses ouvrages de personnages corrompus. Ou bien ils seront punis, selon la croyance qui sera celle de Diderot et de Rousseau, par leurs propres remords de conscience ; ou bien, s'ils n'en sont pas capables, par les châtiments plus expéditifs chers à la tradition précieuse et à l'abbé Lenglet-Dufresnoy. Voici, en effet, ce qu'il fait dire à sa mémorialiste fictive, la marquise de Courtanville : « Si j'introduis sur la scène quelques personnages vicieux, leurs remords, l'horreur qu'ils ont eue de leurs crimes, ou les suites funestes qui

en ont été les justes châtiments, suffiront pour rendre le vice
odieux (1). »

Soucieux d'une fidélité plus courageuse encore à la réalité,
Diderot, lui, dépeint volontiers dans ses œuvres romanesques,
la vertu punie — dans le personnage, par exemple de
sœur Suzanne — et le vice récompensé — dans celui, par exemple,
de Jean-François Rameau. Ce fait est d'autant plus remarquable
que Diderot affirme, par ailleurs, comme nous l'avons rappelé,
sa foi en une justice qui dispense ici-bas les châtiments et
récompenses méritées par les hommes. La contradiction n'est
peut-être pas, toutefois, aussi évidente qu'elle apparaît au premier abord. En effet, les récompenses et châtiments auxquels
songe Diderot ne sont ni les mariages anoblissants, les héritages
inespérés, les résurrections miraculeuses, ni les maladies honteuses,
les révélations imprévues, les morts soudaines et vengeresses des
romans d'aventures, des mélodrames et de la Bibliothèque rose.
Récompenses et châtiments sont pour Diderot organiquement
et inévitablement liés aux actions criminelles et vertueuses,
puisqu'ils sont la satisfaction de la conscience paisible et les
remords inexpiables, ou encore, plus simplement, la bonne ou la
mauvaise réputation dont l'homme de bien et le méchant jouis-
sent auprès du sage et du philosophe (2). Autrement dit, on
peut penser que la récompense de sœur Suzanne consiste dans les
larmes que les lecteurs de la Religieuse verseront un jour sur ses
malheurs et que Diderot laisse couler sur ses joues d'homme
sensible à mesure qu'il les raconte ; de même que la punition du
neveu de Rameau est moins la perte de sa « gagneuse », que
l'horreur que MOI éprouve finalement pour son abjection et pour
son cynisme.

Mais Diderot, par ailleurs, était trop grand admirateur des
romans de Richardson et des tableaux de Greuze, et aussi trop
sensible au goût du public de son temps, pour n'avoir pas senti
que des œuvres où la punition du vice et la récompense de la
vertu étaient aussi hétérodoxes, allaient résolument contre le
courant, et risquaient de choquer par cet aspect comme par
certains autres dont la puissance subversive est plus couramment
alléguée à leur propos. Faut-il donc voir là une raison supplé-
mentaire capable d'expliquer pourquoi Diderot conserva si

---

(1) Abbé Claude-F. LAMBERT, Mémoires et aventures d'une dame de qualité
qui s'est retirée du monde, La Haye, s. n., 1741, t. I, p. 2. La 1ʳᵉ éd. de ce roman
est de 1739.
(2) Cf. Robert MAUZI, L'idée de bonheur au XVIIIᵉ siècle, Paris, A. Colin,
1960 ; en particulier le chapitre XIII : « Bonheur et vertu », pp. 580-634.

soigneusement ces œuvres dans les cartons de son grenier, au lieu de les confier immédiatement à l'imprimeur ?

C'est loin d'être sûr, ni même particulièrement probable. En effet, l'optimisme béat et naïf des dénouements de roman punissant le vice et récompensant la vertu répondait peut-être au goût du public pour le bonheur, mais satisfaisait mal la soif d'authenticité et de réalisme d'une partie, tout au moins, de ce public. Il y eut, en effet, d'un bout à l'autre du siècle des romans pessimistes, où la persécution dont la vertu était la victime innocente ne se démentait pas plus lors du dénouement, que la prospérité qui couronnait les machinations des méchants. L'année même 1741, qui suivit celle de la publication en Angleterre de *Pamela*, paraissait en France l'*Histoire de Mme de Luz* de Duclos. La vertueuse héroïne y est persécutée et outragée jusqu'à sa mort, et le bref roman se termine par la mort désespérée de Saint-Géran, l'homme de bien qui essaye sans y réussir de venger l'honneur de Mme de Luz. Ce roman est déjà comme la préfiguration de la *Justine* du marquis de Sade, d'abord rédigée sous le titre plus militant de *les Infortunes de la vertu*, puis publiée en 1791 avec le sous-titre de *les Malheurs de la vertu*, dont le pendant était bien entendu le sous-titre de *Juliette : les Prospérités du vice* (1). C'est donc entre les livres de Duclos et de Sade qu'il faut placer, entre autres, les quelques *Anti-Paméla* suscitées en France comme en Angleterre par la vogue sans précédent du premier roman de Richardson, et aussi, bien entendu, *la Religieuse* de Diderot et *Candide* et l'*Ingénu* de Voltaire. Mme de Luz, Suzanne Simonin, la belle Saint-Yves, Justine : toutes elles meurent persécutées, bafouées, outragées et sans vengeance immédiate. Décidément le siècle n'avait pas accouché que d'héroïnes romanesques modelées à l'effigie de *Pamela* et de la paysanne parvenue !

Il ne faut pas se dissimuler, du reste, que les quelques romanciers qui réagirent à l'époque contre l'eau de rose insipide des dénouements conformes à la justice que leurs confrères, qui se prenaient pour Minos, Éaque et Rhadamanthe, distribuaient imperturbablement dans les derniers chapitres de leurs ouvrages, obéissaient également à des raisons esthétiques. En effet, la vulga-

---

(1) Pour une présentation de la thèse selon laquelle Sade s'inspira de l'*Histoire de Mme de Luz* de Duclos en écrivant *Justine*, cf. Albert-Marie Schmidt, « Duclos, Sade et la littérature féroce », *Revue des sciences humaines*, fasc. 62-63 (avril-septembre 1951), pp. 146-155. Pour la réfutation de cette thèse, cf. Paul Meister, *Charles Duclos*, Genève, Droz, 1956, pp. 136-140 ; et Gilbert Lely, *Vie du marquis de Sade*, Paris, Gallimard, t. II (1957), pp. 526-527, n. 4.

rité de ces dénouements naïfs et convenus avait choqué les artistes
longtemps avant qu'ils ne soient définitivement (on l'espère)
discrédités par le ridicule et le vulgaire impardonnables du
mélodrame du xixᵉ siècle et du film du xxᵉ. Corneille déjà avait,
dans le premier de ses discours de 1660, exprimé son dédain pour
les mérites esthétiques de ce moralisme hollywoodien auquel,
cependant, il avait parfois succombé lui-même — dans *Nicomède*, entre autres — par cet excès d'optimisme ou cette intoxica-
tion d'héroïsme qui se révèle dès *le Cid* et *Cinna*. Corneille cite
fort judicieusement à ce propos le passage de la *Poétique* où
Aristote déclare que ce type de dénouement « n'a de vogue que
par l'imbécillité du jugement des spectateurs, et que ceux qui
le pratiquent s'accommodent au goût du peuple, et écrivent selon
les souhaits de leur auditoire » (1). Encore faut-il ajouter qu'Aristote en vient à exprimer cette idée surtout afin de défendre
Euripide contre ceux de ses critiques qui lui reprochaient ses
dénouements malheureux. Il précise, du reste, immédiatement
après le passage traduit ci-dessus par Corneille, que le plaisir
que le public prend au dénouement heureux, s'il n'est pas propre
à l'esthétique de la tragédie, convient, en revanche, assez bien
à celle de la comédie. On peut donc dire que les romanciers du
xviiiᵉ siècle, qui résistèrent le plus farouchement au courant qui
orientait les œuvres vers des dénouements conformes à cette
justice naturelle qui fut un des idéaux des Lumières, tendaient,
de manière consciente ou non, à mettre le roman de pair avec la
tragédie — genre qu'Aristote plaçait au-dessus de tous les
autres — plutôt qu'avec la comédie à laquelle l'apparentait
fréquemment la critique. C'est à ces romanciers non conformistes,
du reste, que l'avenir devait donner raison.

Bref, pour abandonner ce long détour et en revenir à notre
propos, ce troisième procédé auquel recoururent les romanciers
du temps dans leur effort de réconciliation du nouveau réalisme
avec le moralisme traditionnel, s'il était le plus radical et le plus
systématique en apparence, s'avérait à l'analyse et à l'usage le
plus faible. Si les romanciers qui y recoururent évitèrent, en
effet, les récifs acérés de l'immoralisme, ce fut à condition de
sombrer sans même toujours s'en apercevoir dans les abîmes
fantastiques de l'invraisemblance.

_____

(1) ARISTOTE, *Poétique*, chap. XIII, 1453 *a*. La traduction est de Corneille
(éd. Marty-Laveaux, t. I, p. 21). Elle n'est ni d'une précision, ni d'une fidélité
exemplaires, mais Corneille ne traduisait sans doute pas à partir de l'original
grec, mais plus probablement à partir d'une de ces nombreuses traductions
latines qui étaient rarement elles-mêmes d'une fidélité à toute épreuve.

IV

Un autre argument apparaissait donc indispensable pour exonérer de l'accusation de corruption du public la peinture romanesque des grands vices, voire des grands crimes. Romanciers et critiques s'ingénièrent à le trouver dès les années 1730, mais ne réussirent complètement qu'un demi-siècle plus tard. Il faut noter tout de suite qu'à la différence de l'argument précédent, celui que nous nous proposons d'analyser maintenant n'implique aucune pratique littéraire aussi concrète que le dénouement conforme à la justice immanente. De même que, dans la deuxième méthode analysée ci-dessus — celle qui consiste à vanter la vertu didactique de l'exemple — cette quatrième méthode à laquelle nous arrivons maintenant n'implique aucun procédé littéraire tangible, mais consiste en un simple raisonnement critique — qui, du reste, peut très bien n'être fait qu'*a posteriori* et de mauvaise foi par le romancier. Ce raisonnement implique d'abord la reconnaissance des dangers que l'ignorance fait courir à l'innocence. Une fois qu'on est bien imprégné de cette vérité, une fois qu'on a admis que, si Agnès avait reçu d'Arnolphe une éducation moins obscurantiste, elle aurait mieux su résister aux manœuvres classiques d'Horace, alors on est prêt à reconnaître la valeur édifiante et morale éminente de tout ouvrage qui expose au vertueux public les méthodes pernicieuses qu'emploient les méchants pour séduire et suborner les innocents. La meilleure manière d'éviter de tomber dans un piège n'est-elle pas, en effet, d'en connaître l'existence, l'emplacement et le fonctionnement ? « Je sais qu'il n'est pas moins dangereux d'être trop instruit que de ne l'être point assez », avoue Lenglet-Dufresnoy, mais il ajoute :

Il n'y a pas longtemps qu'on a dit qu'on ne s'avise jamais de tout. Cela n'a fait qu'augmenter depuis. Les filets sont aujourd'hui si déliés que ceux de Vulcain n'étaient que des filets de novices en comparaison de ceux que fabriquent nos ouvriers. On s'y prend sans le savoir et l'on y est quelquefois fort avant sans croire même qu'on puisse y venir.

Et c'est pourquoi il faut, suivant le même critique, rendre grâce aux bons et aux beaux romans qui « découvrent les pièges, font voir le danger qu'il y a de s'y exposer, et donnent les moyens de les éviter, ou, du moins d'en sortir quand on s'y est engagé (1). » S'il faut en croire Lenglet-Dufresnoy, ce n'est plus vers les

(1) Lenglet-Dufresnoy, *de l'Usage des romans*, t. I, pp. 289-291.

dramaturges du xviie siècle qu'il faut nous tourner pour trouver
les antécédents de cet argument à l'époque classique, mais bien
vers La Fontaine. Celui-ci fut, on le sait, le seul des grands
classiques à avoir eu l'audace d'écrire une sorte de roman. Or
c'est précisément dans ce roman, *Psyché*, que La Fontaine, en
effet, expose plus clairement, sinon plus naïvement, que Lenglet-
Dufresnoy l'argument en question. On se souvient dans quelles
circonstances, au cours du Livre II de *Psyché*, l'héroïne est
amenée à se faire héberger par un vieillard qui vit avec ses deux
petites-filles qui sont bergères. A la cadette, le prudent grand-
père a interdit la lecture des romans, « lui trouvant l'esprit trop
ouvert et trop éveillé ». Voici les commentaires de La Fontaine
sur cette attitude préventive du bon vieillard :

> C'est une conduite que nos mères de maintenant suivent aussi :
> elles défendent à leurs filles cette lecture pour les empêcher de savoir
> ce que c'est qu'amour ; en quoi je tiens qu'elles ont tort ; et cela est
> même inutile, la Nature servant d'*Astrée*. Ce qu'elles gagnent par là
> n'est qu'un peu de temps : encore n'en gagnent-elles point, une fille qui
> n'a rien lu croit qu'on n'a garde de la tromper, et est plus tôt prise.
> Il est de l'amour comme du jeu ; c'est prudemment fait que d'en appren-
> dre toutes les ruses, non pas pour les pratiquer, mais afin de s'en garantir.
> Si jamais vous avez des filles, laissez-les lire (1).

A notre connaissance cet argument, exposé clairement ici par
La Fontaine en 1668, repris fidèlement par Lenglet-Dufresnoy
en 1734, n'apparaît pas aussi nettement chez les romanciers du
xviiie siècle avant ses dernières années. Certes, il semble en partie
implicite dans l'argumentation de la préface des *Égarements du
cœur et de l'esprit* en 1736, comme il l'était aussi dans la préface
de *Phèdre* en 1677. Certes, il apparaît aussi — mieux encore sans
doute — dans la défense de *Manon* publiée en 1734 dans *le Pour
et Contre* et dont un passage significatif a été cité plus haut dans
ce chapitre : « L'auteur, en représentant le vice, ne l'enseigne
point. [...] En un mot, cet ouvrage découvre tous les dangers du
dérèglement. » Mais nous sommes loin de la clarté et de la précision des termes de La Fontaine et de Lenglet-Dufresnoy, ce qui
semble bien indiquer que cet argument, comme le précédent, est,
dans la théorie du roman au xviiie siècle, nettement plus tardif
que les deux précédents.

A ceci près pourtant que les critiques semblent avoir été sur ce
point en avance sur les romanciers. Déjà celui des *Observations*,

---

(1) LA FONTAINE, *les Amours de Psyché*, dans ses *Œuvres diverses*, éd.
Pierre Clarac, Bibliothèque de la Pléiade, pp. 203-204.

dans un texte cité dans le chapitre précédent, vante, en 1738, la valeur morale des romans « où l'on enseigne aux jeunes personnes du sexe à prévenir ou à combattre un penchant dangereux ; à se défier d'elles-mêmes et de ceux qui leur font la cour... » (1). Dans son important ouvrage de 1743, Aubert de La Chesnaye des Bois s'exprimera avec plus de précision encore. Défendant le genre romanesque contre ceux qui l'accusent d'enseigner l'immoralité, Aubert remarque que les romans, « loin d'être l'école du libertinage, font voir la vertu couronnée, et le vice puni » ; et ajoute sans solution de continuité et de manière fort significative : « Si l'on y traite dans quelques-uns l'amour d'une manière délicate et insinuante, c'est une passion dont la jeunesse doit connaître les dangers pour les éviter (2). » Plus clairement encore en 1745, Morelly n'hésitera pas, dans son *Essai sur le cœur humain*, à placer les romans parmi les « sources où le cœur peut puiser des instructions ». Il en recommandera même la lecture aux adolescents pour les raisons suivantes : « Voici donc le profit qu'ils peuvent tirer de la lecture de ces fictions : c'est d'être naturellement portés à imiter les vertus qu'ils admirent. Une jeune fille, par exemple, pourra y apprendre à discerner un homme de mérite d'un faquin ; elle apprendra à se défier de la séduction. Un jeune homme en tirera le même avantage (3). »

Mais les romanciers, eux, hésiteront plus longtemps, du moins en France, avant de se prévaloir ouvertement d'un argument aussi spécieux ; abstraction faite d'ironistes, de fantaisistes et de spécialistes du sous-entendu scabreux, comme l'auteur anonyme de *Lucette* qui, dans la préface déjà mentionnée au tome III de ce roman licencieux, affirme imperturbablement : « Une jeune fille surtout apprendra beaucoup dans mon livre (4). »

En fait, le premier roman du siècle que nous ayons rencontré et dont la préface contienne un exposé aussi clair et conscient de cette argumentation que *Psyché*, est un roman anglais de 1752, qui, malgré sa notoriété et ses mérites, ne semble pas avoir été traduit en français avant 1798 (5). C'est, en effet, dans l'épître

<hr/>

(1) Cf. ci-dessus, p. 86.
(2) AUBERT DE LA CHESNAYE DES BOIS, *Lettres amusantes et critiques sur les romans...*, Paris, 1743, p. 20. Passage extrait de la première lettre, datée du 3 juin 1742.
(3) MORELLY, *Essai sur le cœur humain, ou principes naturels de l'éducation*, Paris, Delespine, 1745, pp. 94 et 97-98.
(4) *Lucette*, t. III (1766), p. VI.
(5) Cf., pour la date, Harold Wade STREETER, *The Eighteenth Century English Novel in French Translation*, New York, Publications of the Institute of French Studies, Inc., 1936, pp. 73-74 et 208, n° 341.

préfatoire de *The Adventures of Ferdinand Count Fathom* de Smollett, que l'auteur se justifie dans les termes que voici d'avoir pris pour héros de son roman un gredin fieffé :

> Let me not, therefore, be condemned for having chosen my principal character from the purlieus of treachery and fraud, when I declare my purpose is to set him up as a beacon for the benefit of the unexperienced and the unwary, who, from the perusal of these memoirs, may learn to avoid the manifold snares with which they are continually surrounded in the paths of life ; while those who hesitate on the brink of inequity may be terrified from plunging into the irremediable gulf, by surveying the deplorable fate of *Ferdinand Count Fathom* (1).

Un pareil texte a le mérite de montrer comment l'argument en question peut, d'après la manière dont il est conçu et présenté, paraître indépendant des autres qui ont été exposés antérieurement dans ce chapitre, ou au contraire sembler être, comme c'est le cas ici, une combinaison ingénieuse de ceux-ci et n'en être donc pas organiquement différent. Ces quelques lignes de Smollett ont aussi l'intérêt de montrer comment cet argument est particulièrement propice à la défense des romans qui vont fouiller, pour trouver leurs personnages, les bas-fonds de la morale et de la société : Fathom, en effet, n'est pas un compagnon bien recommandable.

En français, cet argument trouvera son expression parfaite sous la plume experte et imperturbable de Laclos. Mais il est significatif de sa conception relativement tardive qu'il ait fallu attendre 1782 pour lire ce passage justement célèbre de la préface des *Liaisons dangereuses* qui commence par la phrase :

> Il me semble au moins que c'est rendre un service aux mœurs, que de dévoiler les moyens qu'emploient ceux qui en ont de mauvaises pour corrompre ceux qui en ont de bonnes, et je crois que ces Lettres pourront concourir efficacement à ce but...

Il n'est pas inutile de noter que, dans le manuscrit original, Laclos se montrait, sinon aussi soucieux de formules et aussi féru

---

(1) « Qu'on ne me condamne donc pas pour avoir choisi mon héros aux confins de la perfidie et de l'imposture, puisque je déclare que mon objet a été de le dresser comme un phare au profit de ceux qui, manquant d'expérience et de circonspection, pourront, grâce à la lecture de ces mémoires, apprendre à éviter les multiples pièges dont ils sont perpétuellement entourés sur les chemins de la vie ; tandis que ceux qui hésitent au bord de l'injustice, craindront peut-être de plonger dans le gouffre irrémédiable en contemplant le sort déplorable du *comte Ferdinand Fathom*. » Extrait de la *Prefatory Address* ; la traduction est de notre main.

de l'ellipse, du moins beaucoup plus explicite encore. Voici, en effet, la version antérieure de ce passage :

> Un ouvrage qui dévoilerait les différents tours des fripons [... illisible...] ferait connaître les moyens dont ils se servent soit pour venir à leurs fins, soit pour en paraître [?] soupçonnés ou reconnus, serait, je crois, utile aux honnêtes gens, en ce qu'il leur faciliterait les moyens de se défendre et leur inspirerait surtout une méfiance salutaire. Or ce que cet ouvrage ferait contre les fripons considérés dans l'acceptation opposée à celle d'honnêtes gens, ces lettres pourront le faire en partie contre les scélérats considérés dans l'acception contraire à celle de gens honnêtes (1).

Aucune théorie n'était plus propre que celle-ci à libérer les romanciers des scrupules qui pouvaient être les leurs quant à la peinture réaliste des désordres et des vices. Le fait que son expression précise apparaisse dans les pages liminaires d'un livre aussi impudique à cet égard que *les Liaisons dangereuses* n'est pas un hasard, ou, si c'en est un, il s'agit d'une coïncidence singulièrement significative. De même qu'il y a progrès marqué vers un réalisme de plus en plus universel dans la pratique du roman au début du xviiie siècle, de même il y a dans la deuxième moitié de ce siècle, progrès marqué dans l'ingéniosité avec laquelle cette pratique sans cesse plus audacieuse se justifie pour les raisons morales les plus inattendues.

Ce décalage chronologique entre la pratique et la théorie semble dû au moins à deux séries de causes distinctes. La première tient à la médiocrité de la critique professionnelle. La seconde tient au fait que la critique vraiment originale et vivante du siècle est due aux praticiens du roman eux-mêmes, plus soucieux donc de se justifier après coup que de se livrer à des spéculations théoriques gratuites sur le genre qu'ils cultivaient. A cet égard encore on peut relever une remarquable analogie avec l'histoire de la littérature et de la critique dramatique au xviie siècle. Les théoriciens qui, dès avant 1630, commençaient à répandre leurs doctes réflexions en marge de la *Poétique* d'Aristote, contraignirent les auteurs — Corneille, en particulier — à orienter d'assez mauvais gré leur art dans une direction où il devait trouver un abri contre leur dogmatisme exclusif. Mais la critique dramatique le plus réellement originale et digne d'intérêt du siècle est celle que, au cours des années 1660, les auteurs dramatiques eux-mêmes furent amenés à mettre sur pied pour assurer

(1) LACLOS, *Œuvres complètes*, éd. Maurice Allem, Bibliothèque de la Pléiade, p. 766, n. 23.

à leurs ouvrages une inexpugnabilité théorique égale aux succès remportés par leurs pièces devant le public. Il est caractéristique, du reste, de tous ces textes critiques — *Discours* de Corneille, *Critique de l'École des femmes*, préfaces diverses de Racine, etc. — qu'ils n'aient pas pu éviter, malgré tout, d'essayer de démontrer que les chefs-d'œuvre dramatiques dont ils étaient l'occasion, pouvaient, sans trop de contorsions dialectiques, être réconciliés avec les dogmes critiques des purs théoriciens. Et pourtant, à lire ces textes, on ne peut pas manquer aujourd'hui de discerner, comme dans leur filigrane, le peu de cas que les auteurs faisaient de ces dogmes auxquels ils souscrirent du bout des lèvres. A ce propos, l'imagination et l'ingéniosité merveilleuses qu'ils mirent dans cet effort de réconciliation apparente — songeons, en particulier, aux incomparables arguties et subtilités du grand Corneille — font déjà pressentir l'imagination et l'ingéniosité qui durent présider à la gestation des divers arguments que ce chapitre essaie de passer en revue.

V

Les quatre arguments majeurs, **qui** viennent d'être présentés, sont loin, en effet, d'épuiser les ressources logiques et sophistiques des critiques et surtout des romanciers du temps. Et même, ces quatre arguments, que nous avons isolés les uns des autres un peu artificieusement en usant des droits toujours arbitraires de l'analyse, apparaissent moins rigoureusement distincts les uns des autres dans les textes de l'époque. Suivant l'occasion, leur mélange et leur dosage change en une gamme indéfiniment variée de combinaisons différentes, tant et si bien qu'on en vient à douter que les hommes de lettres du temps aient vraiment distingué ces arguments les uns des autres avec une très grande netteté. L'intention qui les animait, en revanche, était, elle, toujours la même et parfaitement consciente d'elle-même : démontrer aux incrédules que, loin d'être subversif et corrupteur, le roman réaliste peut être d'autant plus moral et édifiant, qu'il dépeint de manière plus précise et plus frappante des actions moralement condamnables et des personnages moralement corrompus.

Tous les arguments capables d'aider à cette démonstration étaient bons, même s'ils se contredisaient quelquefois les uns les autres. Au-delà des quatre théories principales présentées dans ce chapitre, certains écrivains particulièrement optimistes des années 1730-1750 arguaient, comme Corneille l'avait déjà fait trois quarts de siècle plus tôt, que, quel que soit le sort des personnages vicieux, la peinture réaliste de leurs vices, lorsqu'elle est faite de main d'ouvrier, suffisait à susciter dans l'esprit du lecteur la haine de ces vices. D'autres, plus optimistes encore, assuraient que la représentation du vice, à elle seule, ne peut avoir d'autre effet que de mettre la vertu mieux en relief par voie de contraste. D'autres encore, peu soucieux du principe de la justice immanente du monde romanesque, affirmaient que c'est surtout lorsqu'il est triomphant que le vice est odieux, et que c'est donc la peinture de la prospérité du méchant qui est le plus éminemment capable d'inspirer au public l'horreur de la méchan- ceté. Réciproquement, d'autres prétendaient encore que, la vertu malheureuse et outragée étant particulièrement pathétique et émouvante, il convenait, pour inspirer aux lecteurs l'amour et le désir de la vertu, de la représenter persécutée et victime de ses bourreaux. Et ainsi de suite, en une série indéfiniment variée d'affirmations, de conjectures, d'assertions et de supputations (1), qui fait davantage honneur à la vivacité d'imagination des romanciers et des critiques de l'époque, qu'à la cohérence et à la rigueur de leurs doctrines.

*
* *

Habitué à plus de méthode, sinon de doigté, dans la manipu- lation des arguments critiques, le lecteur d'aujourd'hui aurait tort de se prévaloir d'une aussi mince supériorité pour regarder de haut ce qu'il appellera peut-être trop dédaigneusement ces balbutiements quelquefois confus et inarticulés des romanciers et partisans du roman sous Louis le Bien-Aimé. Car, à railler cette paille dans l'œil de nos jeunes aïeux, on courrait risque d'oublier la poutre qui obstrue parfois le nôtre. Si ce n'est plus, en effet, la critique du roman, ni même du théâtre qui stimule nos contem- porains à couper les cheveux en quatre avec l'ardeur et la fan- taisie d'imagination des romanciers des années 1730, c'est en revanche, et pour notre plus grand malheur, celle du cinéma. Si nos livres paraissent aujourd'hui plus ou moins sans privilège ni autre autorisation préalable ou tacite, nos films, en revanche, sont encore passés à la loupe, au crible, puis à l'étamine par les émules modernes du P. Porée, de l'abbé Jaquin, de Mauvillon ou du président Caulet de l'Académie des Jeux floraux. Et finalement, n'est-ce pas invariablement à cause de leur « immo-

(1) Cf., sur tout ceci, M. RATNER, *op. cit.*, pp. 86-88 et la n. 73 en particulier.

ralité » qu'ils en sortent interdits à l'importation ou à l'exporta-
tion, aux moins ou aux plus de seize ans ? N'est-ce pas pour faire
tomber les ciseaux des doigts de nos censeurs modernes que tant
de films en sont tristement réduits au *happy ending* dont Corneille
avait l'autorité d'Aristote pour sourire avec mépris ? Quand on
vit au mois de décembre 1956 les chefs hiérarchiques de l'Église
catholique et de l'Église épiscopale de New York exprimer en
chaire leur désaccord sur l'effet corrupteur ou édifiant produit sur
les spectateurs par une production récente de Hollywood (1),
ne pouvait-on pas penser avec une charité accrue aux débats de
Bossuet et du P. Caffaro, ou même à ceux de Lenglet-Dufresnoy et du P. Bougeant, ou encore de l'abbé Jaquin et du chevalier
de Mouhy ?

(1) Cf., par exemple, l'article signé Henri Pierre dans *le Monde* du
27 décembre 1956.

Chapitre V

LE ROMAN EST-IL PLUS UTILE
QUE L'HISTOIRE ?

La force redoutable de l'argument moral dans les attaques lancées contre le roman, au temps des grands succès de Prévost, de Marivaux, de Crébillon et de leurs contemporains, ne peut guère être surestimée. C'est elle qui explique l'abondance, la persistance et l'éloquence des plaidoyers *pro domo* démontrant l'utilité morale du genre attaqué. De tous les modes de réalisme exposant les romans qui les illustraient aux accusations de la critique moralisatrice, le plus dangereux, nous l'avons vu, était le réalisme des portraits psychologiques et moraux, notamment lorsqu'il s'agissait de personnages vicieux, débauchés ou tout simplement passionnément amoureux. C'est ce qui explique que les romanciers et critiques favorables au roman se défendirent avec une ardeur, une ingéniosité et une obstination particulière sur ce terrain. Et c'est pour cela aussi que, au mépris de la chronologie, nous avons choisi de considérer cet aspect en premier lieu dans le chapitre précédent.

Mais les autres modes du nouveau réalisme avaient attiré, eux aussi, les attaques des ennemis du roman, et avaient donc été des terrains sur lesquels il avait fallu se défendre et contre-attaquer. Comme nous l'avons rappelé dans le deuxième chapitre, le premier en date de ces modes de réalisme avait été d'origine historique ou pseudo-historique. Afin de rendre ses droits à la chronologie, le moment est venu maintenant d'examiner les arguments auxquels recoururent les romanciers et les critiques pour échapper au dilemme auquel risquaient de les conduire les autres aspects réalistes du nouveau roman, et, en premier lieu, celui qui, dès la fin du XVIIe siècle, avait orienté le genre romanesque vers l'histoire. C'est là la tâche que se propose le présent chapitre. Les suivants s'efforceront de débrouiller l'écheveau

confus des implications sociologiques et pseudo-sociologiques du
réalisme social. Répétons encore une fois, avant de nous engager
dans ces nouvelles voies, que ces divers modes réalistes ne sont
pas aussi rigoureusement distincts les uns des autres que semblent
l'indiquer notre classification analytique et nos catégories, et
que, par conséquent, les arguments présentés dans ce chapitre
complètent ceux qui sont exposés dans les chapitres précédents
et suivants, et se recoupent avec eux. La réalité de l'histoire
littéraire est si complexe qu'il n'est guère possible, sans user d'un
peu d'arbitraire, d'en isoler artificiellement les problèmes,
enchevêtrés en fait les uns dans les autres, afin de les décrire et
de les comprendre.

I

Si l'on se souvient de la théorie du roman héroïque, telle
qu'elle est exprimée en 1656 dans *la Prétieuse* de l'abbé de Pure,
on comprendra sans peine la difficulté du problème que le réalisme
historique posait aux romanciers. Si, en effet, Aracie donnait,
comme nous l'avons vu dans le premier chapitre, sa préférence au
roman plutôt qu'à l'histoire, c'est parce que celle-ci, astreinte à
la vérité, n'a pas le droit de filtrer et d'écarter, comme le fait le
roman, les inconvenances et les immoralités choquantes dont est
encombrée la vie quotidienne (1). Dès que le roman, à partir des
années 1670, commença à se faire de plus en plus historique et,
en revanche, à idéaliser de moins en moins les personnages et les
aventures qu'il rapportait, cet argument précieux en sa faveur
tomba de lui-même. Non seulement le roman risquait de se voir
préférer l'histoire, mais, chose bien plus grave, il prêtait le flanc,
comme l'histoire elle-même, aux accusations fondées sur le
respect des valeurs de la morale acceptée, et, moins protégé que
l'histoire fortifiée, elle, par une longue tradition brillante, il
risquait même d'y succomber. Sorel, par exemple, dans son
important traité *De la connaissance des bons livres*, répondant
en 1671 aux précieux qui préfèrent le roman à l'histoire, réfute
les raisons alléguées à cet effet et conclut comme on l'a vu dans
le premier chapitre : « Mais il ne faut point prétendre qu'on laisse
longtemps en crédit un si étrange paradoxe (2). »
Il était urgent qu'une astucieuse argumentation vînt à la

(1) Cf. ci-dessus, chap. 1ᵉʳ, p. 37.
(2) Charles SOREL, *De la connaissance des bons livres, ou Examen de plusieurs auteurs*, Paris, Pralard, 1671, pp. 82-83. Toute une partie de cet ouvrage,
le « Second traité : Des histoires et des romans » (pp. 65-182), a pour but de
prouver qu'il faut préférer l'histoire au roman. Cf. ci-dessus, p. 38.

rescousse pour sauver le roman, menacé une fois encore de périr dans ce dilemme entre le réalisme et le moralisme. Lenglet-Dufresnoy eut le mérite de sentir clairement ce besoin, et il accumula en conséquence argument sur argument, de quoi remplir les quatre-vingts pages de son deuxième chapitre — le plus long et de loin de tout le livre *De l'usage des romans* — sous le titre « l'imperfection de l'histoire doit faire estimer les romans », et le sous-titre « Les femmes, quoique mobile essentiel des grandes affaires, paraissent à peine dans l'histoire ». L'auteur s'y livre à des prodiges d'acrobaties dans la manipulation du sophisme et y jongle plus ou moins adroitement avec la logique. Le roman, affirme-t-il, est irréfutablement supérieur à l'histoire de quatre points de vue différents : « ... Premier avantage du roman sur l'histoire : je n'y suis pas trompé, ou je ne le suis qu'à mon profit (1). » Si une pareille affirmation peut nous paraître aujourd'hui paradoxale et amener le lecteur à se demander si Lenglet-Dufresnoy tient véritablement à être pris au sérieux, c'est parce que l'histoire, telle qu'elle était conçue et pratiquée en 1734, n'a avec l'histoire, telle qu'on la conçoit et l'écrit aujourd'hui, que des rapports à peine moins vagues que ceux de la chimie de l'époque avec la chimie contemporaine. Ni la rigueur de la documentation, ni le souci de l'objectivité, ni la phobie de l'erreur ou de la lacune ne caractérisait alors l'historien. Montesquieu, qui devait être parmi les fondateurs de l'historiographie moderne, pouvait déclarer sans exagérer : « Les histoires sont des faits faux composés sur les vrais ou bien à l'occasion des vrais (2). » Lenglet-Dufresnoy n'a donc pas tort de déclarer que l'histoire induit en erreur ou, en tout cas, qu'elle ne peut que laisser ses lecteurs dans l'incertitude et le doute. Il ne se fait pas faute de mentionner à ce propos le fameux « pyrrhonisme historique » (3) engendré par les insuffisances de la méthode historique, et il en vient sans difficulté à assurer que le second avantage des romans sur l'histoire est que « rien n'y est équivoque, rien n'y est douteux » (4). Mais c'est surtout le troisième avantage qui nous intéresse ici, puisqu'il met en jeu les valeurs morales. Or il est bien décevant d'observer que le critique de 1734 se borne à reprendre ou à peu de chose près les arguments mis en avant par l'Aracie de *la*

---

(1) LENGLET-DUFRESNOY, *De l'usage des romans*, t. I, p. 61. A propos de tout ce développement, nous nous permettons de renvoyer à notre article, « L'histoire a-t-elle engendré le roman ? », déjà mentionné.
(2) MONTESQUIEU, *Mes pensées*, nº 1442, dans l'éd. R. Caillois des *Œuvres complètes*, Bibliothèque de la Pléiade, t. I, p. 1339.
(3) LENGLET-DUFRESNOY, *op. cit.*, t. I, p. 76.
(4) *Ibid.*, p. 73.

Prétieuse quelque quatre-vingts ans plus tôt. En effet, selon
Lenglet-Dufresnoy, les récits historiques nous montrent trop
souvent le vice récompensé et la vertu malheureuse pour qu'on
puisse « désavouer que l'histoire ne livre de terribles assauts aux
bonnes mœurs » (1). Le roman, en revanche, a toute latitude pour
s'élever au-dessus de ces réalités humiliantes et pour donner au
public de véritables modèles de conduite : « Ainsi laissons à
l'histoire ce titre glorieux d'être le portrait de la misère humaine,
et reconnaissons au contraire que le roman est le tableau de la
sagesse humaine (2). » Cette attitude romanesque est si éloignée
du réalisme à la mode au moment même où paraît son traité,
qu'elle suffit à faire classer Lenglet-Dufresnoy à cet égard parmi
les critiques rétrogrades de son temps. Son quatrième argument
en faveur du roman nous engage, en revanche à le juger peut-être
moins sévèrement. Le roman, dit-il, est plus fidèle à la réalité que
l'histoire dans la mesure où il accepte généralement de faire jouer
aux femmes un rôle d'importance égale à celui qu'elles jouent
dans la réalité, alors que l'histoire a tendance à réduire au
minimum ou même à ignorer complètement l'influence du beau
sexe dans la marche des affaires. « Malheur à ceux qui le regardent
comme un sexe faible et infirme » (3), s'écrie-t-il en champion
chevaleresque de la féminité dédaignée. Puis il s'engage dans
une très longue dissertation sur ce sujet, qui nous éloignerait, si
nous le suivions, des questions en débat ici, mais à laquelle le
sujet de notre dernier chapitre nous donnera l'occasion de revenir
plus à loisir.

Ce long chapitre de Lenglet-Dufresnoy, malgré ce qu'il a
quelquefois de décevant, est à plusieurs égards d'un intérêt
incomparable pour nous. Parmi ses arguments, en effet, on en
trouve sans doute qui sont déjà dépassés en 1734 par l'évolution
contemporaine du roman, en particulier le troisième. Mais on en
trouve, en revanche, d'autres — surtout le quatrième, mais aussi,
à certains égards, les deux premiers — qui anticipent nettement
sur le développement futur de la théorie et de la pratique du
roman. Car, comme ce chapitre essaiera de le faire voir un peu
plus loin, plusieurs écrivains postérieurs à Lenglet-Dufresnoy,
au premier chef Baculard d'Arnaud (né en 1718) et Restif de
La Bretonne (né en 1734), qui appartiennent à des générations
nettement postérieures à celles des romanciers dont il est question
dans *De l'usage des romans*, avanceront une théorie curieuse selon

(1) *Ibid.*, p. 81.
(2) *Ibid.*, p. 83.
(3) *Ibid.*, p. 85.

laquelle le roman est plus historique encore que l'histoire. D'autre part, la théorie précieuse impliquée dans la troisième remarque de Lenglet-Dufresnoy et qui semble si nettement archaïque en 1734, à la date à laquelle le traité paraît, allait connaître, comme nous le verrons plus loin, un renouveau et un regain de faveur auprès d'écrivains comme Marmontel et Sade. Tout cela fait de ce chapitre un texte critique d'un intérêt considérable à son époque. Mieux encore : cet intérêt est à peu près unique et, en tout cas, exceptionnel. En effet, nous ne connaissons pas de critique qui, à cette époque, s'attarde avec autant d'insistance et d'ardeur sur les rapports du roman avec l'histoire. Or ces rapports constituent peut-être l'élément le plus caractéristique du développement contemporain du roman ; la plupart des romanciers s'en sont rendu clairement compte et se sont exprimés à ce propos. Mais Lenglet-Dufresnoy, lui, est une sorte d'exception parmi les critiques (1). S'il n'a donc pas toujours vu très clair sur les tendances réalistes des meilleurs romanciers de son temps, il faut en revanche admirer la sûreté de jugement qui lui a permis de sentir plus ou moins confusément que la question des rapports du roman et de l'histoire était d'importance prédominante dans le développement du genre romanesque à son époque.

II

A la même époque, les romanciers, eux, montrèrent moins de discernement que Lenglet-Dufresnoy dans leur évaluation des mérites relatifs du roman et de l'histoire. Persuadés que la valeur supérieure de l'histoire par rapport au roman romanesque était proportionnelle à celle de la vérité par rapport au mensonge, la plupart des romanciers, à la différence de Lenglet-Dufresnoy, annexèrent tout simplement le roman à l'histoire et remplacèrent tout bonnement dans leurs titres le mot de *roman* par celui d'*histoire*. Parmi les 946 titres de romans parus de 1700 à 1750 et catalogués par les soins de S. P. Jones, on n'en compte, dans son index — où, à la vérité, plusieurs romans apparaissent plus d'une fois en raison des variations que subirent leurs titres au cours des éditions successives — pas moins de cent cinquante-six dont le titre commence par le mot magique d'*histoire* au singulier ou au

---

(1) Parmi les rares critiques de l'époque qui expliquent par des considérations théoriques pourquoi il faut préférer le roman à l'histoire, mentionnons l'auteur anonyme d'un petit essai déjà évoqué dans notre chapitre précédent : la « Lettre de M. de Passe à Mme D... sur les romans », *Journal historique sur les matières du temps*, t. LXVI (2ᵉ semestre 1749), pp. 102-112.

pluriel : *Histoire de Gil Blas de Santillane, Histoire du chevalier des Grieux et de Manon Lescaut, Histoire de M. Cleveland, fils naturel de Cromwell, Histoire d'une Grecque moderne, Histoire de Mme de Luz*, etc. ; sans compter près de cent titres de la même période qui commencent par le mot à peine moins magique de *mémoires*.

Si l'on se souvient de la distinction essentielle, établie dans le neuvième chapitre de la *Poétique* d'Aristote, entre la poésie et l'histoire, la différence fondamentale, qui existe entre la pensée critique d'un Lenglet-Dufresnoy et la pratique des romanciers de son temps, apparaîtra en pleine lumière. Le traité *De l'usage des romans*, scrupuleusement fidèle à celui de Huet sur *l'Origine des romans* qui, lui, s'autorisait explicitement du texte d'Aristote, maintient énergiquement la distinction entre l'histoire et le roman, et du même coup, insiste donc sur l'appartenance de celui-ci aux genres poétiques. La plupart des bons romanciers, au contraire, fidèles à la tradition illustrée par des écrivains aussi divers que Mme de Villedieu, Saint-Réal, Mme d'Aulnoy ou Courtilz de Sandras, s'efforcent par leurs procédés techniques, comme par les déclarations théoriques contenues dans leurs textes liminaires, de faire entrer les romans qu'ils écrivent dans l'orbite des genres historiques ou pseudo-historiques : histoire secrète, anecdotes historiques, chronique, relation, mémoires, etc.

En effet, les préfaces de l'époque sont innombrables, qui avertissent le lecteur que l'ouvrage qu'il va lire n'est pas un roman, mais un récit d'événements authentiques. Lorsque ce récit se présente sous la forme autobiographique ou sous celle d'une série de lettres, la préface manque rarement d'expliquer que le rôle de l'auteur s'est borné à celui d' « éditeur » des « documents » qui lui ont été remis comme un dépôt sacré ou qui sont tombés entre ses mains par un hasard romanesque quelconque : placard secret, coffret perdu, etc. Or S. P. Jones a dénombré près de 200 des 946 romans qu'il a catalogués, qui se présentent entre 1700 et 1750 sous la forme de mémoires ! Il va sans dire que la plupart des lecteurs n'avaient pas la naïveté de prendre au pied de la lettre de pareilles prétentions à l'authenticité absolue. Mais il est indubitable que le public de 1730 et même encore celui de 1761 était d'une crédulité monumentale, comparée au scepticisme universel de celui de « l'ère du soupçon » qui est la nôtre aujourd'hui. Ce qu'on pourrait appeler le pyrrhonisme romanesque de nos contemporains est la réaction naturelle de ceux dont les aïeux ont cru, non seulement à l'authenticité des *Mémoires de Pontis* et des nombreux mémoires apocryphes de

l'intarissable Courtilz de Sandras — Bayle, lui-même, avoue plus
d'une fois qu'il éprouve les plus grandes difficultés à s'y
reconnaître ! — mais aussi à l'existence de Julie d'Étange et de
Saint-Preux, et même à celle de la Péruvienne de Mme de Graffigny. Comme on le verra à la fin du présent chapitre, même
l'administration de la Librairie n'était pas à l'abri de pareilles
erreurs. Nous avons déjà évoqué tout cela au début de notre
second chapitre, mais il convenait d'y revenir rapidement ici.

Et, en effet, l'habileté des romanciers fut quelquefois diabo-
lique dans le minutieux dosage de la fiction et de la vérité, dont
l'effet était que le lecteur ne savait plus où s'arrêtait l'une ni où
commençait l'autre. Même lorsque les romans cessèrent d'être à
proprement parler « historiques », comme les nouvelles des
quarante dernières années du siècle de Louis XIV, ils multi-
plièrent les allusions à des événements publics connus du lecteur.
Sur leurs toiles de fond passaient des personnages scrupuleusement historiques. Les héros, à l'occasion, étaient eux-mêmes
impliqués dans des révolutions ou des guerres authentiques.
L'habitude, si irritante pour le lecteur moderne, de faire sem-
blant de cacher l'identité réelle des protagonistes ou les noms de
lieu sous des initiales, des points de suspension ou des astérisques,
n'était qu'un procédé entre maints autres dans l'arsenal quasi
inépuisable des romanciers désireux de faire passer leurs ouvrages
pour ce qu'ils n'étaient pas. Tous les bons romanciers de l'époque,
Prévost, Crébillon, Mme de Tencin, Marivaux, Mouhy, et leurs
successeurs, Rousseau, Diderot, Baculard d'Arnaud, Restif,
Laclos, etc., recoururent à des procédés techniques de cet ordre
pour libérer le roman de l'hypothèque poétique et lui conférer
l'estampille historique. Une étude détaillée de ces moyens techniques reste encore largement à faire. Elle exigerait beaucoup
trop d'étendue et nous éloignerait exagérément de notre propos
pour qu'il puisse être question même de l'ébaucher ici. Plusieurs
travaux existants contiennent des indications précieuses à cet
égard (1), et l'on peut espérer qu'un amateur d'histoire littéraire,
compétent en technique romanesque, publiera un jour l'étude
d'ensemble que mérite un sujet aussi justement attachant.

L'objectif principal de cet effort soutenu pour placer le roman
sous l'invocation de Clio fut de justifier moralement le roman

---

(1) Citons, par exemple, les deux excellents articles déjà mentionnés de
F. C. GREEN, parus dans les *Modern Language Notes*, XXXVIII (1923), pp. 321-
329, et XL (1925), pp. 257-270 ; le chapitre IV de la IIe Partie de l'ouvrage
de M. RATNER ; et notre article déjà mentionné paru dans la *Revue d'Histoire
littéraire de la France*, LV (1955), pp. 155-176.

réaliste par l'argument essentiel du « tableau de la vie humaine »
que nous avons analysé dans le chapitre précédent. Pour que les
lecteurs pussent, en effet, se reconnaître et donc s'amender, il
était nécessaire que le roman contînt une description fidèle de la
réalité et donc que le romancier se mît à l'école de l'historien des
mœurs. Comme nous l'avons vu, cet argument fut, à l'origine,
consciemment emprunté à la critique du théâtre comique. Mais
il faut noter qu'au début du XVIIIe siècle, bien des écrivains
attribuaient à l'histoire la mission inattendue de corriger les
mœurs. La plupart des penseurs sérieux qui écrivirent des traités
d'éducation — Rollin, entre autres — étaient formels à cet égard.
Dans sa *Méthode pour étudier l'histoire*, Lenglet-Dufresnoy
n'hésitait pas à affirmer, en 1713, qu'étudier l'histoire, « en un
mot, c'est apprendre à se connaître soi-même dans les autres » (1).
Et Prévost, au début de son *Cleveland*, lorsque son héros retrace
son éducation, fait dire à celui-ci en 1731 : « Je m'appliquai
particulièrement à l'histoire, qui est la partie pratique de la
philosophie morale. » Dans le quatrième livre de son *Émile*,
lorsque Rousseau envisagera l'éducation morale de son élève
imaginaire, il choisira à son attention les lectures historiques
appropriées : « Voilà le moment de l'histoire ; c'est par elle qu'il
lira dans les cœurs sans les leçons de la philosophie ; c'est par elle
qu'il les verra, simple spectateur, sans intérêt et sans passion,
comme leur juge, non comme leur complice ni comme leur
accusateur (2). » Il faut mesurer les implications d'une pareille
conception de l'histoire pour comprendre comment certains
romanciers postérieurs à Prévost, dépassant la simple identifica-
tion du roman à l'histoire, purent pousser le raisonnement jusqu'à
l'extrême et affirmer que, dans la mesure où le but du roman et
de l'histoire est de tracer un tableau fidèle et moral de la comédie
humaine, le roman, tout bien compris, est supérieur à l'histoire.

Dès la fin du XVIIe siècle, sous l'influence probable des assertions de tant d'auteurs de tragédies classiques, un romancier his-

_____

(1) Cité par Gustave DULONG, *l'Abbé de Saint-Réal. Étude sur les rapports
de l'histoire et du roman au XVIIe siècle*, Paris, Champion, 2. vol., 1921, t. I,
p. 327.
(2) J.-J. ROUSSEAU, *Emile*, éd. citée, p. 282. Au milieu du liv. II, Rousseau
avait en revanche sévèrement critiqué la manière traditionnelle d'enseigner
l'histoire aux jeunes enfants : « Par une erreur encore plus ridicule, on leur
fait étudier l'histoire : on s'imagine que l'histoire est à leur portée, parce qu'elle
n'est qu'un recueil de faits. Mais qu'entend-on par ce mot de faits ? Croit-on
que les rapports qui déterminent les faits historiques soient si faciles à saisir,
que les idées s'en forment sans peine dans l'esprit des enfants ? Croit-on que
la véritable connaissance des événements soit séparable de celle de leurs causes,
de celle de leurs effets, et que l'historique tienne si peu au moral qu'on puisse
connaître l'un sans l'autre ?... » (*Ibid.*, p. 106.)

torique comme Eustache Lenoble, à cet égard un précurseur, pourra dire, dans la préface d'une de ses nombreuses nouvelles réimprimées au cours du XVIIIe siècle, que la part d'invention qu'il met dans son roman, loin de nuire à la vérité historique, contribue tout au contraire à l'enrichir :

> Ce n'est donc point une chimère d'invention que vous lirez ici, c'est une histoire très véritable ; et si l'on prend la peine de la conférer avec les générales, on verra que je suis très exact dans toutes les circonstances des événements publics, et que je ne fais que développer les raisons secrètes qui les ont causés. [...]
> Ainsi l'on peut dire que comme l'action est le corps et que le motif est l'âme de cette action, presque toutes les histoires ne nous donnent que des corps sans âme, lorsqu'elles ne nous instruisent pas des motifs qui ont fait agir les princes, et donné le mouvement à leurs intrigues (1).

Préférant à la métaphore métaphysique de Lenoble une image picturale mieux à la mode, le romancier de La Solle présentera plus d'un demi-siècle plus tard, en 1754, précisément la même théorie sur la supériorité morale du roman sur l'histoire, et l'illustrera par l'exemple significatif de la *Cyropédie* :

> Jamais l'histoire ne peut fournir un modèle parfait à imiter, si elle n'emprunte le secours de la fiction ; sans elle les narrations historiques qui rendent les faits dans leur simplicité ressemblent souvent à ces tableaux qui ne sont que tracés au crayon, et qui restent sans agréments jusqu'à ce que l'art leur ait donné les couleurs et les ombres. Xénophon voulant peindre un prince parfait, a chargé ses portraits de toutes les beautés que l'imagination a pu lui fournir, et a fait un livre auquel on donnerait aujourd'hui avec raison le titre de roman historique (2).

Après quoi, comparant méthodiquement le travail du romancier et celui de l'historien, de La Solle conclut que, non seulement l'histoire n'a pas même sur le roman le privilège d'une plus grande véracité, mais encore que la lecture des romans a un effet moral beaucoup plus salutaire que celle de l'histoire :

> Dans les romans, si l'amour est légitime, il est couronné à la fin, et fait le bonheur des personnages et le plaisir des lecteurs. S'il est condam-

---

(1) Eustache LENOBLE, *Préface à Abra-Mulé, ou l'Histoire de la déposition de Mohamet IV, empereur des Turcs*. Cité d'après la réimpression des *Amusements de la campagne, ou Récréations historiques, avec quelques anecdotes secrètes et galantes*, Paris, t. II (1742), pp. II-III et V. Les quatre premiers volumes de cette collection, parus en 1742 et 1743, sont occupés par des réimpressions d'ouvrages de Lenoble, ou attribués à lui.
(2) H.-F. de LA SOLLE, Préface à ses *Mémoires de deux amis*, Londres, 1754, pp. XXVIII-XXIX.

nable, la fin est toujours funeste. Il n'arrive jamais qu'on y voie triompher le vice, les crimes y sont toujours punis, la vertu toujours
récompensée (1).

Même affirmation, nous l'avons vu (2), sous la plume du
chevalier de Mouhy en 1755 dans sa réponse à l'abbé Jaquin.
Tout ceci mènera, un peu plus tard au xviiie siècle, à l'affirmation pure et simple que le roman dépasse l'histoire non seulement
en agrément, mais aussi en utilité. Un écrivain comme Dorat,
par exemple, se fera en 1771 le porte-parole de cette opinion
catégorique : « Le roman, tel qu'il doit être conçu, est une des
plus belles productions de l'esprit humain parce qu'il en est
une des plus utiles : il l'emporte même sur l'histoire (3). »

III

Une autre série de remarques va nous permettre maintenant
de vérifier l'exactitude de l'hypothèse selon laquelle la considération dominante des romanciers soucieux d'annexer le roman
à l'histoire fut celle de la valeur morale de leurs ouvrages, et cela
longtemps avant que la mode fût à la mièvrerie d'un Dorat. En
effet, dès les années 1740, les romanciers français qui poussèrent
jusqu'au paradoxe l'équation roman égale histoire, furent précisément ceux qui succombèrent le plus immodérément à la vogue
moralisatrice qui sévit au milieu et à la fin du siècle. Il n'y a
pas là une simple coïncidence.

En 1745, Baculard d'Arnaud, âgé de vingt-sept ans seulement
publie son très intéressant *Discours sur le roman* en manière de
préface à sa *Theresa, histoire italienne*. Il y exprime une admiration débordante pour les romanciers contemporains, ses aînés
immédiats, Prévost, Crébillon, Duclos et surtout Marivaux.
Celui-ci, affirme d'Arnaud, ne s'est pas borné à divertir les lecteurs de ses romans : « Sous le nom de roman, il a donné l'histoire
de l'humanité, et il a réussi. » La formule, dans son outrance de
jeune homme, est remarquable, en ce qu'elle rappelle clairement
l'argument du « tableau de la vie humaine », tout en soulignant
l'allégeance historique du roman. Le jeune écrivain poursuit
en exprimant son dédain pour l'histoire proprement dite dont
la valeur édifiante lui paraît quasi nulle : « Quel fruit retire-t-on

(1) *Ibid.*, p. xxxiii.
(2) Cf. ci-dessus, chap. IV, p. 121.
(3) Claude Joseph Dorat, Avant-propos à ses *Sacrifices de l'amour* (1771).
Œuvres complètes, Neuchâtel, 1776, t. IV, p. 11.

de ces sortes de lectures ? Elles vous laissent la mémoire chargée,
accablée de chronologie, de dates, de faits, de quelques usages
particuliers, et voilà tout ; pas la moindre réflexion au profit
de la raison. » La cause, selon lui, est que les faits que rapportent
les historiens sont trop généraux et ont trop peu de rapport
avec le public qui lit. Mais il en va tout autrement du roman,
en tout cas du roman réaliste contemporain que d'Arnaud carac-
térise avec netteté par les titres qu'il cite :

> Le roman est bien différent. Je veux parler de ces ouvrages modernes,
> tels que le *Cleveland*, les *Mémoires d'un homme de qualité*, *Marianne*, le
> *Paysan parvenu*, les *Egarements du cœur*, les *Confessions du comte de ****,
> et non de ces pitoyables productions, enfants d'une imagination appau-
> vrie, et connus sous le nom de *Contes de fées*. Le roman donc représente
> l'homme tel qu'il est, ses vertus, ses vices ; c'est un tableau naturel de
> la société à la portée de tous les esprits. Chaque lecteur peut goûter le
> plaisir de s'y reconnaître, de s'y retrouver, et par conséquent, de
> s'amuser et de s'instruire à la fois, beaucoup mieux qu'en parcourant
> tous les volumes d'histoire.

Le fait, que Duclos et Crébillon soient parmi les écrivains
dont d'Arnaud vante les ouvrages, montre que ce n'est pas
seulement son sentimentalisme qui lui dicte ces remarques.
En fait, il manifeste son admiration pour Crébillon jusqu'à
déclarer dans la note à laquelle renvoie au bas de la page l'allusion aux contes de fées : « Je ne connais que deux contes de fées
qui méritent d'être lus : *Tanzaï* et le *Sopha* ; tous les autres sont
pitoyables. » C'est donc, une fois encore, le réalisme qui est ici
défendu et vanté, puisqu'il est sans doute la plus évidente
des caractéristiques communes aux romans invoqués ici par
d'Arnaud. L'argument, de plus, dépasse celui, mentionné en
passant, du « tableau de la vie humaine », et aboutit en fait à
affirmer paradoxalement que le roman est plus proche de la vérité
que l'histoire. En effet, d'Arnaud poursuit ses observations en
affirmant que l'histoire est en réalité plus romanesque que le
roman réaliste moderne, parce que les événements qu'elle
rapporte sont plus éloignés du commun, plus gigantesques, et
plus forcés, et, par conséquent, que le roman est capable d'avoir
une utilité morale d'autant plus grande. Bref, la théorie esquissée
ici aboutit, comme la théorie précieuse, à l'affirmation au nom de
l'édification morale de la supériorité du roman sur l'histoire.
Mais le procédé par lequel le roman est censé édifier est, pour
d'Arnaud, le contraire exactement de ce qu'il était dans *la Prétieuse* de l'abbé de Pure. Aucune théorie n'était mieux capable
de résoudre le dilemme. Mais il faut noter que si le réalisme

était ainsi jugé mieux capable que l'idéalisme précieux de donner
au lecteur le goût de la vertu, ce ne pouvait être qu'au nom
d'une conception particulièrement optimiste de la réalité morale.
Par cet aspect déjà l'auteur de *Theresa* fait sentir, en 1745, qu'il
deviendra une âme sensible et un des apôtres les plus notoires
du sentimentalisme moral dont la vogue s'imposera avec le
succès de *la Nouvelle Héloïse*. Une dernière citation empruntée
à son *Discours sur le roman* mettra cela en pleine lumière :

> Le roman enfin est le livre de l'humanité. Il insinue dans notre âme
> cette sensibilité, cette tendresse, le principe des véritables vertus ; il
> apprivoise la férocité de l'orgueil, il inspire la compassion, il ramène
> l'homme à la nature, l'entretient dans son cœur. Les sentiments sont
> comme le corps : ils s'affaiblissent, s'épuisent et meurent quand on ne
> leur donne aucune nourriture. De tous les genres de livres, le roman est
> celui qui les fait naître, les soutient et les fortifie davantage (1).

A notre connaissance, ce texte de Baculard d'Arnaud est de
loin le premier en date à exprimer avec tant d'insistance et de
précision une théorie aussi inattendue sur les rapports du roman
et de l'histoire. Car c'est surtout après la grande vogue des romans
de Richardson et de *la Nouvelle Héloïse* qu'elle se répandra et
qu'on la retrouvera, par exemple en 1761, sous la plume de
Diderot inspirée par l'enthousiasme engendré par la lecture
de *Pamela*, de *Clarissa* et de *Grandison* :

> O Richardson ! j'oserai dire que l'histoire la plus vraie est pleine de
> mensonges, et que ton roman est plein de vérités. L'histoire peint
> quelques individus ; tu peins l'espèce humaine : l'histoire attribue à
> quelques individus ce qu'ils n'ont ni dit, ni fait ; tout ce que tu attribues
> à l'homme, il l'a dit et fait : l'histoire n'embrasse qu'une portion de la
> durée, qu'un point de la surface du globe ; tu as embrassé tous les lieux
> et tous les temps. Le cœur humain, qui a été, est et sera toujours le
> même, est le modèle d'après lequel tu copies. Si l'on appliquait au
> meilleur historien une critique sévère, y en a-t-il aucun qui la soutînt
> comme toi ? Sous ce point de vue, j'oserai dire que souvent l'histoire est
> un mauvais roman ; et que le roman, comme tu l'as fait, est une bonne
> histoire. O peintre de la nature ! c'est toi qui ne mens jamais (2).

Comme on le voit, les motifs et les raisonnements peuvent
changer, mais la doctrine demeure. La voici à nouveau quelques

---

(1) Toutes ces citations sont empruntées au premier volume (pp. VI-XII)
de l'édition de La Haye, 2 vol., 1745-1756, de *Theresa, histoire italienne, par
l'auteur des Mémoires de M. de La Bédoyère.*
(2) DIDEROT, *Œuvres complètes*, éd. Assézat et Tourneux, t. V, p. 221.
Cf. Marlou SWITTEN, « *L'histoire* and *la poésie* in Diderot's writings on the
novel », *Romanic Review*, XLVII (1956), p. 267.

années plus tard dans ce chapitre des *Françaises* de Restif, déjà
mis à contribution dans notre quatrième chapitre. Rappelons
que ce texte est publié en 1786 par Restif sous un pseudonyme
qui lui permet de vanter sans vergogne sa propre marchandise.
On remarquera, dans le passage qui suit, que l'argument du
« tableau de la vie humaine » n'est pas oublié, mais qu'il est
subordonné, comme déjà chez Baculard d'Arnaud, au thème
de la valeur édifiante supérieure du roman par rapport à l'histoire, valeur qui s'explique, elle, par la vérité paradoxalement
supérieure du roman par rapport à l'histoire :

> Rien de plus utile, pour l'instruction des hommes, que l'histoire
> vraie, ou simulée, mais que dis-je ! simulée ? Elle est toujours vraie dans
> les romans naturels comme ceux de Jean-Jacques, de Richardson, de
> Marmontel et de la Bretonne *(sic)* ; n'a-t-on pas reconnu tous les héros
> de ce dernier lors même qu'il ne les connaissait pas ? ne s'est-il pas lui-
> même surpris en prophétie lorsqu'il voyait arriver postérieurement les
> faits qu'il avait décrits ? Personne n'a voulu croire que la Julie et la
> Claire de Jean-Jacques fussent des êtres imaginaires ; tout le monde
> s'est écrié : « Jean-Jacques nous a peint celles qu'il a vues et que peut-
> être il a aimées. » Tous les romans des hommes que je viens de citer sont
> donc historiques. Et c'est, comme je le disais, la manière la plus efficace
> d'instruire les hommes que de les instruire par l'histoire ; il n'en est
> aucune autre qui la vaille (1).

On sent déjà dans un texte d'une vanité aussi désarmante que
celui-ci une conception du rôle du romancier qui laisse prévoir
celle que les romantiques se feront de celui du poète. Pour Restif,
le romancier — et lui-même donc au premier chef — est un mage,
un prophète. Comme tel il est au-dessus des contingences auxquelles est soumis en général le commun des mortels. Ce qu'il
écrit est automatiquement, nécessairement et comme par définition la vérité, soit passée — et alors il est historien — soit future
— et alors il est prophète. La revendication sereine d'une fonction
aussi exaltée pour le romancier ne s'explique pas seulement par
le caractère de Restif, mais aussi par la date à laquelle il écrit.
Sous Louis XVI, le roman n'est plus sur la défensive. La partie
est gagnée de haute main, même si tous les adversaires du roman
ne s'en sont pas encore aperçus. Reste pour les romanciers à
exploiter la victoire : c'est ce que Restif s'emploie à faire sans
fausse honte dans ce chapitre des *Françaises*. L'atmosphère
intellectuelle de ces années fin de siècle et fin de régime se fait

(1) *Œuvres complètes de Restif de La Bretonne*, éd. Henri Bachelin, Paris,
Editions du Trianon, t. II, p. 360.

sentir aussi dans l'audace tranquille et insolente de revendications aussi énormes. Décidément les écrivains qui, au cours des années 1725-1760, qui nous intéressent plus particulièrement ici, avaient lutté pour le droit du roman à la vie, pouvaient se féliciter rétrospectivement d'avoir, par leurs œuvres et leurs écrits critiques, préparé le terrain avec une efficacité aussi durable. Le courage et l'imagination qu'ils mirent dans ce combat non seulement sauva la vie au roman, mais lui assura dans un avenir très proche la première place dans la hiérarchie mouvante des genres littéraires.

C'est parce que ce triomphe du roman paraîtrait ou bien trop normal ou bien inexplicable à qui ne connaîtrait pas les batailles qui l'ont rendu possible, qu'il nous a paru bon, dans ce chapitre, de regarder au-delà de la date terminale que nous nous étions arbitrairement proposée, sans promettre, du reste, de nous y tenir rigoureusement. C'est pour cette même raison qu'avant de revenir aux années auxquelles notre enquête est dans son ensemble limitée, il paraît légitime de considérer maintenant un autre aboutissement tardif et inattendu du débat sur les mérites respectifs du roman et de l'histoire.

IV

Une année après la publication du texte de Restif qui vient d'être cité, un autre romancier, très illustre à l'époque, Marmontel, faisait paraître son important *Essai sur les romans, considérés du côté moral*. De même que, après avoir mené une vie passablement licencieuse, l'auteur de *Bélisaire* devait écrire des *Mémoires* fort pontifiants explicitement destinés à l'édification morale de ses enfants en les engageant à ne pas succomber aux mêmes tentations que leur père, de même, après avoir composé un assez grand nombre de *Contes moraux* qui étaient loin de mériter toujours cette épithète, il écrivit cet *Essai* dont la thèse générale et maintes fois répétée est que tous les romans qui ne prêchent pas activement la bonne morale doivent être tenus pour abominables. Sur la base étroite d'une doctrine aussi réactionnaire, Marmontel a beau jeu d'expliquer que les seuls romans ou presque qui lui paraissent acceptables sont *Télémaque* et *Clarisse*, et qu'en revanche, il convient de faire les réserves les plus sérieuses sur les romans, par exemple, de Mme de Lafayette, de Prévost et de Crébillon, et surtout, bien entendu, sur le plus dangereux et le plus pernicieux de tous, *la Nouvelle Héloïse*. Or le texte de Marmontel ne laisse aucun doute sur le fait que la raison, selon lui, pour laquelle ces romans sont aussi condamnables « du côté moral », est qu'ils décrivent la réalité trop fidèlement. L'excès de réalisme est pour lui le défaut le plus grave dans lequel puissent tomber les romanciers. Imperturbablement conséquent avec de telles prémisses, Marmontel en vient donc très logiquement à exprimer une doctrine qui semble descendre tout droit du roman précieux du milieu du xviie siècle. On en jugera par la simple conclusion de l'*Essai* que voici *in extenso* :

> *L'homme est de glace aux vérités ;*
> *Il est de feu pour le mensonge,*

a dit La Fontaine. J'ose penser différemment : car si la vérité nous touche d'aussi près et aussi sérieusement que le mensonge, nous l'aimons, nous la saisissons aussi avidement et plus avidement encore. Mais si elle nous est étrangère, elle nous est indifférente ; et si elle nous est odieuse et nuisible, nous avons droit de lui préférer l'illusion qui nous console, la fiction qui nous instruit, le mensonge qui nous persuade d'être justes, nous encourage à être bons, et nous enseigne à être heureux (1).

Avec une doctrine comme celle-ci, on peut dire que la théorie du roman fait soudain un bond en arrière de plus d'un siècle. Si on s'étonne qu'un esprit, par ailleurs aussi progressiste que Marmontel, puisse être aussi rétrograde sur ce point, qu'on se rappelle simplement qu'il n'y a vraiment au xviiie siècle aucune loi qui permette de conclure de la sympathie pour le non-conformisme des encyclopédistes au modernisme dans le domaine littéraire. Les plus avancés des « philosophes » sont souvent du même coup les plus conservateurs des hommes de lettres. L'encyclopédiste Marmontel, auteur de tragédies classiques en cinq actes et en vers, rédacteur en chef du *Mercure*, en est un exemple. Bayle ou Voltaire lui-même en seraient d'autres. Il arrive, du reste, que dans le camp conservateur on trouve, en revanche, des écrivains singulièrement novateurs au point de vue littéraire : Marivaux, par exemple. Il faut donc supposer que les écrivains de l'époque n'étaient pas toujours conscients des implications ultérieures de leurs doctrines et de leurs œuvres, car il n'est pas douteux que le synchronisme qu'on remarque entre le triomphe des idées nouvelles et celui du roman, après 1760, n'est pas dû au caprice d'une simple coïncidence. Le roman est bien organiquement lié à l'esprit nouveau, même lorsqu'il s'agit des *Contes moraux* de Marmontel. Ce qui importe, ce n'est pas la doctrine au

---

(1) *Œuvres complètes de Marmontel*, Paris, Belin, 7 vol., 1819-1820, t. III, p. 596.

nom de laquelle on écrit des romans ; celle-ci peut fort bien être surannée, comme dans le cas de l'*Essai sur les romans* de Marmontel. Ce qui importe, c'est de consacrer le meilleur de ses efforts à écrire des romans ; c'est de penser conquérir la notoriété, voire la gloire, en écrivant des romans au lieu d'écrire des odes et des épopées. Cette liaison organique et profonde, souvent inaperçue et inconsciente à l'époque, entre le roman et les Lumières, est si essentielle à une bonne compréhension de l'évolution du roman au XVIIIᵉ siècle, qu'il faudra y revenir à un autre propos dans notre dernier chapitre.

Cela dit, on sera moins surpris de trouver sous la plume d'un romancier aussi peu suspect de conformisme que le marquis de Sade, une conception des rapports de l'histoire et du roman exactement aussi rétrograde que celle de Marmontel. Avant de se mettre à écrire le genre de romans auquel il devait donner son nom, Sade s'était essayé dans sa jeunesse au roman historique ou à l'histoire romancée, et avait composé, entre autres, une *Histoire secrète d'Isabelle de Bavière, reine de France*, qui devait demeurer inédite jusqu'en 1953. On ne sait trop à quelle date il termina ce manuscrit, commencé, semble-t-il, vers 1764, ni surtout à quelle date il en composa la préface où il exprime ses idées sur les rapports du roman et de l'histoire. En tout cas, on y reconnaîtra, non sans quelque surprise peut-être, des idées qui rapprochent de manière un peu inattendue le divin marquis de Pierre Bayle, de Lenglet-Dufresnoy et de la précieuse Aracie :

Autant il faut de chaleur et d'imagination pour composer un roman, autant il faut de calme et de sang-froid pour écrire l'histoire ; l'obligation des écrivains qui traitent l'un où l'autre de ces genres est d'ailleurs si différente ! Le romancier doit peindre les hommes tels qu'ils devraient être ; ce n'est que tels qu'ils sont que doit nous les présenter l'historien : le premier, à toute rigueur, est dispensé de nous tracer des crimes ; il faut que le second nous peignent ceux qui caractérisent ses personnages : l'historien doit dire et ne rien créer, tandis que le romancier peut s'il le veut ne dire que ce qu'il crée (1).

_____

(1) SADE, « Préface » à son *Histoire secrète d'Isabelle de Bavière, reine de France*, éd. Gilbert Lely, Paris, Gallimard, 1953, pp. 20-21. Pour les rapprochements avec PURE et BAYLE, cf. *supra*, chap. Iᵉʳ, pp. 37-39, et chap. II, pp. 71-72. Etudiant les méthodes de recherche de Sade, combinant l'érudition historique à l'invention, Gilbert Lely pouvait en conclure : « ... l'auteur d'*Isabelle de Bavière* mérite d'être rangé au nombre des meilleurs tenants de ce genre ambigu qui, très éloigné du roman, en emprunte quelques aspects, et, de la veine de Clio, n'est pas tout à fait l'histoire. » (« Une supercherie littéraire de Sade : Isabelle de Bavière », *Mercure de France*, CCCXL (novembre 1960), p. 483.)

Comme on le voit, les théories les plus diverses et les plus contradictoires ont pu être édifiées par les romanciers sur les mêmes prémisses et surtout en vue du même but. L'objectif commun à tous ces écrivains théorisant sur leur art fut de démontrer combien il était édifiant, moralement utile et digne de l'admiration du public auquel il était si propre à inspirer l'amour de la vertu.

V

Tels furent, dans la deuxième moitié du siècle, certains des aboutissements les plus remarquables des réflexions engagées dans la première moitié sur les rapports de l'histoire et du roman. Cette grande question, qui nous semble peut-être aujourd'hui un peu désuète, sinon oiseuse, fut abordée à un moment ou à l'autre par presque tous les écrivains, romanciers ou critiques, qui écrivirent au xviiie siècle sur le roman. S'il reste bien entendu évident que les tendances réalistes des meilleurs romans du temps sont largement responsables de cette curieuse confrontation entre le genre de la fiction et celui de la réalité, il serait néanmoins erroné de sous-estimer le rôle que joua dans ce long parallèle du roman et de l'histoire le souci d'illustrer les valeurs morales et surtout celui d'éviter la redoutable accusation d'immoralisme. En fait, il est le plus souvent difficile, impossible ou, en tout cas, hasardeux de discerner quelles furent les intentions réelles de tel romancier lorsqu'il plaide pour le roman en affirmant sa fidélité à l'histoire. Dans certains cas, comme on va le voir, la raison d'être d'une pareille affirmation semble avoir surtout été le souci d'échapper à la proscription des romans, ce qui aboutit, du reste, à remettre la question sur le plan moral. L'accusation portée contre le genre romanesque par les critiques qui lui reprochaient de corrompre les mœurs de ses lecteurs était si répandue et si dangereuse, et, d'autre part, le souci de prêcher la morale s'était si rapidement généralisé parmi les écrivains, que l'on est en droit de penser que, dans ce curieux débat, le besoin de se justifier sur le terrain moral joua le rôle principal.

Dans un cas comme dans l'autre, on doit admettre que le résultat en fut singulièrement heureux. En effet, tous ces romanciers innovateurs qui, entre 1725 et 1760, revendiquèrent presque unanimement l'appartenance de leurs ouvrages aux genres historiques, réussirent, par l'excès même d'une pareille prétention, à arracher durablement le roman à la tutelle fictive du poème épique, du merveilleux, de l'héroïque et de l'extravagant, et de le réduire enfin à l'échelle de l'homme.

Si l'on veut bien y réfléchir, cet effort soutenu pour faire
entrer le roman dans la catégorie littéraire qu'Aristote appelait
l'histoire, n'est ni aussi injustifié, ni aussi naïf qu'il peut
sembler l'être de prime abord. Il engagea, en tout cas, le roman
dans une voie d'avenir. La lignée qu'engendrèrent les écrivains
qui s'y livrèrent devait être longue et brillante. Non seulement
elle passa par les maîtres romanciers du romantisme, Balzac,
Stendhal et Mérimée au premier chef, et par les grands réalistes
et naturalistes de la seconde moitié du xixᵉ siècle, entre autres
Flaubert, Daudet et Zola ; mais elle n'est pas épuisée aujourd'hui.
Des romanciers comme Jules Romains, Malraux ou Camus lui
appartiennent encore clairement. Mais, parmi les grands romanciers de notre époque, c'est surtout sans doute à Roger Martin
du Gard qu'il faut songer ici. Historien de formation, rompu à la
rude discipline de l'École des Chartes, lorsqu'il écrivit en 1955
une introduction autobiographique à l'édition de ses œuvres
complètes, il ne manqua pas de souligner le rapport étroit
existant entre la méthode historique rigoureuse, à laquelle il
s'était initié étant chartiste, et à la composition de ses romans :

J'ai appris, non seulement à respecter mais à considérer comme
indispensable, pour accomplir une œuvre digne de confiance et d'estime,
la *rigueur* qu'appliquaient à leurs recherches ces historiens impartiaux,
qui ne se seraient pas permis la plus petite affirmation sans s'être livrés
au préalable à une documentation méticuleuse. [...] Le soin maniaque
avec lequel j'ai préparé certains de mes romans, ou du moins certaines
de leurs parties, n'est pas, toutes proportions gardées, sans rappeler
l'application du chartiste aux prises avec un ouvrage d'érudition (1).

Ces lignes si judicieuses de l'auteur de *Jean Barois* ne peuvent
manquer de rappeler les quelques passages où Prévost, se sou-
venant du séjour qu'il avait fait en 1728 à l'abbaye de Saint-
Germain-des-Prés, et de la collaboration qu'il avait apportée
alors à la monumentale œuvre historique qu'étaient en train
d'y édifier les bénédictins de Saint-Maur, rappelle avec fierté qu'il
n'a pas seulement été un romancier, mais aussi un historien.
S'étant jugé attaqué indirectement dans le numéro des *Mémoires
de Trévoux* de juillet 1735, il riposte avec hauteur dans son *Pour
et Contre*, et revendique fièrement les ouvrages historiques
— même ceux qui étaient de simples traductions — auxquels il
avait travaillé à un moment ou à l'autre de son passé : « J'ai

(1) *Le Figaro littéraire*, 24 décembre 1955, extrait de l'introduction à
l'édition des *Œuvres complètes* de Roger MARTIN DU GARD, Bilbiothèque de la
Pléiade, t. I, p. XLIX.

fait le *Cleveland* après avoir donné un tome in-quarto de M. de Thou, deux tomes in-folio de l'*Histoire métallique des Pays-Bas*, après avoir travaillé assez longtemps au *Gallia Christiana*, etc. (1). » Le rapprochement, du reste, était légitime : tous les grands romans de Prévost révèlent à la lecture le goût de leur auteur pour l'histoire et ses réelles connaissances historiques. Que ce soit l'homme de qualité, abordant en Angleterre avec Guillaume d'Orange ou combattant avec les Impériaux contre les Turcs, ou Cleveland fils naturel de Cromwell et protégé d'Henriette d'Angleterre à la cour de France, ou encore le doyen de Killerine quittant sa paroisse irlandaise pour venir à la cour en exil de Jacques II, tous les héros de Prévost s'agitent sous nos yeux devant une toile de fond historique précise et reconnaissable, tous ils sont impliqués dans les événements historiques de leur temps, tous ils subissent dans leur destinée d'une manière déjà étonnamment moderne le poids de l'histoire. La technique de Prévost est déjà si semblable à cet égard à celle de l'auteur de la *Comédie humaine*, voire à celle de l'auteur des *Dieux ont soif*, que nombreux sont ses romans qui mériteraient pour de bon les titres si appropriés que Balzac et France donnèrent un peu abusivement à certains des leurs, en intitulant, l'un, *Envers de l'histoire contemporaine* les aventures pathétiques de Mme de La Chanterie, et l'autre, *Histoire contemporaine* celles de M. Bergeret.

Du reste, Prévost devait revenir à l'historiographie après 1735 et mêler copieusement encore, pendant plus d'un quart de siècle, ouvrages historiques et romans. Tant et si bien, du reste, qu'on ne sait pas toujours très bien, comme c'est parfois le cas des ouvrages de Daniel Defoe qu'il avait sûrement beaucoup admiré, ce qui est histoire et ce qui est roman. On est même en droit de se demander, comme nous l'avons déjà insinué, si Prévost n'a pas fait exprès de brouiller les cartes dans les ouvrages qu'il publia après le début de la proscription des romans, précisément pour essayer d'y échapper.

Plusieurs critiques de l'époque protestèrent vigoureusement contre ce mélange du réel et du fictif sans paraître se douter des avantages tactiques qu'il pouvait présenter. C'est à propos, par exemple, d'un ouvrage déjà aussi ancien que *la Princesse de Clèves* que le marquis d'Argens déclare en 1739 : « J'ai un dégoût

---

(1) *Le Pour et Contre*, nombre 91, t. VII (1735), p. 7, n. *a*. Les jésuites de Trévoux allaient lui répondre vertement dans le numéro de novembre 1735 des *Mémoires* (pp. 2382-2390).

naturel pour les romans et les nouvelles qui emploient des noms fameux dans l'histoire. [...] L'auteur d'un roman ou d'une nouvelle a eu assez de génie pour imaginer un sujet, pour l'orner de toutes les circonstances qui saisissent et attendrissent l'âme du lecteur ; ne peut-il pas inventer également des noms ? Qui l'en empêche (1) ? »

Mais ce furent surtout les romans historiques et histoires romancées publiées par Prévost dans les années 1740 qui attirèrent ce genre de critiques de la part des journalistes et commentateurs. Un simple coup d'œil aux titres exacts de ces diverses publications de l'auteur de *Cleveland* suffit à montrer que ces critiques n'étaient pas entièrement injustifiées. A côté de deux ouvrages qui se donnent à peu près ouvertement pour des romans (*Histoire d'une Grecque moderne*, 1740 ; et *Mémoires d'un honnête homme*, 1745), Prévost publia entre ces deux dates cinq ouvrages dont voici les titres : *Histoire de Marguerite d'Anjou, reine d'Angleterre*, 1740 ; *Campagnes philosophiques, ou Mémoires de M. de Montcal, aide de camp de M. le maréchal de Schomberg, contenant l'histoire de la guerre d'Irlande*, 1741 ; *Mémoires pour servir à l'histoire de Malte, ou Histoire de la jeunesse du commandeur de* ***, 1741 ; *Histoire de Guillaume le Conquérant, duc de Normandie et roi d'Angleterre*, 1742 ; et *Voyages du capitaine Robert Lade en différentes parties de l'Afrique, de l'Asie et de l'Amérique ; contenant l'histoire de sa fortune, et ses observations sur les colonies et le commerce des Espagnols, des Anglais, des Hollandais, etc.*, 1744.

On s'explique qu'un critique aussi modéré qu'Aubert de La Chesnaye des Bois ait pu reprocher à Prévost de confondre histoire et roman et, qu'à propos en particulier de l'*Histoire de Marguerite d'Anjou* et de l'*Histoire de Guillaume le Conquérant*, il ait pu exprimer ses réserves en ces termes :

Mais pourquoi vouloir [tromper] le public et la postérité ? Que ne nous donne-t-on pour histoire ce qui est histoire, et pour roman ce qui n'est que roman ? M. L'abbé P ** n'est pas le seul d'entre nos modernes qu'on doive mettre au nombre des *Historiens fabulistes* ; plusieurs histoires mises au jour depuis quelque temps, embellies de mille fictions, et écrites dans le même goût ont acquis à leurs auteurs le même titre d'*Historiens fabulistes*. Ces contes joliment imaginés, et présentés au

(1) D'Argens, « Discours sur les nouvelles », dans ses *Lectures amusantes, ou les Délassements de l'esprit*, La Haye, Moetjens, 2 vol., 1739, t. I, pp. 51 et 52-53.

public sous le beau nom d'histoire font un tort infini à la vérité, qui est le caractère essentiel de l'histoire (1).

Il n'y a rien a redire à pareil commentaire. Aubert a bien senti chez Prévost une volonté, qu'il ne s'explique pas, de tromper le public. Sans doute même n'a-t-il pas tort de penser que la réputation de la véritable histoire risque de souffrir d'une collusion, dont il ne semble pas soupçonner que le roman, lui, ne peut que bénéficier.

Quelques mois plus tôt, à propos de la publication des *Mémoires pour servir à l'histoire de Malte* du même Prévost, le correspondant parisien anonyme de la *Bibliothèque Française* d'Amsterdam, mettait l'accent, lui aussi, sur la volonté de tromper, qu'il ne comprend pas davantage, mais qu'il stigmatise aussi sévèrement dans les romans pseudo-historiques du temps :

> Plût à Dieu que nous n'y lussions que des noms inventés ! Nous ne serions pas dans le cas de craindre que la postérité ne prît des recueils de fables pour des fragments précieux de notre histoire. Pour moi je suis persuadé que cela arrivera un jour. La vraisemblance des aventures, le rapport de certaines circonstances imaginées avec les traits les plus connus de l'histoire générale, un mélange adroit et continuel du mensonge avec la vérité, tout cela contribuera à faire tomber dans l'erreur ceux qui, dans quelques siècles, voudront écrire ce qui s'est passé de notre temps. Il en sera infailliblement qui regarderont alors comme un trésor inestimable d'anecdotes quelques-uns de ces prétendus *Mémoires*, donnés sous des noms célèbres par Gatien de Courtilz, et la nombreuse troupe de ses fertiles imitateurs ; et l'on s'applaudira de la découverte de ceux de ces misérables romans qui auront échappé à la poussière et aux vers.
>
> Vous me taxerez peut-être de mauvaise humeur ; mais je vous avoue que je ne saurais excuser ceux de nos romanciers qui, sous prétexte de donner à leurs fables des titres intéressants, leur en donnent qui pourront tromper un jour. Je blâme, par exemple, celui du nouveau roman qu'on vient de publier. Il est intitulé *Mémoires pour servir à l'histoire de Malte, ou Histoire de la jeunesse du commandeur de **** (2).

Citons un dernier commentateur des romans historiques de Prévost. Il s'agit de l'auteur d'un compte rendu de l'*Histoire de Guillaume le Conquérant*, daté du 26 mai 1742 et paru dans les *Observations sur les écrits modernes*. Il n'est pas impossible qu'il

(1) AUBERT DE LA CHESNAYE DES BOIS, *Lettres amusantes et critiques sur les romans...*, Paris, 1743, p. 38. Ce passage est extrait de la seconde lettre de ce recueil, datée du 21 juin 1742.

(2) « Lettre sur divers sujets de littérature », datée du 8 novembre 1741, *Bibliothèque Française*, t. XXXIII (1741), pp. 355-356.

s'agisse de l'abbé Desfontaines lui-même. A la différence des
autres commentateurs, celui-ci, loin de croire de la part de
Prévost à une volonté délibérée de faire passer ses fictions pour
historiques, lui prête l'intention précisément contraire. Quoique
Prévost ait bien donné son ouvrage « pour une histoire exacte et
fidèle », l'ensemble de son contenu « paraît en général plus merveilleux qu'historique, et plus ingénieux que réel ». La part de
l'imaginaire dans ce livre est si évidente aux yeux du critique
qu'il en conclut : « Dans le fond, il ne paraît pas que l'intention
de l'auteur ait été d'imposer au public, malgré le ton grave et
savant de la préface. [...] Il a écrit son histoire comme un roman,
afin que personne n'y fût trompé (1). »

Quelles étaient donc les intentions de Prévost : de tromper ou
de ne pas tromper ? Il semble clair en tout cas qu'il réussit plus
d'une fois à tromper au moins l'administration de la Librairie.
Ses sept ouvrages énumérés plus haut, furent tous publiés, en
effet, pendant que sévissait la proscription des romans. La plupart
d'entre eux, conformément à la pratique dont il a été fait état
dans notre troisième chapitre, parurent donc en Hollande : cinq
sur sept indiquent, en effet, comme lieu de publication Amsterdam, et quatre d'entre eux, comme éditeur, Desbordes. Mais ce
qui est remarquable, c'est que les deux autres parurent ouvertement en France : l'*Histoire de Guillaume de Conquérant*, en
1742, chez Prault, et les *Voyages du capitaine Robert Lade*, en
1744, chez Didot. Mieux encore : ces deux ouvrages sont les seuls
romans de Prévost qui, selon les indications de la bibliographie
Jones, ne sont pas catalogués en tant que romans par la Bibliothèque Nationale. Voilà donc deux cas où Prévost est certainement arrivé à faire prendre des vessies pour des lanternes, et à
tromper la vigilance des collaborateurs du chancelier Daguesseau.
On est même en droit de supposer que Daguesseau en personne
s'y laissa prendre. C'est, en effet, semble-t-il, au lendemain de
la publication des *Voyages du capitaine Robert Lade* (1744), que
Prévost fut invité par le chancelier lui-même à poursuivre sa
monumentale publication de l'*Histoire générale des voyages* (2).

Mais là ne se bornaient pas même les avantages pour un
romancier comme Prévost de cette greffe subtile du roman sur

---

(1) *Observations sur les écrits modernes*, t. XXVIII (1742), pp. 283-285.
(2) Cf. Henri RODDIER, *L'abbé Prévost, l'homme et l'œuvre*, Paris, Hatier-
Boivin, 1955, pp. 47 et 177. Sur les emprunts révélateurs que PRÉVOST fit,
dans son *Histoire générale des voyages*, à son propre roman sur les *Voyages du
capitaine Lade*, on consultera avec intérêt l'article précis et curieux de
J. DUCARRE : « Une « supercherie littéraire » de l'abbé Prévost : *Les Voyages
de Robert Lade* », *Revue de litt. comp.*, XVI (1936), pp. 465-476.

l'histoire. En effet, dans ses *Lettres de Mentor à un jeune seigneur*, ouvrage posthume déjà mentionné au début de notre second chapitre, réfléchissant sur les rapports qui existent entre l'autobiographie authentique et le roman mémoires tel qu'il l'avait si copieusement cultivé lui-même, Prévost observe « que cette espèce de biographie artificielle a ses avantages, lorsqu'elle est exécutée de main de maître ». La formule est jolie et, comme l'auteur ne cite aucun exemple du genre d'ouvrage auquel il pense, on est libre de se demander s'il pouvait songer à d'autres « biographies artificielles » que celles de l'homme de qualité, de Cleveland, du doyen de Killerine, de l'honnête homme, de M. de Montcal, et de tous ces autres personnages imaginaires auxquels il avait prêté l'éloquence de sa plume pour leur permettre de nous faire connaître leurs mémoires. En tout cas, les mots qui suivent cette assertion partiale ont bien l'air d'être une sorte de profession de foi *a posteriori* du romancier : « L'auteur, assisté des chaînes de la vérité historique, est libre de choisir les événements qu'il croit les plus propres à faire goûter ses principes de morale, ou toute autre instruction (1). » La formule est cette fois un chef-d'œuvre : ces chaînes, dont l'assistance assure la liberté, ce choix qui permet de faire prévaloir ses opinions, ce vague mystérieux et indéfiniment tolérant que suggèrent les derniers mots, tout contribue à faire de cette phrase d'apparence médiocre et anodine une véritable déclaration des droits du romancier réaliste de l'époque. Elle annonce la conclusion attendue, qu'on trouve à la page suivante, et qu'auraient pu signer tous les romanciers contemporains de Prévost qui, affirmant hautement l'égale dignité du roman et de l'histoire, étaient, dans leur for intérieur, d'autant plus persuadés de la supériorité du premier que leur génération ne semblait pas précisément fourmiller de grands historiens :

Un auteur qui, nous donnant l'histoire d'un héros feint, la remplit de grandes et instructives aventures, nous fait oublier, par leur vraisemblance, que nous lisons un roman, intéresse nos passions, et remue fortement toutes les affections du cœur humain, doit posséder un génie et des talents dignes d'une haute estime. Aussi voyons-nous que les bons romans sont plus rares que les bonnes histoires.

(1) Prévost, « Lettres de Mentor à un jeune seigneur », in *Œuvres de Prévost*, Paris, Boullain-Tardieu, 39 vol., 1823, t. XXXIV, p. 265.

Chapitre VI

FACTEURS SOCIOLOGIQUES
ET PSEUDO-SOCIOLOGIQUES

Les multiples arguments, ingénieux et divers, qui ont été passés en revue au cours des deux derniers chapitres, attestent la résolution avec laquelle les romanciers contre-attaquaient les critiques rétrogrades qui levaient contre eux la bannière un peu fanée de la morale et des bonnes mœurs. Ces contre-attaques furent la plupart du temps peu concertées et plutôt désorganisées. Elles furent en général de l'ordre des expédients auxquels l'urgence exigeait qu'on recourût, plutôt que des manœuvres d'ensemble. C'est ce qui fait que les divers arguments avancés par les romanciers mis en accusation purent à l'occasion se contredire les uns les autres. Peu importe. Ce qui compte, c'est que le but commun de leurs arguties, raisonnements et autres contorsions dialectiques, ait été d'échapper à la condamnation pour cause d'immoralité. On mesure du coup, aux trésors d'intelligence et à la somme d'efforts dilapidés à cet effet, l'importance primordiale qu'assuma la question si confuse de la moralité littéraire dans l'histoire du développement du roman au cours de ces décennies décisives dans la vie culturelle de la France et de l'Europe des Lumières.

On peut dire que, dans l'ensemble, ces efforts, malgré leur dispersion, ne furent pas prodigués en vain. Le réalisme, qui avait été le tonique essentiel et indispensable à la véritable renaissance romanesque des années 1730, malgré l'incompatibilité théorique qui l'opposait au moralisme littéraire, finit par avoir gain de cause, tout au moins dans les domaines que nous avons étiquetés historique, psychologique et moral. Les exemples prestigieux qui débarquaient d'outre-Manche, et qui étaient signés Henry Fielding, Sarah Fielding et surtout Samuel Richardson, arrivèrent à point nommé pour ajouter leur poids — décuplé bien entendu par la naïveté et le snobisme ordinaires qui tendent à faire surestimer les produits d'importation — à celui des grands succès de Chasles, de Prévost, de Marivaux, de Crébillon, de Duclos et de leurs confrères, pour rompre l'équilibre en faveur du roman moderne. Dès avant le raz de marée de *la Nouvelle Héloïse,* il fut dans l'ensemble admis qu'un roman mettant en scène des personnages contemporains, évoluant dans un milieu et un décor précis et identifiables, sujets à des aventures à peu près vraisemblables, et dotés de qualités et de défauts psychologiques et moraux moyens et reconnaissables, pouvait fort bien remplir les obligations morales qu'on tendait de plus en plus à attribuer à toutes les formes d'art. Vers 1760, on peut presque dire que tout ce que la littérature française compte alors de noms glorieux, Voltaire, Diderot, Rousseau, Marmontel, daigne enfin consacrer une partie au moins de ses talents à écrire des romans.

Et pourtant il restait encore un mode du réalisme, essentiel lui aussi à l'avenir du roman, qui rencontrait une résistance persistante auprès d'une bonne partie de la critique, du public et même des écrivains : le réalisme qu'on pourrait appeler social. Si l'on admettait plus ou moins que des êtres d'une réelle médiocrité ou même bassesse morale fussent promus au rang de héros de roman, on l'admettait beaucoup moins de personnages dont la médiocrité ou la bassesse était due à la naissance. Le droit auquel prétendaient certains romanciers de chercher leurs personnages dans les classes sociales qui, jusqu'alors, n'avaient guère fourni que des comparses de comédie et des héros d'œuvres burlesques ou picaresques, leur fut longtemps et vigoureusement contesté. Et simultanément les progrès rapides et triomphants du féminisme en littérature, qui étaient comme organiquement liés à cette adolescence vigoureuse touchant déjà à une première maturité du roman, ces progrès aussi se heurtaient à des préjugés récalcitrants.

I

Cette attitude particulièrement conservatrice de la critique devant les innovations d'ordre socio-littéraire de certains romanciers, apparaît clairement, par exemple dans l'accueil qui fut fait en France aux romans réalistes anglais entre 1740 et 1755. En effet, les romanciers d'Angleterre qui furent connus à ce moment en France, et, en particulier, les Fielding, Richardson et plus tard Smollett, se montraient beaucoup plus disposés que les meilleurs de leurs confrères français à la mode au même moment, à donner les premières places dans leurs romans à des personnages d'extraction sociale très humble. D'après de minutieuses recherches faites autrefois par Daniel Mornet, il apparaît, en effet, que les romans anglais dont les traductions françaises, parues entre 1740 et 1760, connurent le plus grand succès en France, furent, dans l'ordre, les suivants : *Pamela, Tom Jones, Clarissa, Charlotte Summers, Sir Charles Grandison, Joseph Andrews, David Simple, Betsy Thoughtless* et *Oroonoko* (1). Or il se trouve que, parmi les sept premiers romans de cette liste, cinq ont pour héros ou pour héroïne un personnage d'origine populaire : la Pamela de Richardson est la fille de pauvres paysans ; le Tom Jones de Fielding est un enfant trouvé ; la Charlotte Summers dont l'auteur est inconnu, mais qui fut couramment attribuée en France à l'époque à Sarah Fielding, est une pauvre orpheline campagnarde, dont l'origine, comme celle de Tom Jones, n'est découverte qu'à la fin du roman ; le Joseph Andrews de Fielding est, comme on le sait, le frère de Pamela et donc un fils de paysans pauvres, devenu laquais ; enfin, le nom même du David Simple de Sarah Fielding révèle le manque de distinction de sa naissance.

Malgré les libertés inconcevables que prenaient les traducteurs et adaptateurs français de ces romans — Prévost, La Place, Desfontaines, Toussaint, etc. — pour mettre au goût français les récits souvent assez peu raffinés, sinon franchement grossiers, tels qu'ils apparaissaient dans les textes originaux, les lecteurs de l'époque furent souvent choqués de la vulgarité de comportement, de langage et de mentalité de ces héros populaires auxquels ils n'étaient guère accoutumés. C'est ainsi, par exemple, que, dans ses commentaires sur *le Véritable ami, ou la Vie de David Simple* de Sarah Fielding, traduit par l'abbé de La Place et paru en 1749, l'abbé de Laporte pouvait noter, à propos de la roture choquante du titre même de ce roman :

Nous sommes plus fastueux, nous autres Français, dans les titres que nous donnons aux livres de cette espèce ; on ne voit guère en France de romans roturiers, ils sont presque tous de la première condition ; il en est peu qui ne soient décorés du nom d'une terre érigée en duché, en marquisat ou en comté. *Mémoires du duc de ***, Aventures du marquis de ***, Confessions du comte de ***,* c'est ainsi qu'ils s'annoncent dans le monde. Quelquefois ils se contentent de nous apprendre qu'ils sont de qualité, sans nous dire leur nom, ni leur dignité (2).

---

(1) Daniel Mornet, « Les enseignements des bibliothèques privées (1750-1780) », *Revue d'Histoire littéraire de la France*, XVII (1910), p. 461.
(2) Abbé Joseph de Laporte, *Observations sur la littérature moderne*, La Haye, 2 vol., 1749-1750, t. I, p. 108. Les deux citations qui suivent sont extraites des pp. 109-110.

Après ces allusions empreintes d'un certain chauvinisme aux ouvrages de Duclos et de Prévost, Laporte en vient, à la page suivante, aux romans de Marivaux et de Mouhy :

Si cependant il arrive que le héros ou l'héroïne d'un roman soit un paysan ou une paysanne, on ne fait connaître la bassesse de leur condition que pour relever davantage l'éclat de leur fortune : *le Paysan parvenu, la Paysanne parvenue* nous annoncent quelque chose de brillant, et l'on s'attend au moins à les voir l'un et l'autre posséder en titre de marquisat les terres que leurs pères avaient labourées.

Les allusions du critique permettent d'autant mieux de reconnaître la Marianne et le Jacob de Marivaux, ou encore l'émule de celui-ci, la Jeannette du chevalier de Mouhy, que l'on se rappelle, non seulement les titres, mais aussi les sous-titres des trois romans dont ils sont les narrateurs et les protagonistes : *la Vie de Marianne, ou les Aventures de Mme la comtesse de* *** ; *le Paysan parvenu, ou les Mémoires de M* *** ; *la Paysanne parvenue, ou les Mémoires de Mme la marquise de L. V.* Malgré sa morgue, Laporte n'a pas tort d'ajouter en manière de conclusion :

Nous ne nous aviserions donc pas de mettre à la tête d'un roman fait en France un titre aussi ignoble que celui de *David Simple*, ni de l'intituler, par exemple, *la Vie de Claude Gauthier.* Ce nom roturier dégraderait tout l'ouvrage ; l'auteur ne pourrait guère se flatter de trouver des lecteurs parmi les gens de conditions.

En dépit des préjugés et de la suffisance dont elles sont imprégnées, toutes ces remarques de Laporte ne manquent ni de justesse, ni de perspicacité. Le lecteur français est invité expressément par Marivaux et Mouhy à s'intéresser à des personnages d'humble condition sur la promesse formelle contenue dans le sous-titre que ces personnages, avant la fin du livre, seront élevés à une position sociale suffisamment exaltée pour mériter l'attention d'un public « de qualité ». Les lecteurs de 1662 ou de 1678 exigeaient des princesses — de Montpensier ou de Clèves — dont les quartiers de noblesse irréprochables étaient étalés en gros caractères dans le titre. Après la Régence et l'ascension sociale foudroyante de tant de « parvenus » authentiques, le public de 1735 tolérait des héros de naissance obscure, mais tenait à ce que leur distinction éventuelle apparût au moins dans le sous-titre. Quant aux Anglais, ils semblaient, eux, se contenter de bien moins : d'une Pamela, dont le sous-titre n'annonçait nullement qu'elle était promise aux justes noces avec son sei-

gneur, M. B., mais simplement que sa vertu serait récompensée ;
d'une Charlotte Summers, dont le titre n'annonçait vaguement
que la bonne fortune de cette orpheline ; ou encore d'un Tom
Jones, dont la seule distinction annoncée dans le titre était qu'il
avait été un enfant trouvé (1). Or ce furent là, nous l'avons
rappelé, les romans anglais les plus répandus en France à
l'époque. Il n'est donc pas surprenant que l'accueil qui leur
fut réservé par la critique française n'ait pas été, malgré la
qualité évidente de *Pamela* et de *Tom Jones*, uniformément
enthousiaste.

L'auteur anonyme d'une *Lettre sur Paméla*, parue peu après la
publication de la traduction française de *Pamela* due à l'abbé
Prévost, se déclare choqué de la grossièreté avec laquelle s'exprime
dans le roman Milord B. lorsqu'il s'adresse à la jeune servante
appelée à devenir sa femme. Ce langage excessivement vulgaire,
remarque l'auteur de la *Lettre sur Paméla*, n'est pas dû au traducteur français : il est bien tel dans l'original, quoiqu'il soit vraiment
impossible de croire que les Anglais parlent et agissent aussi
brutalement, et que ce peuple « souffre sans murmure dans la
bouche d'un homme du premier rang, tel que Milord..., des
invectives grossières qu'un homme de la lie du peuple rougirait
d'adresser à une personne qu'il aimerait (2). » Et le même critique
de conclure un compte rendu dans l'ensemble favorable par ces
mots : « J'estime fort l'auteur ; mais j'aurais voulu qu'il eût
épargné à une personne qui doit être la femme de Milord... des
soufflets d'une malheureuse telle que la Jewkes. Ce sont les
manières anglaises ; cela répond à tout, il n'y a pas de réplique (3). »
Le rôle dominant de préjugés d'ordre social dans tout ceci est
assez évident pour se passer de commentaire. Mais le plus remarquable peut-être est que même un admirateur de *Pamela* aussi
uniformément enthousiaste que l'abbé Desfontaines demeure
insensible à la véritable valeur de ce réalisme social de type
anglais. Bien résolu à le défendre contre la morgue et les
attaques des lecteurs français méprisant l'incurable vulgarité
des « manières anglaises », Desfontaines ne trouve qu'un
argument si faible qu'on serait tenté de le trouver facé-

(1) *Pamela, or Virtue Rewarded* (1740), traduit par Prévost sous le titre :
Pamela, ou la Vertu récompensée (1741) ; *The History of Charlotte Summers,
the Fortunate Parish Girl* (1749), traduit par La Place sous le titre : *l'Orpheline
anglaise, ou Histoire de Charlotte Summers* (1751) ; *The History of Tom Jones,
a Foundling* (1749), traduit par La Place sous le titre : *Histoire de Tom Jones,
ou l'Enfant trouvé* (1750).
(2) *Lettre sur Paméla*, Londres, s. n. 1742, p. 10.
(3) *Ibid.*, p. 31.

tieux si l'on ne savait par ailleurs Desfontaines incapable de
pareil humour :

Il ne s'agit, disent-ils, dans ce livre que de valets, et l'héroïne même
est une petite servante, née de parents misérables. Il est vrai que ce ne
sont pas les aventures de quelque princesse, de quelque marquise, de
quelque comtesse ou de quelque baronne, héroïnes ordinaires de nos
romans. Mais l'auteur ayant voulu peindre une fille vertueuse, et invio-
lablement attachée à son honneur et à son innocence, il a dû la prendre
nécessairement dans une basse condition. S'il avait mis tant de vertu
et de résistance sur le compte d'une personne élevée dans le grand
monde, où aurait été la vraisemblance (1) ?

Une défense aussi maladroite, une ironie aussi lourde étaient
mal faites pour dissiper les préventions d'un public français se
piquant d'élégance et de bon goût, et fermement convaincu de
la suprématie absolue de sa civilisation dans ces domaines. Fort
condescendant pour les Anglais, et, à cet égard, tout à fait repré-
sentatif d'une classe très répandue de lecteurs, Aubert de
La Chesnaye des Bois se déclare incapable d'apprécier *Pamela* à
cause du mauvais goût excessif de l'auteur. Même s'il veut bien
reconnaître que *Pamela* se distingue des autres romans anglais
généralement débordants de « satires outrageantes » et « d'obscé-
nités », Aubert reproche surtout à ce roman sa description des
choses de l'amour : baisers sur la bouche, mains dans le sein,
attouchements, etc. Indigné d'une telle impudeur, il feint de
croire que l'auteur en a rajouté et que même les Anglais sont
incapables de tant d'immodestie : « En Angleterre, Madame,
j'entends parmi le monde poli, les amants traitent-ils leurs
maîtresses de *sottes* et de *salopes*, etc ? Si le caractère du milord
est tracé d'après nature, mais je n'en crois rien, il faut avouer
que dans la Grande-Bretagne on fait grossièrement l'amour (2). »
Ce qui est vrai de l'accueil fait à *Pamela* l'est encore bien
entendu beaucoup plus de celui fait aux chefs-d'œuvre de
Fielding. Celui-ci reprochait, en effet, à son compatriote Richardson de n'être pas suffisamment descendu de son empyrée romanesque, et se voulait, quant à lui, résolument et radicalement
terre à terre. On n'est donc pas étonné de voir la *Correspondance
littéraire* de Grimm, destinée exclusivement aux têtes couronnées
d'Europe, observer à propos de *Tom Jones* que les « détails bas
de l'ouvrage peuvent plaire aux Anglais, mais ils déplaisent

(1) *Observations sur les écrits modernes*, t. XXIX (1742), p. 211.
(2) Aubert de La Chesnaye des Bois, *op. cit.*, pp. 55 et s. Extrait de
la lettre du 1er août 1742.

souverainement à nos dames (1). » Horace Walpole lui-même, pourtant bien anglais, s'était trop profondément francisé et était trop aristocrate de goût pour apprécier la vulgarité saine et robuste de son compatriote, et, répliquant à Mme du Deffand, qui ne montrait pas toujours assez de discernement à son avis dans son goût pour la littérature romanesque, et qui se déclarait en 1773 charmée par *Tom Jones* qu'elle venait de relire, écrivait en bon patricien qu'il était :

> Je n'accorde pas, comme vous, le même mérite à nos romans. *Tom Jones* me fit un plaisir bien mince ; il y a du burlesque et ce que j'aime encore moins, les mœurs du vulgaire. Je conviens que c'est fort naturel, mais le naturel qui n'admet pas du goût me touche peu. Je trouve que c'est le goût qui assure tout et qui fait le charme de tout ce qui regarde la société (2).

La traduction française de *Tom Jones* était parue en 1750. Quelques années plus tôt, en 1743, l'abbé Desfontaines avait publié sa propre traduction du roman antérieur de Fielding : *Joseph Andrews*. Ses propres *Observations* avaient salué l'apparition du texte anglais original de ce roman par un éloge enthousiaste, exprimant le souhait perfide et intéressé que celui qui traduirait ce chef-d'œuvre en français ne soit pas « quelque ignorant réfugié, qui le défigurerait, comme ont fait jusqu'ici la plupart des traducteurs des livres anglais » (3). L'accueil fait quelques semaines plus tard à la traduction française de *Joseph Andrews* dut décevoir cruellement Desfontaines, qui n'avait pas prévu combien le réalisme social de Fielding déplairait à la critique française. Le compte rendu fort intelligent — et, bien entendu, fort élogieux — de cette traduction, que publient les *Observations*, reconnaît l'insuccès de cet aspect important du roman, et renonce à en trouver la raison : « Les caractères des gens de basse condition en Angleterre ne plaisent point, tandis que les maritornes, les muletiers, les bergers, les chevriers espagnols nous charment (4). » Malgré ce regret non dissimulé des *Observations*, *Joseph Andrews* ne rencontra guère de succès auprès de la critique française. On en jugera par l'hostilité mépri-

---

(1) *Correspondance littéraire*, éd. M. Tourneux, t. I, p. 410. Texte cité dans Frederic T. BLANCHARD, *Fielding the Novelist*, New Haven, Yale University Press, 1926, p. 47.

(2) Réponse à la lettre de Mme du Deffand du 14 juillet 1773. Texte cité *ibid.*, p. 203.

(3) *Observations sur les écrits modernes*, t. XXXIII (1743), p. 191. Article daté du 9 juillet 1743.

(4) *Ibid.*, p. 316. Article daté du 3 août 1743.

sante et teintée de chauvinisme manifestée par Fréron à son égard :

> *Les Aventures de Joseph Andrews et du ministre Abraham Adams*, roman [...] en deux volumes, publié en 1742, a eu le succès le plus brillant en Angleterre par les mêmes raisons qui ont empêché sa réussite en France. Les ridicules nationaux, les traits indirects lancés sur différentes personnes connues, la peinture naïve des mœurs du bas peuple et les vues fines de l'auteur n'ont rien de piquant ni d'intéressant pour nous (1).

Même attitude exactement de Fréron vis-à-vis d'un autre de ces romans anglais de l'époque qui réussirent mieux auprès des lecteurs que des critiques français. Évoquant un épisode qu'il juge par trop grossier, et donc « anglais » de l'*Histoire de Charlotte Summers*, Fréron témoigne de son goût raffiné, aristocratique et donc « français », en écrivant :

> Cette aventure occasionne des scènes vraiment anglaises. Le ministre Goodheart, chapelain du château, exige de Croft qu'il se justifie. Sur son refus le bon ministre le déclare coupable. Croft s'empare d'une chaise et la lui jette à la tête. Il s'arme d'une bouteille et inonde de la tête aux pieds le pauvre ministre. Marguerite, de son côté, femme de chambre de milady, [...] vomit mille imprécations contre Croft. [...] Que dites-vous, monsieur de ces propos dignes d'entrer dans une histoire des halles ? Lady Bountiful elle-même se permet des expressions bien indécentes pour une femme de son rang et de son caractère. Elle reproche grossièrement ses bienfaits à Charlotte, l'appelle orgueilleuse, mendiante, gredine, fille de paroisse et de charité, parce qu'elle refuse d'épouser Croft, qui a voulu la déshonorer. N'en déplaise à l'auteur, sa milady est un peu extravagante (2).

En effet, si l'on veut comparer cette scène de *l'Orpheline anglaise* à la célèbre dispute entre le cocher de fiacre et Mme Dutour dans la deuxième partie de *la Vie de Marianne*, on observera au moins deux différences importantes. Certes les personnages de Marivaux finissent par recourir, eux aussi, au vocabulaire pittoresque dont les chauffeurs de taxi d'aujourd'hui ont hérité de leurs ancêtres les cochers de fiacre du xviiie siècle ; mais ce style populaire nous paraît, sous la plume de Marivaux, demeurer dans les limites du bon goût et de la bonne compagnie, et être, pour dire le mot, stylisé. Le cocher traite Mme Dutour de

(1) Fréron, *Lettres sur quelques écrits de ce temps*, t. V (1751), p. 21. Texte cité dans Harold Wade Streeter, *The Eighteenth Century English Novel in French Translation*, p. 80, n. 88.
(2) Fréron, *op. cit.*, t. V (1751), pp. 27-29. Texte cité dans H. W. Streeter, *op. cit.*, p. 87, n. 106. On trouvera d'autres témoignages de ce genre dans l'article de Jean Bundy, « Fréron and the English Novel », *Rev. de litt. comp.*, XXXVI (1962), pp. 258-265.

chiffonnière et de crasseuse ; celle-ci rétorque en appelant son
adversaire ivrogne, malotru et fripon. Quelques *palsambleu* et
jarnibleu volent de part et d'autre. La bourgeoise finit pas
tutoyer épiquement le cocher. Celui-ci s'enroue à force de crier ;
mais Marivaux, délicat et élégant jusque dans sa manière de
traiter ce genre de scène, renonce à rapporter fidèlement les
épithètes choisies auxquelles recourt le nouvel automédon, et se
borne à observer : « Des épithètes de cocher, on en soupçonne
l'incivile élégance. » Enfin, si l'aune de la boutique joue un rôle
important et menaçant dans la dispute — un peu comme la
coupe empoisonnée au cinquième acte de *Rodogune* — elle n'en
demeure pas moins inoffensive et personne n'en est frappé, pas
plus, d'ailleurs, que du poing redoutable du cocher dont le
choc demeure, lui aussi, habilement virtuel : « Un gros poing de
mauvaise volonté, levé sur elle [Mme Dutour], allait lui apprendre
à badiner avec modération d'un fiacre, si... » Pour un peu nous
dirions que cette querelle populaire tourne au menuet ou, en
tout cas, à la comédie italienne où les horions sont amortis et ne
font de mal à personne, et où les éclats de voix sont destinés à
amuser la galerie. Nous sommes loin des bagarres du *Roman
comique*, de *l'Assommoir*... ou de *l'Orpheline anglaise* et de
Joseph Andrews.

Une deuxième différence vient s'ajouter, du reste, à celle-ci :
c'est que Marianne se tient soigneusement à l'écart de l'altercation, moins sans doute par peur des coups, que par simple dégoût
pour toute violence, fût-elle verbale et stylisée. Marianne essaie
de séparer les combattants, mais uniquement par la parole : elle
n'est pas de la race des filles qui oublient ce qu'elles se doivent à
elles-mêmes jusqu'à se colleter en public. En revanche, dans les
romans anglais, les violences — physiques ou verbales — ne sont
pas réservées aux comparses. Pamela, Tom Jones, Charlotte
Summers, Joseph Andrews en ont leur part et n'hésitent pas à
retrousser leurs manches à l'occasion.

Tout semble s'être passé comme si les romanciers français de
l'époque, malgré leurs intentions et leurs efforts, n'avaient pas
été à même d'être vraiment vulgaires ; comme si le poids excessif
d'un héritage littéraire trop exclusivement aristocratique les
avait entraînés bon gré mal gré loin du réalisme de mouvement
et de langue vers lequel ils étaient par ailleurs vigoureusement
portés par leur instinct esthétique et par la nécessité d'éviter
l'invraisemblance. En fait, on pourrait fort bien soutenir que,
dans son *Gil Blas*, même Lesage n'est pas parvenu à continuer la
tradition des Sorel et des Scarron. Lorsque Smollett, plus tard,

prend Lesage pour guide et pour modèle, il réussit sans peine, lui, à retrouver cette tradition picaresque qu'un Defoe avait si brillamment illustrée, à l'époque même de *Gil Blas*. Mais les catins, les pickpockets et les *rogues* de l'auteur de *Moll Flanders*, de *Colonel Jacque* et de *Lady Roxana* sont autrement capables que ceux de l'auteur de *Gil Blas* de nous donner ce petit frisson d'horreur que produit le spectacle de la dégradation authentique. Certains compagnons épisodiques de Gil Blas, des Ambroise et des Raphaël, atteignent quelquefois, comme aussi le sinistre frère de Manon Lescaut, à l'abjection et au relief puissant et répugnant de leurs confrères d'outre-Manche ; mais, ici encore, les protagonistes eux-mêmes demeurent relativement indemnes. Évoquant certaine aventure particulièrement nauséabonde du pasteur Adams, compagnon de route de Joseph Andrews, Walpole illustre judicieusement ces remarques :

> Nos romans sont grossiers. Dans *Gil Blas*, il s'agit très souvent de valets [...], mais jamais, non, jamais ils ne dégoûtent. Dans les romans de Fielding il y a des curés de campagne qui sont de vrais cochons. — Je n'aime pas lire ce que je n'aimerais pas entendre (1).

L'excessive étroitesse d'esprit que révèle cette dernière phrase suffit à faire comprendre pourquoi et comment un public français « de condition » ou « de qualité » répugna dans l'ensemble à fréquenter familièrement des êtres, même imaginaires, issus de classes sociales qui, pour cette élite, n'existaient pour ainsi dire pas. L'absence de curiosité d'un Walpole pour les mœurs du bas clergé de son pays s'apparente exactement à la tranquille impudeur de Mme de Châtelet changeant de chemise devant le frère de sa femme de chambre et le priant à un autre moment de verser de l'eau chaude dans la baignoire où elle trempait elle-même sans voiles, écartant tranquillement les jambes pour éviter que l'eau de la bouilloire ne brûlât son épiderme délicat.

Il faudra attendre l'arrivée sur la scène littéraire française d'un étranger — et, qui plus est, d'un étranger qui se voulait encore plus étranger qu'il ne l'était — pour déplorer cet état de chose. Jean-Jacques Rousseau, dans plusieurs des lettres qu'il fera écrire de Paris par Saint-Preux, exprimera par la plume de son héros ses propres observations et réflexions de voyageur venu d'au-delà des frontières. Ce qu'il dit du théâtre

(1) Extrait de la même lettre citée plus haut. Texte cité dans F. T. BLANCHARD, *op. cit.*, p. 203.

dans le passage que voici s'applique de soi-même à la situation
du roman :

> Il y a dans cette grande ville cinq ou six cent mille âmes dont il
> n'est jamais question sur la scène. Molière osa peindre des bourgeois et
> des artisans aussi bien que des marquis ; Socrate faisait parler des
> cochers, menuisiers, cordonniers, maçons. Mais les auteurs d'aujour-
> d'hui qui sont des gens d'un autre air, se croiraient déshonorés s'ils
> savaient ce qui se passe au comptoir d'un marchand ou dans la boutique
> d'un ouvrier ; il ne leur faut que des interlocuteurs illustres, et ils
> cherchent dans le rang de leurs personnages l'élévation qu'ils ne peuvent
> tirer de leur génie (1).

Remarquons en passant que Rousseau lui-même s'était trop
francisé pour corriger avec le roman dont ce passage est extrait
l'état de choses qu'il y déplore : Julie est la fille d'un baron,
Wolmar est un aristocrate polonais, Bomston est un milord, et
les origines sociales de Saint-Preux ne sont jamais tirées au clair.

L'année même où paraît *la Nouvelle Héloïse*, un autre étranger,
lui systématiquement francisé, Grimm confirme le diagnostic de
Rousseau. Rendant compte dans la *Correspondance littéraire* de
la traduction française de *Roderick Random*, roman passablement
brutal de Smollett, couramment attribué alors à Fielding, Grimm
note dédaigneusement :

> Le talent de ces gens-là consiste dans l'exactitude avec laquelle ils
> rapportent les propos et les quolibets du bas peuple ; mais pour acquérir
> ce talent, on n'a qu'à fréquenter les ports, les halles et autres lieux où
> la populace a coutume de s'assembler (2).

Bref la France semblait moins bien préparée que l'Angleterre
pour apprécier vers le milieu du XVIIIe siècle le tableau réaliste
des mœurs populaires. C'est sans doute en partie ce qui explique
que *Tom Jones*, que La Harpe allait à la fin du siècle saluer dans
son *Lycée* comme « le premier roman du monde », ait pu être dès
la publication de sa version française par La Place, interdit dans
le royaume par arrêt du Conseil d'État, sur rapport, semble-t-il,
d'un certain « M. Maboul, maître de requêtes chargé par M. le
chancelier [Daguesseau] du district de la librairie (3). » On a

_____

(1) J.-J. ROUSSEAU, *la Nouvelle Héloïse*, IIe Partie, lettre XVII, éd.
Mornet, t. II, pp. 340-341 ; « Bibliothèque de la Pléiade », *Œuvres complètes*,
t. II, p. 252.
(2) *Correspondance littéraire*, éd. M. Tourneux, t. IV, p. 472. Texte cité
dans Eugène JOLIAT, *Smollett et la France*, Paris, Champion, 1935, p. 191.
(3) Marquis d'ARGENSON, *Journal*, 28 mars 1750. Ce texte est cité et la
condamnation de *Tom Jones* en France exposée en quelque détail dans
F. T. BLANCHARD, *op. cit.*, pp. 45-48.

soutenu récemment (1) que cette condamnation fut due en fait
à une infraction du libraire aux règlements en vigueur, ce qui
semble exact ; mais on se demande si les autorités auraient sévi
de la sorte contre un roman moins choquant par ailleurs, à une
époque où les règlements de police sur la librairie sont à tout
moment enfreints.

Il serait hors de propos d'entrer ici dans le détail des raisons
d'ordre politique, social et culturel capables d'expliquer la situation différente faite au roman réaliste dans la France et l'Angleterre
de 1750. Nous ne nous sommes livré à cette brève incursion dans
le domaine anglais que pour confirmer l'impression déjà formée,
selon laquelle la littérature française, pendant la première moitié
du XVIIIᵉ siècle, se montra plus récalcitrante au réalisme social
qu'aux autres modes du réalisme. Si l'on voulait, au risque de
forcer un peu les faits, esquisser une chronologie générale des
progrès du roman français dans la direction du réalisme, on
pourrait dire sans doute qu'après le réalisme de décor et d'aventures ou, comme nous l'avons appelé plus haut, le réalisme
historique, qui apparaît dès la fin du XVIIᵉ siècle, s'affirma,
vers 1730-1750, un réalisme psychologique et moral original. Le
réalisme social, lui, ne devait s'affirmer avec éclat que dans la
seconde moitié du XVIIIᵉ siècle, avec les œuvres de Restif, et
surtout sous la Restauration, avec celles de Balzac en particulier.
Il va sans dire que la réalité historique fut beaucoup plus,
complexe, plus nuancée, plus progressive, plus contradictoire et
moins nettement tranchée. C'est pourquoi il n'est pas superflu
d'examiner, dès l'époque qui nous intéresse ici, les premiers
symptômes de ce réalisme social. Il est encore sévèrement freiné
par le souci des bienséances ou, comme on le dit plutôt à l'époque,
du bon goût ; il est en général très mal vu de la critique qui lui
reproche son immoralisme ; mais il n'en est ni moins vivant, ni
moins original, ni moins intéressant pour cela. La timidité défensive des romanciers qui s'y adonnèrent avec mesure ne le dépouille
pas de son authenticité.

II

Dès la publication, en 1734, de la deuxième partie de *la Vie
de Marianne*, la célèbre scène de la dispute de Mme Dutour avec
le cocher de fiacre fit couler l'encre des critiques et excita l'indignation plus ou moins vertueuse des commentateurs profes-

(1) E. P. SHAW, « A Note on the Temporary Suppression of *Tom Jones* in
France », *Modern Language Notes*, LXXII (1957), p. 41.

sionnels, même de ceux qui, par ailleurs, n'étaient pas nécessairement opposés au genre romanesque en soi. L'abbé Desfontaines,
par exemple, qui avait traduit *les Voyages de Gulliver* et allait
être aussi le traducteur de *Joseph Andrews* qui, par ailleurs, se
montre favorable aux romans de Prévost, de Mme de Tencin et
même, à l'occasion, de Crébillon, et qui, dans l'ensemble, malgré
quelque étroitesse d'esprit, rend compte avec sympathie de *la
Vie de Marianne* dans *le Nouvelliste du Parnasse*, et s'exprime
avec éloges sur le compte du *Paysan parvenu*, Desfontaines ne
peut pas digérer la vulgarité honteuse des personnages de roman
tirés « de la lie du peuple ». Dès le compte rendu qu'il consacre
en 1731 à la première partie de *Marianne*, louant le talent descriptif de Marivaux, l'évocation qu'il fait faire, par exemple de
la boutique de lingerie de Mme Dutour, Desfontaines regimbe
devant la misérable auberge parisienne où Marianne se voit
abandonnée lorsque meurt la sœur du curé qui l'avait élevée :
« Le détail de l'auberge n'est pas si agréable. La bassesse de ces
objets dégoûte (1). » Outre qu'on voit mal ce qui pouvait effarou-
cher ici le sens des convenances de Desfontaines, ces réserves
ne sont rien à côté des reproches violents qu'il adressera à Marivaux en 1735, lors de la publication du tome III de *Marianne*.
Voici la diatribe que lui inspire rétrospectivement la fameuse
scène de la querelle de Mme Dutour et du cocher de fiacre, qui
appartient en fait à la seconde partie de *Marianne*, parue en 1734.
Commentant dans ses *Observations sur les écrits modernes* le fait
que les auteurs de comédies semblent avoir abandonné depuis
quelque temps l'observation des mœurs de la bourgeoisie,
Desfontaines voit dans ce phénomène la raison pour laquelle les
auteurs de romans ont annexé ce sujet qui avait été traditionnellement le fief de la comédie :

Nos romanciers, voyant, pour ainsi dire, la place abandonnée,
laissent là les grandes aventures, les idées héroïques, les intrigues
délicatement nouées, la peinture des passions nobles, leurs ressorts et
leurs effets ; ils ne s'amusent plus à choisir pour leurs héros des personnes
d'un rang distingué ; ils s'attachent aux mœurs bourgeoises et prennent
leurs héros partout. Ils les tirent même quelquefois de la lie du peuple
sans craindre de s'encanailler. Ils vous peignent sans façon les mœurs et
vous rapportent tout au long les élégants entretiens d'un cocher de
fiacre, d'une lingère, d'une fille de boutique. Cela les accommode mieux
apparemment que les mœurs des personnes de condition, et fournit plus
à leur esprit. Il ne serait peut-être pas impossible de voir bientôt

(1) *Le Nouvelliste du Parnasse*, Paris, Chaubert, 4 vol., 1731-1732, t. II
(1731), p. 213.

figurer dans quelque nouveau roman un vil Savoyard auquel on ferait décrotter quelque lambeau de métaphysique. *Le Roman bourgeois* de Furetière a été longtemps regardé comme un ouvrage d'un genre isolé et peu estimable ; ce genre est devenu à la mode (1).

Ailleurs Desfontaines n'avait pas hésité à rejeter sur les femmes la responsabilité de la vogue indéniable du roman à son époque (2). Or les deux passages sont trop rapprochés pour qu'on ne soit pas tenté de soupçonner Desfontaines d'avoir vu dans ceci la cause de cela. Les femmes sont réputées acheter et lire plus de romans que les hommes ; elles en parlent beaucoup. Ce doit donc être pour elles qu'écrivent les romanciers. Ce sont donc elles qui dictent la mode en matière de romans. N'est-ce pas l'évidence même lorsqu'il s'agit de Marivaux et surtout de sa *Vie de Marianne* ?

Au reste, Desfontaines, est loin d'être le seul en son temps à raisonner ainsi. Le marquis d'Argens, lui-même — de façon plus nuancée il est vrai ; mais n'est-il pas orfèvre en la matière ? — ose affirmer que les femmes ont souvent un goût déplorable en matière de romans :

> Les femmes surtout aiment beaucoup les livres qui saisissent leur attention par quelque aventure extraordinaire. Le sublime, le grand, le beau les amusent moins que le merveilleux et l'extraordinaire. Aussi voit-on qu'elles aiment beaucoup plus la lecture des romans que les livres d'histoire (3).

Le rôle des femmes dans le développement du roman à l'époque qui nous intéresse ici est immédiatement évident et, sur ce chapitre, les romanciers français ne sont en aucune façon en retard sur leurs confrères d'outre-Manche, bien au contraire : c'est en France l'âge d'or à la fois des grandes héroïnes — Manon, Marianne, Zilia, Mme de Luz, Juliette Catesby, Julie d'Étange — et des romancières à grand succès — Mme de Tencin, Mme de Graffigny, Mlle de Lussan, Mme Riccoboni. De tous les romans, français et étrangers, publiés en français entre 1740 et 1760, les *Lettres d'une Péruvienne* de Mme de Graffigny est de loin celui qui connut le plus grand succès. Et si, pendant la même période, Duclos tient la tête de la liste des auteurs de *best-sellers*,

---

(1) *Observations sur les écrits modernes*, t. III (1735), pp. 229-230. Texte cité dans l'*Esprit de l'abbé Desfontaines*, t. I, pp. 217-218.
(2) *Ibid.*, p. 215.
(3) D'ARGENS, *Lettres juives*, lettre n° 61, t. II, p. 187. Comme on le verra dans le chap. VIII (*infra*, p. 217), le marquis d'Argens exprime à l'occasion une opinion plus flatteuse sur les goûts littéraires du beau sexe.

il est suivi de près par deux romancières qui occupent les seconde
et troisième position : Mlle de Lussan et Mme Riccoboni. Bref,
il y a lieu de penser que le succès délirant des deux premiers romans
de Richardson ne fut pas entièrement étranger au fait qu'ils
avaient pour titres des prénoms féminins. En fait, la liste citée
plus haut d'après Daniel Mornet des neuf romans anglais qui
connurent le plus de succès en France est très révélatrice des
tendances féministes marquées du public français. Les romans
anglais les mieux reçus du public français ne sont pas exactement
ceux qui réussirent le mieux auprès du public anglais. On sait qu'il
en est encore ainsi de nos jours et qu'il y a là comme une sorte de
loi générale de la littérature comparée. Or, il se trouve que six des
neufs romans anglais qui furent le plus lus en France à l'époque, ou
bien ont pour titre un nom de femme, ou bien sont l'œuvre d'une
romancière, ou bien remplissent ces deux conditions simultanément.

Ce sont *Pamela* (1741) et *Clarissa* (1751) de Richardson ;
l'Orpheline anglaise, ou Histoire de Charlotte Summers (1752),
d'auteur inconnu mais constamment attribué dans la France
de l'époque à Sarah Fielding ; *David Simple* (1749) enfant
authentique, lui, de Sarah Fielding ; *l'Étourdie, ou Histoire de
Mrs Betsy Talless* (sic) (1754), d'Eliza Haywood ; enfin *Oronoko*
(sic) (1745) d'Aphra Behn. Les trois autres romans figurant sur
cette liste sont les deux virils enfants du viril Fielding, *Tom Jones*
(1750) et *Joseph Andrews* (1743), et la traduction par Prévost
de l'*Histoire du chevalier Grandisson* (sic) (1755-1756) de Richardson. Immédiatement après viendrait sans doute, en dixième
position, l'*Henriette* (1758) de Charlotte Lennox. Le trop masculin
Smollett, lui, réussit moins bien, sauf avec son *Peregrine Pickle*,
dont le succès relatif en France de la traduction qu'en donna
Toussaint en 1753 fut essentiellement dû au fait que le roman
contenait les *Mémoires d'une femme de qualité*, dont on ne pensait
ignorer alors ni l'authenticité, ni le nom réel de l'auteur : Lady
Vane (1). Cette intéressante confirmation ainsi apportée à notre
hypothèse sur l'influence du féminisme sur le succès de ces
romans vaut qu'on la documente par les textes que voici. Les
lignes suivantes de Pierre Clément, datées du 15 mars 1751, au
moment de la publication en Angleterre de *Peregrine Pickle*, sont
extraites d'une lettre adressée à son correspondant londonien :

Je voudrais bien voir le *Peregrine Pickle*, c'est-à-dire les *Mémoires
d'une femme de qualité*. Si c'est celle que vous savez que j'imagine, arra-

_____

(1) Sur tout ceci, cf. Daniel Mornet, « Les enseignements des bibliothèques
privées (1750-1780) », pp. 461, 473, et 475.

chez le morceau et envoyez-le moi par la poste. Est-ce bien elle-même qui l'a donné ? Tant pis, et tant mieux.

On juge du genre d'intérêt extra-littéraire qui explique le succès relatif à l'époque de cet unique roman de Smollett. La réponse que Clément publie en même temps que sa lettre, datée de Londres, du 1er mai 1751, commence en ces termes :

> Vous ne vous trompez point, monsieur, les *Mémoires d'une femme de qualité* sont de Mylady V... J'ai été tenté de vous obéir, d'arracher le morceau et de vous l'envoyer par la poste ; mais j'aime mieux avoir le plaisir de vous en donner moi-même la première idée (1).

Suit un résumé fort séduisant, mêlé de louanges dithyrambiques, du livre anglais.

Bref l'influence du féminisme est un des facteurs très évidents capables d'expliquer la vogue grandissante du genre romanesque dans la France du règne de Louis le Bien-Aimé. Que les femmes aient été, comme le laisse entendre l'abbé Desfontaines, responsables du mauvais goût des romans explorant les bas-fonds de la société, rien n'est moins sûr. Malgré la prédilection d'une Mme du Deffand pour *Tom Jones*, il y a lieu, en effet, de penser que la remarque de Grimm citée plus haut et selon laquelle les « détails bas de l'ouvrage [...] déplaisent souverainement à nos dames », contient sans doute beaucoup plus de vérité. Bref, les rapports logiques qui ont pu exister entre l'importance des femmes, d'une part, et, de l'autre, les timidités et les progrès du réalisme social dans les romans de l'époque, ne sont pas immédiatement clairs. Comme il s'agit là, cependant, de deux séries de considérations d'apparence sociologique, il nous a semblé désirable de les envisager tour à tour dans les deux chapitres qui suivent. Comme, d'autre part, la critique de l'époque a le plus souvent choisi d'aborder ces questions posées par les romans contemporains du point de vue moral qui, comme nous l'avons vu, est le plus communément répandu alors, la teneur de ces deux chapitres s'inscrit d'elle-même dans les préoccupations d'ensemble qui sont les nôtres ici. Autrement dit, les conséquences logiques du dilemme fondamental du roman de l'époque expliquent aussi comment les romanciers, suffisamment soucieux de réalisme

---

(1) *Les cinq années littéraires, ou Lettres de M. Clément sur les ouvrages de littérature qui ont paru dans les années 1748, 1749, 1750, 1751 et 1752*, Berlin, 2 vol., 1756. t. II, pp. 28, 51 et s. Ces textes sont cités en partie dans E. JOLIAT, *op. cit.*, p. 171. Sur la réception des romans de SMOLLETT en France, on consultera le chap. Ier de la IIIe Partie de cet ouvrage, *ibid.*, pp. 167-212.

social pour faire jouer dans leurs ouvrages aux basses classes
et aux femmes le rôle qu'elles leur paraissaient jouer dans la
réalité, devaient nécessairement s'achopper tôt ou tard aux
exigences parfois contradictoires du moralisme littéraire.

*

* *

Avant d'examiner avec quelque précision ces deux séries de
questions, il faut toutefois se mettre en garde contre la tentation
d'une interprétation strictement sociologique. Ces phénomènes
ressortissent, en effet, moins à la sociologie littéraire qu'à la
littérature sociologique. Autrement dit encore ce sont moins les
conditions sociales que les conditions littéraires de l'époque qui
peuvent jeter quelque lumière sur ces questions. Comme nous
l'avons déjà rappelé, en effet, au début du quatrième chapitre,
la prédominance des observations morales dans la critique
favorable ou hostile au roman précède chronologiquement la
grande mode moralisatrice du siècle. L'explication sociologique
échoue donc largement ; et il faut admettre que si, à partir de 1730
à peu près tous les romanciers affirment dans des préfaces éloquentes leur attachement aux intérêts de la morale ⸱t leur souci
de les défendre dans leurs œuvres, si la plupart des critiques
favorables au roman vantent au même moment l'aptitude
didactique éminente de ce genre dont les critiques hostiles
dénoncent simultanément l'influence néfaste au nom des bonnes
mœurs et de la morale outragées, cela doit tenir moins au mouvement général des esprits à la recherche des bases d'une morale
laïque, qu'à des causes spécifiques au genre romanesque lui-même.
Si l'on observe, par ailleurs, qu'il existe à peu près au même
moment un autre genre littéraire qui semble présenter les mêmes
caractères moralisateurs que le roman, la comédie larmoyante,
cette coïncidence est capable de nous orienter dans la direction
où gît la solution du problème. En effet, ces deux genres, le roman
et la comédie larmoyante, ont ceci de remarquable en commun
qu'ils sont relativement nouveaux, qu'ils n'ont pas été illustrés
par les anciens ni par les classiques du siècle de Louis XIV, qu'ils
sont donc des bâtards, des parias de la littérature, privés de la
protection de modèles et d'antécédents indiscutables, et particulièrement propres, par conséquent, à devenir les cibles d'une
critique littéraire rétrograde et jalouse, encombrée de préjugés
divers fondés sur les œuvres de l'Antiquité et du classicisme
du xvııᵉ siècle. Le recours aux arguments moraux de part et
d'autre est donc moins le signe d'un goût prononcé pour les

intérêts de la morale, que la marque d'une situation particulière
dans le monde des genres littéraires. C'est pourquoi, dans les
deux chapitres qui suivent, l'incidence de la critique moralisatrice
sur les questions de réalisme social vers 1730-1740 sera considérée
d'un point de vue avant tout littéraire. Cette question du moralisme cessera après 1760 d'être aussi purement littéraire et se
compliquera de facteurs culturels et sociaux divers. C'est, en
effet, à ce moment seulement que ces facteurs fréquemment
étudiés et assez bien connus agissent avec une efficacité suffisante
pour qu'on puisse parler d'une vogue ou même d'une manie
moralisatrice presque universellement répandue, et pour qu'on
puisse, par conséquent, dire que les romanciers et critiques du
roman qui invoquent systématiquement les valeurs morales et la
fonction moralisante du roman, subissent l'influence d'un milieu
culturel et social. Grâce au prestige et à la popularité des œuvres
de Richardson et de J.-J. Rousseau, le roman aura alors gagné
la bataille. Il sera à tous les égards dans le mouvement de son
époque, non plus seulement grâce à sa portée morale, mais aussi
par son genre lui-même. On peut dire qu'il a triomphé alors de la
tragédie, comme la bourgeoisie triomphera trente ans plus tard
de l'aristocratie.

Un bref coup d'œil à l'évolution des genres littéraires dans
l'Angleterre du xviiie siècle confirmera cette manière de voir.
Les genres nouveaux, comme la *sentimental comedy*, le drame
bourgeois et le roman, sont aussi les plus chargés de prédication
morale. Étant dangereusement exposés sur le plan le plus
important, qui est le plan esthétique, les genres nouveaux doivent
se prémunir du mieux qu'ils peuvent sur tous les autres plans
où ils risquent d'être attaqués, et notamment sur le plan moral.
Les historiens de la littérature anglaise qui observent ce changement de l'immoralisme au moralisme entre, par exemple,
la *Restoration comedy* et la *sentimental comedy*, ou encore entre
le drame élisabéthain et le drame bourgeois, faussent la perspective lorsqu'ils attribuent directement ce changement aux
modifications intervenues dans la société anglaise (1). Il manque
un maillon à leur raisonnement. En effet ce qu'on peut attribuer,
en Angleterre comme en France, à des facteurs sociaux et culturels comme l'amenuisement de la foi religieuse traditionnelle
ou l'ascension de la classe bourgeoise, c'est le besoin de nouvelles

(1) C'est le cas, par exemple, de V. F. CALVERTON dans son intéressant
ouvrage *Sex Expression in Literature*, New York, Boni & Liveright, 1926,
notamment dans les chap. III, IV, et V consacrés à la littérature de la Restauration, à la *sentimental comedy* et au roman du xviiie siècle.

formes esthétiques et de nouveaux genres littéraires. Mais
l'aspect moralisateur de ces nouveaux genres s'explique, lui, par
la simple nécessité tactique de se défendre contre une critique
non évoluée qui les force par ses attaques sur ce terrain moral.
C'est ce qui était arrivé dans le cas du théâtre classique et notamment de la comédie moliéresque ; c'est encore ce qui est arrivé
dans le cas du roman au début du règne de Louis XV. En fait
il s'agit là d'une sorte de loi de l'évolution du goût : une nouvelle
forme ou un nouveau genre d'art doit avoir conquis ses lettres
de noblesse de haute main avant que les artistes soient en droit
de ne plus s'attendre à ce qu'on leur demande : « A quoi ça sert ? »

On s'explique sans peine qu'on ait pu s'y tromper et penser,
par exemple, que si Marivaux, Prévost ou Crébillon affichent les
intentions morales de leurs romans, c'est pour plaire à la clientèle
largement bourgeoise à laquelle ils s'adressent — et à laquelle ils
empruntent à l'occasion certains de leurs personnages. Cette
illusion est facile à comprendre : Marivaux, par exemple, donne
clairement dans ses romans l'impression que les cloisons sociales
ont perdu de leur imperméabilité traditionnelle. Mais s'il agit
ainsi, est-ce pour faire plaisir au lecteur en lui rappelant que ses
ancêtres sont sans doute des paysans champenois qui se poussèrent
par les femmes, ou des filles trouvées, habiles à jouer de leur
sex-appeal ; ou n'est-ce pas plutôt parce que cette mobilité
sociale, ce rôle tout à coup irrésistible de l'argent, étaient des réalités qui, pendant les années encore toutes proches de la Régence
s'étaient faites sentir avec une évidence indubitable — en particulier de Marivaux, ruiné par le Système ? En d'autres termes,
le romancier obéit-il à des motifs sociologiques ou a des motifs
esthétiques ? Dans l'expression « réalisme social » que nous avons
fréquemment employée, c'est le substantif qui est à proprement
parler essentiel. L'adjectif est accidentel. Tout réalisme doit se
justifier devant la critique, et comme celle-ci à l'époque force
presque toujours le romancier sur le terrain moral, c'est sur ce
terrain que le réalisme social se défend, comme les autres modes
du réalisme. C'est à quoi s'emploient, par exemple, les premières
lignes du *Paysan parvenu*, où le narrateur explique pourquoi il
n'essaie pas de cacher son humble naissance : « Cet artifice ne
réussit presque jamais ; on a beau déguiser la vérité là-dessus,
elle se venge tôt ou tard des mensonges dont on a voulu la
couvrir. » Ce que Marivaux justifie, ce n'est pas son entreprise
d'intéresser le public aux aventures d'un paysan, c'est l'authenticité de ces aventures.

Dès qu'on essaie donc de gratter un peu la surface des problèmes posés par le réalisme social, on s'aperçoit de la nécessité qu'il y a à résister à la tentation de les étudier en historien des mœurs et en sociologue. Les racines de ces problèmes sont presque toujours esthétiques et littéraires. Si l'on veut donc examiner ces problèmes à la lumière de l'histoire, c'est à l'histoire littéraire qu'il est sage de recourir, et non pas à celle des idées sociales. Nous nous sommes peut-être attardé trop longuement sur ces considérations doctrinales et méthodologiques, mais il nous a paru nécessaire d'exposer nettement notre point de vue au moment de tourner notre attention vers les aspects plus particulièrement sociaux du sujet que nous nous sommes proposé.

Chapitre VII

ENCANAILLEMENT
DU HÉROS DE ROMAN

Les deux premiers chapitres de l'excellent ouvrage de Servais Étienne sur le roman en France de *la Nouvelle Héloïse* aux approches de la Révolution tracent un panorama rapide du développement du roman français entre 1730 et 1750. Ils considèrent presque uniquement les œuvres de Prévost, de Mme de Tencin, de Marivaux, de Crébillon et de Duclos. Leur auteur a judicieusement intitulé ces deux chapitres : « Amoindrissement du héros de roman » et « Peinture de la vie commune ». Les termes employés sont soigneusement choisis et pesés : *amoindrissement* et *commune* suggèrent une certaine mesure dans la touche des romanciers. Le premier évoque la réduction du héros romanesque du XVIIe siècle à des proportions plus humaines ; le second le mouvement qui détourna les romanciers du choix de circonstances nécessairement extraordinaires vers des événements plus courants. L'adjectif *commune* y a le sens du substantif *commun* dans une expression comme : le *commun* des mortels. Ces deux titres de Servais Étienne s'accordent avec les remarques contenues dans notre second chapitre sur l'effort des romanciers de l'époque vers le réalisme des aventures et des caractères. Ils évoquent l'idée de moyenne, la volonté d'éviter les excès des romanciers antérieurs, de trouver un moyen terme entre les hauts faits de Polexandre ou d'Artamène et les pantalonnades de Ragotin ou de Vollichon. « Les regards sont attirés vers la vie commune, vers la réalité vulgaire », écrit S. Étienne, « il y a place maintenant, dans le roman, pour les faits qui ne sont ni de la tradition picaresque, ni de la tradition romanesque » (1). La distance séparant le personnage du lecteur a été réduite. Les héros ne sont plus des

(1) Servais Etienne, *op. cit.*, p. 50.

chevaliers du Moyen Age, ni des capitaines de l'Antiquité. Les héroïnes ne sont plus des Cléopâtre, ni des Cassandre. Ce sont des petits-maîtres et des marquises, des chevaliers et des financiers, des religieuses et des provinciales, des femmes du monde et des hommes de qualité. Les lecteurs sont invités à s'identifier à eux et, dans la mesure où ils y parviennent, les romanciers n'ont pas tort de dire que leurs ouvrages ne sont pas des romans, mais des histoires.

I

Cette observation permet de comprendre pourquoi, en dehors de toute considération de décence ou de bon goût, le réalisme social rencontra de très vives résistances dès qu'il visa à faire place dans les romans aux personnages du petit peuple. Le public qui comptait n'était pas celui des laquais et des chambrières, des paysannes et des soldats, et c'est pourquoi le roman de l'époque mesura si chichement leur place à ce genre de personnages. Taine n'a donc pas entièrement tort lorsque, généralisant sur le roman et même sur l'ensemble de la littérature du XVIIIe siècle, il affirme que « sur les organes les plus vitaux de la société », elle ne lui « apprend presque rien » : « Il semble que pour elle il n'y ait que des salons et des gens de lettres. Le reste est non avenu ; au-dessous de la bonne compagnie qui cause, la France paraît vide (1). »

La supériorité à cet égard de Defoe ou de Fielding sur Prévost ou Mme Riccoboni, que le chapitre précédent a examinée en quelque détail, n'était pas faite pour échapper au sens critique de l'auteur de l'*Histoire de la littérature anglaise*. Taine attribue l'infériorité des romanciers français sur ce point à ce qu'il appelle la « lacune » ou le « défaut originel » de l'esprit classique, et qui est la conséquence de son excès d'abstraction. Malgré sa longueur, le passage où cette idée est développée mérite d'être reproduit ici :

L'imagination sympathique, par laquelle l'écrivain se transporte dans l'autrui et reproduit en lui-même un système d'habitudes et de passions contraires aux siennes, est le talent qui manque le plus au XVIIIe siècle. Dans la seconde moitié de son cours, sauf chez Diderot qui l'emploie mal et au hasard, elle tarit tout à fait. Considérez tour à tour, pendant la même période, en France et en Angleterre, le genre où elle a son plus large emploi, le roman, sorte de miroir mobile qu'on peut

---

(1) TAINE, *les Origines de la France contemporaine. L'Ancien Régime*, liv. III, chap. II, § II, Paris, Hachette, 1899, t. I, p. 314.

transporter partout et qui est le plus propre à refléter toutes les faces
de la nature et de la vie. Quand j'ai lu la série des romanciers anglais,
Defoe, Richardson, Fielding, Smollett, Sterne et Goldsmith, jusqu'à
Miss Burney et Miss Austen, je connais l'Angleterre du xviiiᵉ siècle ;
j'ai vu des clergymen, des gentilshommes de campagne, des fermiers,
des aubergistes, des marins, des gens de toute condition, haute et basse ;
je sais le détail des fortunes et des carrières, ce qu'on gagne, ce qu'on
dépense, comment l'on voyage, ce qu'on mange et ce qu'on boit ; j'ai
en mains une file de biographies circonstanciées et précises, un tableau
complet, à mille scènes, de la société tout entière, le plus ample amas
de renseignements pour me guider quand je voudrai faire l'histoire de
ce monde évanoui. Si maintenant je lis la file correspondante des romanciers français, Crébillon fils, Rousseau, Marmontel, Laclos, Restif de
La Bretonne, Louvet, Mme de Staël, Mme de Genlis et le reste, y compris
Mercier et jusqu'à Mme Cottin, je n'ai presque point de notes à prendre ;
les petits faits positifs et instructifs sont omis ; je vois des politesses, des
gentillesses, des galanteries, des polissonneries, des dissertations de
société, et puis c'est tout (1).

Taine n'a sans doute pas tort lorsqu'il affirme que l'universalité à laquelle avait tendu l'idéal classique demeure pour le
xviiiᵉ siècle un but désirable. Au reste, n'est-il pas vrai que le
moralisme serait impossible si, à partir du *hic et nunc* romanesque,
le lecteur n'avait pas le loisir d'user d'induction et de tirer la
leçon des mésaventures dont il se divertit ? Tous les arguments
examinés dans notre quatrième chapitre sont fondés sur le
postulat sous-entendu que, de toute aventure particulière des
personnages, le lecteur pourra tirer une loi générale capable de
s'appliquer à lui. Un trop grand luxe de détails concrets pourrait
nuire à cette induction souhaitable, surtout si, par ses origines
sociales, le héros de roman est déjà trop éloigné de son lecteur
au départ. Autrement dit, le goût de l'abstraction que Taine
charge d'une trop lourde responsabilité dans la page qui vient
d'être citée, n'aboutit pas nécessairement à la proscription absolue de personnages romanesques d'origine plébéienne, mais il
entraîne certainement des restrictions dans la manière de les
présenter. Très révélatrices, à cet égard, sont les idées que
Marivaux met en avant à la fin de l'avertissement qui précède la
seconde partie de *la Vie de Marianne*, et où il s'explique à l'avance
sur la scène du cocher de fiacre, dont il ne se dissimulait aucunement l'audace :

Bien des lecteurs pourront ne pas aimer la querelle du cocher avec
Mme Dutour. Il y a des gens qui croient au-dessous d'eux de jeter un

(1) *Ibid.*, pp. 312-313.

regard sur ce que l'opinion a traité d'ignoble ; mais ceux qui sont un peu plus philosophes, qui sont un peu moins dupes des distinctions que l'orgueil a mises dans les choses de ce monde, ces gens-là ne seront pas fâchés de voir ce que c'est que l'homme dans un cocher, et ce que c'est que la femme dans une petite marchande.

Bref, si Marivaux a la hardiesse d'élever un cocher de fiacre et une marchande de linge à la dignité de héros — fussent-ils éphémères — de roman, ce n'est pas pour attirer l'attention de son public de petits-maîtres et de dames de qualité sur les particularités qui différencient d'eux hommes et femmes du petit peuple parisien, mais bien au contraire, semble-t-il, pour faire voir que l'homme qui a un fouet de cocher à la main est aussi homme que celui qui tient dans la sienne une tabatière ou la poignée d'une épée d'apparat, et que la femme qui a dans la sienne une aune de boutique est dans le fond la même que celle dont les doigts bagués jouent sur les plis d'un éventail.

Tel est le classicisme de Marivaux et de ses confrères romanciers : ils persistent à chercher l'homme sous la livrée du laquais ou l'habit à la française du talon-rouge, sous la simarre de la religieuse ou la blouse du paysan, comme Racine et Molière l'avaient cherché sous la cuirasse romaine ou le pourpoint, sous la tunique grecque ou l'habit à la turque. On mesure du coup la distance qui sépare des déclarations comme celle de Marivaux de l'*Avant-propos de la Comédie humaine* ou du *Roman expérimental*.

On mesure aussi la distance qui sépare le réalisme français du réalisme anglais. En effet, l'universalité qu'un Marivaux recherche dans l'abstraction classique, un Fielding, lui, la recherche dans la multiplicité des expériences et des types humains. Dans un des nombreux chapitres liminaires de *Tom Jones* Fielding explique comment le romancier réaliste, qu'il appelle du reste historien, a à sa disposition divers moyens de se préparer à l'exercice de son métier, dont l'un des plus importants est de se mêler activement à la société de son temps. Mais, pour atteindre le but que Fielding propose au romancier, ce commerce (en anglais *conversation*) ne doit pas être limité par les cloisons sociales : il doit être universel :

This conversation in our historian must be universal, that is, with all ranks and degrees of men ; for the knowledge of what is called high life will not instruct him in low ; nor, *è converso*, will his being acquainted with the inferior part of mankind teach him the manners of the superior. And though it may be thought that the knowledge of either may sufficiently enable him to describe at least that in which he hath been conversant, yet he will ever here fall greatly short of perfection ; for the follies of either rank do in reality illustrate each other. For instance, the affectation of high life appears more glaring and ridiculous from the simplicity of the low ; and again, the rudeness and barbarity of this latter strikes with much stronger ideas of absurdity when contrasted with, and opposed to, the politeness which controls the former (1).

Autant Marivaux s'intéressait à ce que les hommes ont en commun, abstraction faite de la stratification sociale, autant Fielding s'intéresse, lui, aux différences apportées par la classe sociale à laquelle on appartient. L'un et l'autre, notons-le, tendent à l'universel, mais la méthode anglaise est celle de l'addition, tandis que la méthode française est celle de la réduction au dénominateur commun.

Rares furent les critiques français qui sentirent bien dès l'époque cette qualité remarquable du génie de Fielding, qu'on pourrait, pour reprendre l'expression de Taine, appeler l'imagination sympathique, et qui lui permet d'animer de son même souffle créateur des personnages de situations sociales aussi inégales que Partridge et Allworthy, Benjamin et Blifil, Mrs. Miller et Miss Bridget, Sophia Western et Molly Seagrim. A côté des critiques qui faisaient la petite bouche devant la vulgarité et la grossièreté de certaines scènes de *Tom Jones*, il y eut des commentateurs comme Laporte — cité dans le chapitre précédent pour sa sévérité envers *David Simple* — pour admirer le naturel parfait des personnages de *Tom Jones*, et même pour faire réflexion sur la méthode toute différente des romanciers ses compatriotes, pour qui l'aristocratie des personnages était de rigueur dans le roman, et qui s'assuraient que les pages des leurs n'étaient ouvertes qu'à ceux dotés d'un nombre convenable de quartiers de noblesse :

Sans sortir de l'enceinte de Paris on pourrait aussi trouver à chaque pas mille sujets de romans, et le faubourg Saint-Marceau en fournirait peut-être autant que le quartier Saint-Honoré ; mais on a un goût décidé

(1) « Ces contacts de notre historien doivent être universels, c'est-à-dire avoir lieu avec des hommes de toutes classes et de tous rangs ; car la connaissance de ce qu'on appelle le grand monde ne lui apprendra rien sur le petit peuple, et *vice versa* sa connaissance de la partie inférieure de l'humanité ne lui enseignera rien sur les mœurs de la partie supérieure. Et, quoiqu'on puisse penser que la connaissance de l'une ou de l'autre suffise à lui permettre de décrire au moins la partie avec laquelle il est familier, cependant, il restera toujours dans ce cas très loin de la perfection ; car les ridicules de ces deux classes s'éclairent en fait les uns les autres. L'affectation, par exemple, du grand monde semble plus éclatante et plus ridicule vue par la simplicité du petit peuple ; et de même la grossièreté et la brutalité de celui-ci nous frappe comme étant encore beaucoup plus absurde, quand elles sont mises en contraste et opposées à la politesse qui règle celui-là », *Tom Jones*, liv. IX, chap. Iᵉʳ. La traduction est de notre main.

pour le brillant, et ce n'est que parmi la plus haute noblesse qu'on va puiser des mémoires qui vraisemblablement ne doivent pas amuser beaucoup les gens d'un rang inférieur. Ce sont les mœurs des grands qu'on veut nous peindre ; et ceux qui prennent ce soin sont ordinairement si petits, ils ont si peu de connaissance de ce qui se pratique dans des maisons où ils ne sont jamais entrés, de ce qui s'observe parmi des personnes qu'ils n'ont jamais été à portée de connaître, de ce qui se passe dans des cœurs si différents du leur, qu'on peut dire que de pareils écrits donnent aux grands qui les lisent une idée véritable de l'insuffisance de l'écrivain, et au peuple une fausse idée de la grandeur (1).

Si l'on songe que ces lignes sont de 1750, on ne pourra pas s'empêcher de penser que Laporte exagère et ferme trop délibérément les yeux devant les réalisations récentes de certains de ses compatriotes romanciers, Marivaux et Mouhy en particulier. Mais, faute du recul dont nous bénéficions aujourd'hui, le critique de 1750 pouvait mal distinguer, parmi les quarante ou cinquante romans nouveaux que les romanciers français produisaient annuellement à cette époque, et ceux dont le titre n'annonçait pas la distinction sociale des personnages étaient rares. Quant aux romans dont le titre admettait l'appartenance plébéienne des héros, ils restaient exceptionnels. C'est ainsi, par exemple, qu'en 1749, année où *Tom Jones* paraît en Angleterre, parmi les trente-six nouveaux romans français recensés et catalogués par M. Jones, on ne relève qu'un seul ouvrage de cette sorte. Il est dû à un des spécialistes du genre poissard, J.-J. Vadé, et ne compte que 63 pages : ce sont les fameuses *Lettres de la Grenouillère, entre M. Jérosme Dubois, pêcheux du Gros-Caillou, et Mlle Nanette Dubut, blanchisseuse de linge fin.* C'était bien mince et bien isolé au milieu des autres romans de la saison, parmi lesquels on relève ; *Mémoires de M. de Poligny* (2 volumes de 216 et 162 pages) : *Marie d'Angleterre, reine-duchesse* (300 pages) ; *Lettres historiques de Mlle de* *** (2 volumes de 118 et 157 pages) ; *Mémoires de M. le marquis D**** (126 pages) ; *Histoire d'une femme de qualité* (112 pages) ; *Mémoires et aventures du marquis de St. T***, gouverneur pour le roi de Perse de la ville et du pays de Candahar* (2 volumes de 210 et 268 pages) ; *Annales galantes de la cour de*

---

(1) Abbé de Laporte, *Observations sur la littérature moderne*, La Haye, 2 vol., 1749-1750, t. II, p. 346. Sur l'adaptation du réalisme anglais au goût, français du milieu du xviii⁰ siècle, on consultera encore avec intérêt les pages classiques de Taine (*Histoire de la littérature anglaise*, liv. III, chap. VI, Paris, Hachette, 1863, t. III, pp. 304-324) sur Fielding et Smollett ; et les pages presque aussi connues de Joseph Texte (*Jean-Jacques Rousseau et les origines du cosmopolitisme littéraire*, Paris, Hachette, 1895, pp. 175-178 sur Fielding, et 205-218 sur Richardson).

Henri II (2 volumes de 359 et 377 pages) ; *Mémoires du chevalier de Montendre, de Mme et de Mlle Vancleve* (173 pages) ; *Histoire des princesses de Bohême* (2 volumes de 221 et 230 pages) ; *Histoire du chevalier du soleil* (4 volumes de 138, 129, 154, et 156 pages), etc. On trouvera, du reste, une confirmation à l'idée qu'on peut se faire ainsi des proportions occupées dans la production romanesque de l'époque par les romans les moins « populistes » en consultant les bibliographies de Daniel Mornet. Sur les 22 pages qu'occupent ses listes de romans publiés entre 1741 et 1760, une page et demie seulement est consacrée aux deux catégories « Romans de mœurs » et « Romans et nouvelles réalistes » (1). On comprend que ceux-ci aient pu passer pour ainsi dire inaperçus aux yeux de l'auteur des *Observations sur la littérature moderne*. Au reste, la meilleure preuve du fait qu'il n'avait pas tort sur le fond de l'affaire est que, dix ans plus tard, J.-J. Rousseau pourra confirmer ce jugement en le reprenant à sa façon dans le passage de *la Nouvelle Héloïse* que nous avons cité au milieu du chapitre précédent.

Les raisons qui ont milité en France contre l'encanaillement des héros de roman étaient claires et fort puissantes. Nous venons d'en voir deux qui tiennent de près à la persistance des valeurs classiques, à savoir la répugnance pour les extrêmes et le goût de l'abstraction. Il en reste au moins une troisième, fort simple elle aussi, extrêmement persuasive et implicitement présente dans plusieurs textes critiques déjà cités dans ce chapitre, à savoir la nécessité de respecter les bienséances. Comme le réalisme social n'échappait pas plus que les autres aux servitudes du dilemme défini plus haut, on ne pouvait s'y adonner impunément que si l'on réussissait aussi à réconcilier par une dialectique ingénieuse la peinture des mœurs des basses classes avec les intérêts de la morale. En dehors de l'argument de Marivaux, ou du dénominateur commun, les romanciers et critiques de l'époque n'ont guère mis en avant de théories remarquables à ce sujet. Dans le cas du réalisme social, le dilemme résistait tout particulièrement à l'action des dissolvants logiques. Et c'est pourquoi, plus que dans le cas des autres modes de réalisme, le recours à celui-ci fut presque toujours chez les romanciers de l'époque un geste délibérément provocateur, dont les auteurs ne sous-estimaient généralement pas plus l'agressivité que Cervantes créant Sancho Pança ou Fielding créant Joseph Andrews. Du reste, comme dans le cas de ces deux auteurs de premier plan, les romanciers fran-

(1) Mornet, *op. cit.*, t. I, pp. 351-352.

çais qui, entre 1725 et 1760, choisirent leurs personnages dans des milieux sociaux plus ou moins inférieurs, n'obéirent pas seulement à des mobiles négatifs. Soucieux sans doute de montrer leur opposition à l'étroitesse excessive du berceau traditionnel des héros de roman, ils n'en eurent pas moins le désir de montrer aussi, de manière positive et constructive, la fécondité possible des autres classes sociales, réputées inférieures, pour les romanciers en mal de personnages. Malgré leur timidité et leur rareté relatives, leurs efforts et leurs réalisations demandent maintenant à être examinés avec quelque attention.

II

La notion même de niveau social étant toute relative, une marchande de modes passera pour une bourgeoise cossue aux yeux de sa servante ou de sa marchande de poisson qui lui donneront du madame ; mais sa cliente, femme de magistrat, qu'elle traite avec une déférence respectueuse et à qui elle parle sans doute à la troisième personne, sera elle-même regardée de très haut par la première comtesse venue. Autrement dit, si l'on prend pour point de repère la princesse de Clèves ou M. de Nemours, on descend déjà bien bas avec l'homme de qualité de Prévost ou le chevalier de Meilcour de Crébillon. C'est pourquoi l'audace de Marivaux commençant en 1734 la publication de son *Paysan parvenu* est incontestablement plus grande que celle, par exemple, de Zola publiant *l'Assommoir* en 1877 ou de Dabit publiant *Hôtel du Nord* en 1930. De même encore *Nana* était moins faite pour choquer le public de 1880 que *Manon* celui de 1733. Et cela malgré les intentions évidemment beaucoup plus « sociales » des romanciers des XIXe et XXe siècles, que ce soit l'auteur des *Misérables*, de *Jack* ou de *Bubu de Montparnasse*. En effet, les romanciers des années 1725-1760 qui cherchaient leurs personnages dans des milieux sociaux inférieurs à l'aristocratie n'obéissaient guère à un besoin de revendication sociale, et on commettrait un grave contresens si on interprétait l'ascension d'un Jacob ou d'une Jeannette vers la fortune comme le signe d'une fermentation sociale destinée à aboutir aux cahiers de 1789. L'audace en matière de goût était mieux faite pour choquer le public Louis XV que l'audace idéologique. Le privilège des grands genres, la tragédie classique, par exemple, paraissait sans doute beaucoup moins discutable que celui de la noblesse d'épée à un public qui avait été témoin de l'ascension fulgurante d'un Dubois et des bouleversements du Système. Il est indispensable de bien comprendre ce point de vue, afin d'apprécier la position des romanciers et des critiques devant un problème qu'ils considéraient avant tout comme un problème de goût littéraire.

En effet, comme on l'a vu, ce fut d'abord contre l'improbabilité ou l'invraisemblance des héros de roman aristocratiques, qu'ils fussent chevaliers ou bergers, que fut créé Gil Blas, comme l'avaient été plus tôt un Francion ou un Ragotin. Certes, au cours de la première moitié du xviiie siècle, au nombre des lecteurs et lectrices de romans, on compta de plus en plus de représentants des classes non aristocratiques de la société française, et ce fait n'est évidemment pas dénué de rapports avec la proportion grandissante de personnages roturiers dans les romans du temps. Aussi bien l'un des objectifs les plus clairs des romanciers réalistes était-il de réduire l'écart séparant le héros de son public. Et pourtant, comme on le verra, ce ne furent pas toujours les lecteurs les plus aristocratiques qui se scandalisèrent avec le plus d'éloquence de l'embourgeoisement, voire de l'encanaillement du roman : Caylus, le grand maître du genre poissard était comte.

Et du reste, même sous cet aspect, le phénomène social, si phénomène social il y a, ne serait pas, en tout état de cause, celui qui toucherait le rang social des personnages, mais celui seulement qui concernerait les changements sociaux dans le public qui lit des romans. Bref, quelle que soit la direction dans laquelle on oriente l'analyse, on aboutit donc à la même conclusion : de même que les autres modes du réalisme, le réalisme social ne met finalement en jeu que les valeurs strictement esthétiques qu'engage tout art réaliste : l'artiste peut-il choisir dans le réel ? Et, si oui, au nom de quelles valeurs ? Peut-il embellir ? etc. En-dessous de ce débat esthétique théorique, on trouve aussi dans les polémiques de l'époque la trace évidente de la grande querelle des genres littéraires : si le romancier s'arroge le droit d'ouvrir les pages de ses livres à des personnages roturiers, ne sacrifie-t-il pas du même coup toute prétention à hisser le genre qu'il cultive jusqu'aux sommets exaltés du Parnasse où trônent les bienheureuses formes nobles de la tragédie et de l'épopée ? Ne le ravale-t-il pas tout au plus au niveau de l'humble comédie ?

Tout ceci explique que les meilleurs des romanciers de l'époque envisagée ici aient usé d'une prudente modération dans le rôle qu'ils firent jouer aux personnages de la roture dans leurs romans. Même les critiques les plus favorables au roman les y engageaient, en effet, et les romanciers, soumis aux attaques de leurs adversaires, ne pouvaient pas mépriser l'appui, par exemple, d'un partisan aussi résolu du roman aristocratique que Lenglet-

Dufresnoy. Comme on l'a vu, son traité retentissant *De l'usage des romans* demeurait fidèle à la théorie traditionnelle qui faisait du roman l'héritier de l'épopée. Logique avec lui-même, Lenglet-Dufresnoy en concluait sans hésiter que seuls des personnages d'une naissance noble pouvaient convenir à un genre aussi distingué :

Un roman est un poème héroïque en prose. Tous ceux qui sont venus jusqu'à nous ne peignent que des rois, des princes et des héros. Il faut faire ses preuves pour y avoir place. Et quelles preuves ? Il n'y a point là de dispense comme à Malte ; on n'y voit point des chevaliers de grâce ; on y admettra plutôt le bâtard d'un prince qu'un fils ou un frère de ministre (1).

Poursuivant son raisonnement et avant d'exécuter sommairement toute la production picaresque, y compris *Gil Blas* — qui, comme on le verra par quelques autres exemples, est une sorte de pierre de touche révélant presque automatiquement l'attitude vis-à-vis du roman réaliste de tous les critiques qui en parlent à l'époque — Lenglet-Dufresnoy déclare sans mâcher ses mots :

Un bon marchand de Paris ou quelque bourgeois de la province, qui aurait soupiré dix ou douze ans auprès d'une aimable personne, qu'il aurait enfin emportée à la barbe de ses rivaux se pourrait nommer un héros de roman. Oh ! tout beau, s'il vous plaît : nous ne prétendons pas prostituer ainsi le nom de héros (2).

Commentant ces principes absolus de Lenglet-Dufresnoy, Prévost, plaidant *pro domo*, pour Cleveland qui n'est le bâtard que d'un usurpateur, pour son homme de qualité qui se rend justice à lui-même en se tenant pour inférieur au grand seigneur dont il sert de mentor au fils, pour des Grieux qui n'est que simple chevalier d'une bonne famille picarde, Prévost esquisse une protestation timide dans *le Pour et Contre* :

Je ne sais cependant si l'auteur a raison, lorsqu'il veut que les héros d'un roman soient toujours des princes ou des personnes d'une grande naissance. Il me semble qu'il peut y avoir de bons romans, dont les héros ne soient pas d'un si haut rang (3).

Prévost, on le voit, mesure soigneusement ses paroles et il faut le prendre au pied de la lettre et ne pas interpréter ses derniers mots comme une litote capable d'ouvrir sans discerne-

(1) LENGLET-DUFRESNOY, *op. cit.*, t. I, p. 188.
(2) *Ibid.*, p. 194.
(3) *Le Pour et Contre*, nombre 36, t. III (1734), p. 142.

ment les portes du roman au premier venu. En fait, dans les romans dont il est l'auteur à cette date, Prévost a observé la plus grande mesure dans l'application de ce principe. C'est sans aucun doute, dans son *Histoire du chevalier des Grieux et de Manon Lescaut* qu'il est descendu le plus profondément, et de loin, dans les bas-fonds de la société. Encore faut-il rappeler deux aspects essentiels de ce roman : d'abord que le héros en est des Grieux qui raconte sa propre vie à son interlocuteur, l'homme de qualité, ce qui fait de Manon elle-même et, à plus forte raison, de son frère, des personnages secondaires, sinon des comparses ; ensuite que l'ensemble de l'histoire elle-même n'est qu'un « tiroir » ou une « histoire intercalée » dans les *Mémoires et aventures d'un homme de qualité qui s'est retiré du monde*, ce qui, à proprement parler, fait de des Grieux lui-même un personnage épisodique. Sans doute serait-il ridicule de ne pas admettre que des Grieux et Manon sont des personnages promus par la fascination qu'ils ont exercée sur leur auteur, par l'affection infiniment indulgente qu'il a continuellement éprouvée pour eux, à une distinction exceptionnelle qui n'a jamais échappé aux lecteurs. Tout en témoigne : ce que Prévost en a dit lui-même, aussi bien que les rapprochements troublants qui ont été faits entre la carrière de des Grieux et celle de son créateur. Mais cela ne change rien à l'aspect critique ou technique de la question : du point de vue qui est le nôtre ici, l'*Histoire du chevalier des Grieux et de Manon Lescaut* n'est qu'un tiroir et doit donc être considérée comme subordonnée aux *Mémoires et aventures d'un homme de qualité qui s'est retiré du monde*. Ce long roman contient une bonne douzaine de tiroirs de ce genre. Du point de vue objectif, celui-ci n'est guère que le plus long d'entre eux. Qu'il soit également, et de très loin, le meilleur d'entre eux, qu'il soit même meilleur que le roman lui-même dans lequel il est intercalé, n'est qu'un accident, un accident heureux, qui s'explique en partie par la biographie de Prévost, et qui demeure en partie mystérieux, comme tout chef-d'œuvre authentique. Cela ne change rien à sa nature littéraire proprement dite. Or, si l'on examine toutes les histoires intercalées qui truffent les *Mémoires et aventures d'un homme de qualité*, on n'en trouvera guère que deux autres, beaucoup plus brèves, qui nous conduisent, comme celle de des Grieux, dans ce que les critiques hostiles du temps appellent volontiers « la lie du peuple ». L'un apparaît dans le Livre VIII, lorsque le valet Brissant raconte sa vie parmi les bandits et les pirates qui seront capturés par la police portugaise au cours du Livre IX. L'autre, intercalée dans le Livre XV, est celle de la voleuse et tueuse d'hommes que l'homme de qualité et son gendre ramassent dans la forêt de Senlis et qu'ils font écrouer ensuite à la Salpêtrière où, comme on le sait, Manon devait faire aussi un séjour infâmant. Tous les autres tiroirs — et ils sont au moins trois fois plus nombreux — racontent les aventures de personnages d'une distinction sociale infiniment supérieure : celle du marquis de Rosambert au Livre II ; celle du seigneur bigame, consul en retraite, au Livre V ; celle de don Alonso au Livre VI ; celle de Diana de Velez au Livre VII ; celle du prince portugais, don M... au livre IX ; celle du baron Spalding au Livre X ; celle de M. de Sauvebœuf au Livre XIII ; celle du comte et de la princesse de B... au Livre XV ; pour ne mentionner que certaines des principales. Il est à bien des égards indispensable de replacer dans ce contexte technique qui est le sien l'*Histoire du chevalier des Grieux et de Manon Lescaut,* si l'on veut mesurer avec justesse l'originalité de cette histoire et, en particulier, l'audace de la peinture des mœurs des classes dites inférieures. Si l'on néglige la prodigalité avec laquelle cette peinture est équilibrée — et même déséquilibrée — par les multiples tiroirs contenant la peinture des mœurs des classes dites supérieures, on s'expose à faire de graves erreurs de perspective et à voir en Prévost un précurseur du populisme.

Ces remarques permettent de comprendre plus précisément la portée de l'objection de Prévost au dogme étroit et aristocratique de Lenglet-Dufresnoy : le romancier doit être libre de chercher ses personnages dans tous les rangs de la société dont les membres sont susceptibles de lire leurs aventures. Du même coup, on comprend que cette revendication de Prévost n'est pas destinée à ouvrir la porte à tous les excès. Sur ce point, comme les meilleurs romanciers de son temps, Prévost demeure très mesuré : il revendique sa liberté, mais n'a nulle intention d'en abuser.

On pourrait en dire autant de Marivaux, dont Prévost, du reste, commente toujours avec goût et sympathie les romans dans son *Pour et Contre.* Comme nous l'avons vu dans le chapitre précédent, la fameuse scène de la querelle entre le cocher de fiacre et Mme Dutour, dans la seconde partie de *Marianne,* est traitée avec beaucoup de mesure quoi qu'on en ait dit à l'époque. A cet égard, les reproches sévères adressés par Desfontaines à la vulgarité de cette scène sont à rapprocher des règles énoncées plus haut par Lenglet-Dufresnoy. Voici le texte en question, qui, quoique paru dans le *Pour et Contre,* n'est pas de Prévost, alors dans sa prison londonienne, mais de Desfontaines :

Ce n'est ni l'opinion, ni l'orgueil qui fait qu'il y a des choses ignobles ; c'est la nature et la raison. Il y a une vraie noblesse et une vraie bassesse, indépendamment de l'opinion et de l'orgueil. La vile populace a les sentiments bas et les mœurs basses, parce qu'elle a une basse éducation. C'est par là qu'elle est ignoble. Qui pourrait souffrir sur le théâtre les mauvais quolibets d'un homme ou d'une femme de la lie du peuple, et leurs injures grossières. Cela est indigne d'un homme bien élevé, et très dégoûtant dans un ouvrage (1).

L'opinion de Desfontaines, on s'en doute, est celle de la vaste majorité des lecteurs, et même de la majorité des admirateurs de Marivaux. Malgré le goût réfléchi et intelligent qu'il a pour ses œuvres, d'Alembert, par exemple, ne peut pas s'empêcher de lui adresser le même reproche, ni d'employer le même adjectif révélateur *ignoble* pris, sinon dans son véritable sens étymologique, du moins dans sa fonction d'antonyme de *noble* : « Il faut pourtant convenir que Marivaux, en voulant mettre dans ses tableaux populaires trop de vérité, s'est permis quelques détails ignobles qui détonnent avec la finesse de ses autres desseins (2). »

III

La critique de d'Alembert, cependant, se distingue par son intelligence des autres condamnations inspirées par la scène du cocher de fiacre et de Mme Dutour. Elle implique, en effet, clairement que d'Alembert a compris au moins les intentions qui avaient été celles du romancier, même s'il n'approuvait pas la méthode particulière à laquelle celui-ci avait recouru dans ce cas pour les réaliser : « ... en voulant mettre dans ses tableaux populaires trop de vérité... » Presque aucun des critiques contemporains ne comprit que le coup de barre réaliste, qui menait logiquement à des scènes populaires du genre de celle de la seconde partie de *la Vie de Marianne*, était à l'origine destiné à mettre le roman à l'abri de l'accusation d'invraisemblance. D'Alembert lui-même, qui montre bien qu'il est entré dans ces raisons straté-

(1) *Ibid.*, nombre 30, t. II (1733), pp. 346-347. Sur l'attribution de cet article, qui est en réalité du début de 1734, à Desfontaines, cf. H. RODDIER, *op. cit.*, p. 144 ; et surtout F. DELOFFRE, Introduction à son édition de *la Vie de Marianne*, pp. LXVII-LXVIII, et la n. 4. Cette attribution se confirme encore davantage si l'on rapproche de cet article du *Pour et Contre* celui des *Observations* du 17 décembre 1735 louant les *Mémoires du comte de Comminge* de Mme du TENCIN : « Plein de respect pour son lecteur, [l'auteur] ne le conduit que dans des lieux honnêtes et jamais parmi les gens de la lie du peuple, pour le régaler sottement de leur jargon et de leurs plats quolibets. » (*Observations sur les écrits modernes*, t. III (1735), p. 258.) La similarité de la pensée et de l'expression suffirait à lever le moindre doute qui pourrait encore subsister.
(2) *Eloge historique de Marivaux*, in *Œuvres de d'Alembert*, 1821, t. III, p. 587.

giques, n'écrit ces mots qu'après coup, puisqu'ils font partie de
l'éloge funèbre qu'il rédigea pour l'Académie après la mort de
Marivaux en 1763. Trente années avaient passé. Dans l'entre-
temps le genre romanesque avait dans l'ensemble gagné la partie.

Mais au moment même, les adversaires du roman témoignèrent
généralement soit de leur mauvaise foi, soit de leur inintelligence
en voyant dans le recours des romanciers à des scènes ou à des
personnages populaires une raison de plus de condamner un genre
décidément aussi imperfectible. C'est le cas, par exemple, du
P. Bougeant, dont le *Voyage merveilleux du prince Fan-Férédin
dans la Romancie*, comme on l'a vu dans le premier chapitre,
s'emploie essentiellement à ridiculiser les mille invraisemblances
des romans traditionnels. En effet, les romans qui, pour échapper
au moins à certaines de ces invraisemblances, s'étaient efforcés
de donner à leurs écrits un décor social réaliste et du même coup
plus vulgaire que celui des romans héroïques raillés par Bougeant,
se voient dans le même livre accusés d'avoir causé le surpeu-
plement regrettable de la « basse Romancie » :

> Pour éviter la confusion, on a pris le parti de diviser la Romancie
> en haute et basse. La première est demeurée aux princes et aux héros
> célèbres ; la seconde a été abandonnée à tous les sujets du second ordre :
> voyageurs, aventuriers, hommes et femmes de médiocre vertu. Il faut
> même l'avouer à la honte du genre humain : la haute Romancie est
> depuis longtemps presque déserte, comme vous avez pu vous en aper-
> cevoir dans ce que vous en avez vu, au lieu que la basse Romancie se
> peuple tous les jours de plus en plus (1).

Est-ce simple inconséquence de la part du P. Bougeant, ou
mauvaise foi — justifiée peut-être à ses yeux du fait que, lorsqu'il
s'agit d'abattre le genre abominable du roman, tous les moyens
sont bons — mauvaise foi qui serait confirmée par l'allusion qu'il
fait dans le même pamphlet à *Gil Blas*, qui est né en fait de l'accord de Lesage avec la pensée critique qui est encore celle de
Bougeant ? On ne sait. Ce qui est certain, c'est qu'on rencontre,
à l'époque, fort peu d'adversaires du roman prêts à admettre que
le réalisme croissant des romanciers de leur temps rendait le genre
qu'ils cultivaient un peu moins méprisable. C'est ce qui rend les
deux témoignages que voici dignes d'être rappelés. Le premier
est de 1731, le second de 1744 ; ils se placent donc de part et
d'autre du livre de Bougeant qui parut en 1735.

Bruzen de La Martinière, déjà cité dans notre introduction

_____

(1) G.-H. BOUGEANT, *op. cit.*, p. 107.

pour son hostilité caractérisée envers le roman, a le mérite d'admettre, malgré ses préventions, le progrès marqué des romanciers de son temps vers la vraisemblance :

> Dans les vieux romans, l'esprit de fiction n'est retenu par aucunes bornes. L'auteur se livre à toutes les saillies d'une imagination déréglée, jusqu'à feindre un héros qui, étant tué dans une bataille, ne s'apercevait point qu'il était mort et continuait toujours de se battre comme auparavant. La fiction règne aussi dans les nouveaux, mais elle ne s'écarte point d'un vraisemblable qui est dans l'ordre ordinaire de la nature : point de dieux, point d'enchanteurs, point de prodiges. C'est tout au plus une imitation de l'histoire à l'auteur de laquelle on permet de feindre tous les événements qu'il arrange, en faveur de la surprise agréable où il doit entretenir ses lecteurs (1).

Du reste, logique avec lui-même, le critique affirme que, « si on voulait envelopper tous les romans dans une proscription générale », il demanderait grâce pour cinq d'entre eux qu'il choisit judicieusement : *Don Quichotte, le Roman comique, la Princesse de Clèves, Zaïde* et *Gil Blas*. Le choix est révélateur, notamment en ce qui concerne *Gil Blas*, dont les dernières parties n'avaient encore pas paru alors, et qui, pour ce qui est du réalisme social, devait être pendant longtemps encore inégalé. Voici, du reste, comment Bruzen de La Martinière, hostile aux romans en général, s'exprime sur le compte du chef-d'œuvre de Lesage :

> [C'] est une des plus fines satires que l'on ait faites des mœurs du siècle qui y sont représentées au naturel. M. Lesage, qui l'a écrit, imagine un jeune homme qui, ayant assez d'esprit pour observer les caractères de ceux au service de qui la mauvaise fortune l'oblige d'entrer, parcourt un bon nombre de maîtres de tous états et les dépeint tous. Cela fournit une infinité de portraits d'après nature et d'images très frappantes. La pudeur y est ménagée, les incidents n'y ont rien que de naturel et la morale se tire du fonds même de l'action (2).

Le fait même que les mots *nature* et *naturel* reviennent trois fois dans ces quelques lignes prouve la cohérence remarquable de la pensée de leur auteur : s'il critique d'une part, l'invraisemblance de certains romans, il est prêt, de l'autre, à louer ceux qui s'efforcent d'y échapper, quelles que soient les directions dans lesquelles ils soient, ce faisant, attirés. A cet égard, encore l'admiration avouée pour les chefs-d'œuvre de Cervantes et de Scarron est tout à fait révélatrice.

(1) Bruzen de La Martinière, *op. cit.*, p. 292.
(2) *Ibid.*, pp. 291-292.

Le second témoignage qu'il convient de citer ici est moins constructif, du fait de l'hostilité plus radicale encore que le critique confesse éprouver pour le roman. Le président de Caulet, de l'Académie des Jeux floraux de Toulouse, se déclare, en effet, dans son discours de 1744, « ennemi déclaré des romans », mais reconnaît que, depuis les romans scudéryens qu'il trouve ridiculement puérils, les romanciers ont fait quelque progrès : « A Mlle de Scudéry ont succédé mille autres faiseurs de romans. Inventeurs d'un autre genre, ils ont travaillé avec aussi peu de goût, mais avec plus de vraisemblance (1). » Il s'arrête là, toutefois, et aucun roman ne trouve grâce devant son intransigeance. Il est évidemment à cet égard, en bon président qu'il est, de la race de son grand chef, le chancelier Daguesseau.

Plus tard dans le siècle, il se trouva, même parmi les ennemis les plus irréconciliables du roman, des critiques suffisamment avisés pour comprendre rétrospectivement quelle avait été la manœuvre des romanciers des années 1730 et 1740. Voici, par exemple, ce qu'écrit l'abbé Jaquin dans le premier de ses *Entretiens* de 1755 si hostiles au genre romanesque :

Ce goût pour les soupirs des héros langoureusement amoureux se conserva pendant quelque temps ; mais les *Segrais*, les *Lafayette*, les M[ouhy], les P[révost], les C[rébillon] firent bientôt oublier, sinon les noms de leurs maîtres, du moins leurs ennuyeuses productions. *La Zayde*, la *Princesse de Clèves*, la *Paysanne parvenue*, les *Mémoires de M. de Meilcour*, et *Cleveland*, furent reçus avec autant d'avidité que d'éloges. Insensiblement cette sorte de décence et de vraisemblance, que ces derniers romanciers gardèrent, parut à charge à cette foule de faibles écrivains qui les suivirent ; l'art romanesque devint pour eux un travail au-dessus de leurs forces. Guidés par la seule imagination, ils inondèrent bientôt les boutiques et nos cheminées de brochures croquées, d'aventures gigantesques, de *Mémoires secrets*, d'*Anecdotes curieuses*, ou déshonorèrent leurs plumes par des écrits, qui ne respirent que l'impiété et le libertinage (2).

Quant à l'abbé Irailh, écrivant en 1761, après le succès de *la Nouvelle Héloïse*, il a suffisamment de recul pour pouvoir suivre assez fidèlement l'évolution récente du roman français. Tout en demeurant personnellement plein de mépris et d'hostilité pour

---

(1) « Semonce faite le premier dimanche de janvier de l'année MDCCXLIV par M. le président de Caulet, l'un des Quarante de l'Académie des Jeux Floraux », in *Recueil de plusieurs pièces d'éloquence et de poésie présentées à l'Académie des Jeux floraux pour les prix des années 1744 et 1745, avec les discours prononcés dans les assemblées publiques de l'Académie*, Toulouse, Lecamus, 1745, pp. 263 et 255.

(2) JAQUIN, *Entretiens sur les romans...*, p. 96.

le roman, il n'en saisit pas moins la logique de l'attitude des romanciers qui, sous le feu des attaques, s'orientèrent vers le vraisemblable. Toutefois, ignorant de la chronologie exacte des romans de son siècle, ou, tout simplement peut-être, admirateur trop systématique ou trop irréfléchi du P. Porée, c'est à sa harangue de 1736 qu'il attribue l'honneur insigne d'avoir engendré l'évolution vers le réalisme, qui était déjà chose faite à cette date. Regrettant, en effet, que l'éloquence du P. Porée n'ait pas réussi à fermer définitivement la bouche des romanciers — ce qui pourtant, nous l'avons vu, était presque arrivé — Irailh note, en revanche, avec perspicacité le coup de barre donné par les auteurs de romans : « Déclamation inutile ; tout l'effet qu'elle produisit fut de faire changer de batterie aux romanciers (1). » Cette bévue mise à part, Irailh a vu très juste, et ses remarques ne témoignent pas de la même ineptie que la diatribe de son confrère Desfontaines qui, comme on l'a vu dans le chapitre précédent, attribuait à la défection des auteurs de comédie les explorations des romanciers dans les rangs inférieurs de la société. Au contraire : il note clairement que les romanciers abandonnèrent l'extraordinaire pour l'ordinaire et répudièrent simultanément le terme même de *roman*, discrédité par les extravagances qu'il avait couvertes, pour des mots mieux aptes à suggérer l'authenticité, sinon effective, du moins possible de leurs récits :

> On abandonna les grandes aventures, les projets héroïques, les intrigues délicatement nouées, le jeu des passions nobles, leurs ressorts et leurs effets. On ne choisit plus les héros sur le trône : on les tira de partout, même de la lie du peuple. Le genre des Scudéry, des Segrais, des Villedieu, fit place à celui des Lassan, des Marivaux, des Crébillon. Le titre de roman était trop décrié pour oser désormais en faire usage : on y substitua celui d'*histoire*, de *vie*, de *mémoires*, de *contes*, d'*aventures*, d'*anecdotes* (2).

Aussi conséquent que l'avait été Bruzen de La Martinière trente ans plus tôt, Irailh exprime son approbation pour certains romans comme *Don Quichotte*, comme *Argenis*, comme *Zadig*, *Memnon* et *Babouc*, qu'il juge « bien supérieurs à *Candide* », et surtout pour *Gil Blas* qui, selon lui, démontra mieux que n'importe qu'elle brillante théorie critique qu' « un roman [...] peut être bien fait et bien écrit ; ne blesser en rien l'honnêteté des mœurs ; n'avoir pas une fade galanterie pour objet ; mais renfer-

---

(1) Irailh, *op. cit.*, t. II, p. 343.
(2) *Ibid.*, italiques dans le texte. Au lieu de Lassan, il faut sans doute lire Lussan.

mer une morale fine en action, ou qui réjouisse le lecteur par des images plaisantes et des saillies spirituelles et comiques » (1).

Cette prédilection répétée pour *Gil Blas*, qui est certainement, des meilleurs romans de cette époque, celui qui explore le plus systématiquement les classes populaires de la société, est fort révélatrice de la logique des moins bornés des critiques, prêts au moins à admettre que, si l'on fait un crime aux romanciers de manquer de vraisemblance, il ne faut pas aussi les condamner lorsque leur souci de vraisemblance les pousse à représenter la société telle qu'elle est. Répétons que ces critiques, disposés à être aussi conséquents avec eux-mêmes, ne représentent à l'époque qu'une assez faible minorité. Les autres n'hésitent pas à recourir à l'inconséquence, à la mauvaise foi ou à l'inconscience pour rendre l'existence littéraire du roman aussi impossible qu'ils le jugeaient souhaitable.

Si l'on peut donc expliquer par l'obstination hostile de la critique la timidité des meilleurs des romanciers du temps, il serait injuste de ne pas invoquer aussi à cet égard l'influence probable de leurs goûts personnels. C'est ce qui permet de comprendre les différences qu'on remarque à ce propos, par exemple entre l'aristocratie irréprochable des héros de Mme de Tencin ou de Mme de Graffigny, la roture indéniable, mais non pas incorrigible, des personnages de Marivaux et de Mouhy, et la diversité mesurée qu'on trouve dans les origines sociales de bien des héros de Prévost, de Crébillon et de Duclos.

Et c'est pourquoi, si l'on voulait trouver à l'époque des romans franchements populistes, c'est, à quelques rares exceptions près, dans des œuvres de romanciers du troisième ou du quatrième rayon qu'il faudrait fouiller.

IV

Dans la mesure où ces romanciers se sont efforcés sciemment de provoquer l'indignation de la critique en racontant les aventures d'un cocher, d'une servante, d'un paysan non parvenu ou d'une fille de joie, leurs œuvres ne contribuent guère à notre propos. Ils se sont placés délibérément dans la tradition burlesque et leur but fut en général plutôt de ridiculiser par contraste l'héroïsme aristocratique des personnages de roman qu'on trouvait encore, par exemple chez Mme de Tencin et même chez Prévost, que d'illustrer l'art réaliste. Ils n'ont pas essayé de résoudre le

(1) *Ibid.*, p. 344.

dilemme du roman, mais ils ont ouvertement et agressivement choisi de choquer la bonne compagnie. Ils y ont réussi sans peine et les vitupérations qu'ils se sont attirées ce faisant de la part de la critique ne doivent pas nous surprendre davantage qu'elles ne les ont surpris eux-mêmes.

Le fait que toute une série de ces œuvres est écrite, non pas dans la langue littéraire de l'époque, mais en patois, en argot,ou, comme on disait alors, en *poissard*, est à lui seul significatif de l'intention de choquer qui fut celle de ces auteurs. Les grands maîtres de ce style furent le comte de Caylus et Jean Joseph Vadé (1), dont les œuvres les plus significatives parurent toutes pendant la période qui nous intéresse ici. *Les Écosseuses, ou les œufs de Pâques*, recueil de nouvelles de Caylus, parut en 1739, mais avait en fait été composé avant sa plus fameuse *Histoire de M. Guillaume, cocher*, dont la première édition est de 1737 et qui est faite également de plusieurs nouvelles assez lâchement cousues les unes au bout des autres, telles, par exemple, que l'*Histoire de Mamzelle Godiche la coiffeuse* ou l'*Histoire des bonnes fortunes de M. le chevalier de Brillantin*. Quant à Vadé, ses célèbres *Lettres de la Grenouillère* parurent en 1749. Les deux amoureux qui se les envoient, la lingère Nanette Dubut et Jérôme Dubois, le « pêcheux d'la Guernouyère », s'y expriment dans un style paysan ou pseudo-paysan fort réjouissant, qui n'est pas sans rappeler les dialogues du second acte de *Dom Juan*. Ces *Lettres* ne tardèrent pas à faire école, et, dès l'année suivante, 1750, parurent les *Lettres de Montmartre, par Jeannot Georgin*, dues à Antoine Urbain Coustelier fils (2). Le héros de cet ouvrage, Georgin, fils d'un meunier montmartrois, en goguette à Paris avec une partie de la caisse paternelle, décrit et commente dans ses lettres adressées à son père, à son parrain, à son curé et à sa promise Javotte, les merveilles de la vie parisienne. Comme dans tous ces romans jargonnants, le vocabulaire de la langue parlée y est farci de *jarné* et de *palsanguié* et les *je* y sont régulièrement suivis de verbes à la première personne du pluriel. Tout cela sent son artifice d'une lieue, et ce style, évidemment stylisé, ne mérite sans doute pas plus d'être appelé réaliste que ceux de Crébillon et de Prévost que nous avons échantillonnés et examinés au cours de notre second chapitre.

(1) Sur le roman poissard, on consultera avec profit le chap. IV, « The Genre Poissard in Prose », du livre d'Alexander P. MOORE, *The Genre Poissard and the French Stage of the Eighteenth Century*, Publications of the Institute of French Studies, Inc., Columbia University, New York, 1935, pp. 96-125.
(2) Cf. *ibid.*, pp. 118-120.

D'autres romanciers de l'époque, moins connus encore et moins soucieux de fantaisies linguistiques, semblent, d'après les recherches effectuées par M. Green, plus intéressants du point de vue du réalisme social. Tel est, par exemple, le cas de l'auteur inconnu de l'*Histoire de Gogo*, parue en 1739, qui raconte les aventures d'une pauvre servante dans le monde interlope de la capitale (1). Tel est encore le cas de Gimat de Bonneval, qui publia en 1748 *Fanfiche, ou les Mémoires de Mlle de* ***, dont l'héroïne, fille d'un cordonnier et d'une marchande de fleurs, tombe dans la prostitution avant d'en sortir grâce à l'héritage d'un de ses vieux clients (2). L'héroïne du roman que J.-A.-R. Perrin publia en 1756 sous le titre de *les Égarements de Julie* (3), finit, elle aussi, dans une maison publique ; ce qui est à peu près encore la destinée de la pauvre petite cousette, dont la mère est revendeuse et le père portefaix, et dont Paul Baret raconte, en 1758, l'histoire peu édifiante sous le titre de *Mademoiselle Javotte*, roman que M. Green met au tout premier rang de la littérature française réaliste du temps (4). Certes, tous les romans que ce critique passe en revue au cours de ses deux importants articles n'ont pas pour héroïnes des prostituées et des procureuses. Et pourtant il semble bien qu'il y ait eu une sorte d'orientation spontanée du réalisme populaire dans cette direction, comme si les seuls membres des classes authentiquement populaires connus de ces romanciers aient été rencontrés par eux dans les mauvais lieux. Il n'est pas besoin d'ajouter que cela n'était guère fait pour résoudre le dilemme, ni pour se concilier le bon vouloir de la critique. Au contraire, on peut voir là comme une nouvelle preuve de la nécessité littéraire profonde de ce dilemme du roman à cette époque. Comme nous l'avons rappelé, en effet, dans notre deuxième chapitre, à propos du réalisme psychologique, c'est au cours de la brève période 1745-1751 que furent publiés certains des romans obscènes les plus célèbres du siècle. Or il va sans dire, que dans la plupart de ces ouvrages, la prostitution est un thème pour ainsi dire inévitable. Dans la mesure, en effet, où tout ce mouvement réaliste réagit contre l'idéalisme excessif du roman héroïque, la peinture de l'amour tend à s'éloigner autant que possible du platonisme pour tomber dans l'érotisme

---

(1) Cf. F. C. GREEN, « Further Evidence of Realism in the French Novel of the Eighteenth Century », *Modern Language Notes*, XL (1925), pp. 264-266.
(2) Cf. Id., « Realism in the French Novel in the First Half of the Eighteenth Century », *Modern Language Notes*, XXXVIII (1923), pp. 325-326.
(3) Cf. *ibid.*, pp. 326-327.
(4) Cf. *ibid.*, pp. 327-329. Servais ETIENNE (*op. cit.*, p. 86) éprouve lui aussi une impression plutôt favorable à la lecture de ce roman.

le plus éhonté, tandis que s'opère simultanément la substitution de la chaste héroïne et du respectueux et rougissant chevalier servant, par la professionnelle des jeux amoureux et le roué sans vergogne.

*
* *

Du reste, les divers sens de mots comme *vulgaire* ou *commun* n'indiquent-ils pas qu'il existe comme une liaison spontanée et nécessaire entre la notion de classes sociales populaires, et celle de manières ou de sentiments bas, ou même immoraux ? Quoi qu'on doive penser d'une association d'idées aussi injuste, il reste que l'évolution de tout art réaliste mène éventuellement à la représentation des réalités les plus choquantes et les plus répugnantes, comme en manière de protestation contre l'édulcoration excessive de l'art non réaliste contre lequel il est presque toujours en réaction. L'évolution d'un Chardin est à cet égard aussi instructive que celle du naturalisme de la fin du XIXe siècle. Par une sorte de nécessité esthétique profonde, un peintre soucieux du réel comme le Chardin des natures mortes était voué à peindre un jour des scènes aussi humblement vulgaires que ses admirables arrière-cuisines enfumées, ou des objets repoussants, comme sa fameuse raie écorchée.

L'erreur des critiques du roman à l'époque qui nous intéresse ici fut de méconnaître cette nécessité, de blâmer les romanciers coupables, par leur idéalisation outrancière, de crime de lèse-vraisemblance, et de blâmer de même ceux dont le souci de vraisemblance les menait jusqu'à tenter de décrire le vulgaire et le commun. Rien n'est peut-être aussi significatif à cet égard que l'accueil fait à l'époque aux grands chefs-d'œuvre du théâtre et du roman anglais. Aux témoignages déjà rappelés à ce propos au cours de ce chapitre et du chapitre précédent, ajoutons-en un dernier. Lorsque l'abbé de La Place publia sa célèbre traduction de Shakespeare dans son *Théâtre anglais*, dont les huit volumes parurent entre 1745 et 1748, il crut bon de défendre par anticipation le dramaturge anglais de l'accusation d'avoir abusé des personnages du petit peuple, en expliquant que ceux-ci « représentent le naturel ». Cette allégation devait attirer de la part de l'inévitable abbé Desfontaines les interrogations oratoires indignées que voici : « Mais tout ce qui est naturel est-il beau, est-il agréable ? N'est-ce pas s'avilir que de prendre plaisir à entendre parler des fossoyeurs et des savetiers (1) ? »

_____

(1) *Jugements sur quelques ouvrages nouveaux*, t. IX, p. 3. Cette citation, comme celle de La Place qui la précède, sont empruntées à F. C. GREEN, *op. cit.*, *Modern Language Notes*, XL (1925), p. 258.

Il ne paraît pas exagéré de penser que cette étroitesse de point de vue que révèle ici Desfontaines, est en partie responsable du fait que les meilleurs des romanciers de l'époque hésitèrent avant d'inviter leurs lecteurs à visiter avec eux les bas-fonds de la société, ou même tout simplement l'immense majorité de ce Tiers État anonyme qui se trouvait placé au-dessous du niveau de la bonne compagnie. Mais il ne faudrait pas surestimer la portée de cette remarque. Il ne faudrait pas se dissimuler que, si les romans de Crébillon ou de Duclos, par exemple, qui sont si audacieux sur le plan psychologique et moral, demeurent si timides et si conventionnels sur le plan social, ce fait est sans doute dû tout simplement et avant tout au goût même de ces écrivains, à leur expérience et probablement à leur manque relatif d'intérêt pour les mœurs du peuple de leur époque. Pourquoi se seraient-ils donc exposés, au nom d'un idéal qui n'était pas le leur, aux foudres d'une critique hostile, qui n'était déjà que trop disposée à regarder le roman de très haut et à vilipender les romanciers ? A la fin de la vingtaine de pages qu'il consent à consacrer aux affaires du roman dans les quatre tomes de ses *Querelles littéraires*, l'abbé Irailh, après avoir condescendu à distribuer sans enthousiasme et non sans dédain quelques maigres couronnes, n'en conclut pas moins, comme la grande majorité de ses confrères, que le roman est un genre irrémédiablement inférieur et que les romanciers ne mériteront jamais d'être traités de pairs à compagnons par les vrais écrivains : « Ceux-ci les regarderont toujours comme les grands peintres regardent les barbouilleurs d'éventails et de colifichets (1). »

(1) Irailh, *op. cit.*, t. II, p. 353.

CHAPITRE VIII

FÉMINISME ET ROMAN

Le fait qu'il n'existe, semble-t-il, pas d'étude vraiment sérieuse et satisfaisante ni sur l'histoire des œuvres littéraires françaises écrites par des femmes, ni sur l'influence exercée par les femmes sur les diverses époques de la littérature française, est peut-être le signe que ce sont là des questions mal posées ou de faux problèmes. Ou bien est-ce une indication de la difficulté d'aborder avec l'impassibilité qui convient au chercheur soucieux d'objectivité critique des sujets d'apparence aussi légitimement passionnante ? Sans vouloir préjuger des réponses qu'il convient d'apporter à ces problèmes, il nous a semblé que l'examen des questions auxquelles ont touché les chapitres précédents demeurerait trop évidemment incomplet, si le rôle joué par les femmes ou peut-être, plus particulièrement, par les idées féministes ou antiféministes, restait entièrement dans l'ombre, si nous renoncions à toucher à des questions aussi confuses et aussi brûlantes.

En effet, l'époque envisagée ici dans l'histoire de la littérature française est de toute évidence celle au cours de laquelle le genre du roman a commencé à prendre dans la vie littéraire la position prépondérante qu'il y a indéniablement occupée au cours du XIXe siècle et dont il n'est pas sûr qu'il ait jamais été évincé depuis. Or, comme on s'accorde généralement à penser que les femmes jouèrent un rôle de première importance dans l'intronisation du genre romanesque, il en découle inévitablement qu'une étude telle que celle-ci demeurerait boiteuse si elle n'essayait pas tout au moins de sonder la véracité de ces allégations à l'époque qu'elle a choisi d'examiner.

I

La moins décevante sans doute des études consacrées à l'histoire des femmes de lettres françaises est la petite *Histoire de la littérature féminine en France* publiée en 1929 par Jean Larnac. Solidement documentée, elle cède sans doute trop facilement à la tentation d'admettre sans assez de discernement ni de jugement critique plusieurs de ces idées reçues que *le Deuxième sexe* de Simone de Beauvoir pare éloquemment du nom de *mythes*. Elle contribue donc à les perpétuer, et quelques-unes de ses interprétations, comme on le verra plus loin, en souffrent certainement. Ce qui doit pourtant retenir notre attention ici, c'est qu'après avoir parcouru avec compétence et brio le vaste panorama qui se déroule à travers les siècles, de Marie de France à Colette, l'une des conclusions purement statistiques et objectives auxquelles parvient Jean Larnac est que les femmes de lettres françaises se sont surtout distinguées dans le genre du roman. L'auteur parle d'une « armée de romancières », déclare que le genre romanesque est « un fief des femmes », etc. (1). Quoique le roman français ne compte sans doute pas autant d'étoiles de première grandeur dues à des plumes féminines que le roman anglais, le bien-fondé de l'observation de Jean Larnac ne sera sans doute pas contesté. Il apparaît même plus certain peut-être à l'époque envisagée ici qu'à tout autre moment de l'histoire littéraire française, le deuxième après-guerre mis à part. Les années au cours desquelles parurent les grands succès de Mmes de Tencin, de Graffigny et Riccoboni, pour ne citer les noms que des moins oubliées, confirment avec éclat la remarque sur laquelle la plupart de nos contemporains s'accorderont, à savoir que la littérature française comporte — même si l'on tient compte des proportions relatives — un nombre plus élevé de romancières que de poétesses, de dramaturges, d'épistolières, d'essayistes, etc.

Du reste, si l'on prend la question dans l'autre sens, on rencontre généralement un ensemble d'opinions en accord avec celles-ci. Si l'on demande, par exemple, pourquoi le roman est apparemment le seul genre littéraire moderne authentique que l'Antiquité ait à peu près totalement ignoré, la plupart des gens répondront que l'avènement du christianisme à lui seul peut expliquer cette anomalie, surtout si l'on tient compte de certains

(1) Jean LARNAC, *Histoire de la littérature féminine en France*, coll. « Les Documentaires », Paris, Kra, 1929, p. 251.

de ses corollaires sociaux, tels, par exemple, que l'émancipation des femmes. Notre objet ici est moins de chercher à notre tour la réponse à ce mystère, que d'observer la nature de la clef qui est le plus souvent brandie pour le résoudre. Sans quoi, il y aurait lieu de souligner que, s'il est vrai que le christianisme eut parfois pour résultat une amélioration dans la destinée des femmes, il fut aussi, en particulier dans les premiers siècles, farouchement et radicalement anti-féministe (1).

Si nous consultons, par exemple, Albert Thibaudet sur les raisons pour lesquelles il fut donné aux littératures modernes, sinon de découvrir, du moins d'exploiter pleinement le genre romanesque, nous apprendrons que, selon lui, dans l'Antiquité : « La voie n'était pas libre pour le roman. Elle est libre au Moyen Age, parce que deux publics, inconnus de l'Antiquité, se sont formés sous l'influence du christianisme, celui des pèlerins et celui des femmes (2). »

De manière analogue, dans une conférence de 1886, Brunetière affirmait, sans se soucier, du reste, de le démontrer avec beaucoup de rigueur, « que l'on commettrait un inexcusable oubli si l'on ne reportait à l'influence des salons et des femmes une part des origines du drame et du roman modernes » (3).

Plus tôt encore, dans une étude à la fois fumeuse, arbitraire, mal écrite et quelquefois étonnamment brillante, parue dans la *Revue des Deux-Mondes* de 1842, Philarète Chasles, méditant avec effervescence sur les « sources morales du roman moderne », discernait quatre causes importantes qu'il caractérisait et définissait arbitrairement de la manière suivante : le principe germanique de l'individualisme ; le principe chrétien de la confession ; le principe septentrional de l'examen universel et froid ; et enfin, en quatrième lieu, l'avènement du couple mari-femme, du ménage domestique expliquant le goût nouveau des tableaux d'intérieur, goût dû à l'importance sociale nouvelle des femmes : « L'introduction et l'action des femmes dans la vie privée et même publique se rangent en première ligne parmi les éléments du roman (4). »

---

(1) Cf. *ibid.*, pp. 9-11 ; et surtout Simone de BEAUVOIR, *le Deuxième sexe*, Paris, Gallimard, 2 vol., 1949, t. I, pp. 153-155 et 270-271.

(2) Albert THIBAUDET, « Le liseur de romans », in *Réflexions sur le roman*, Paris, Gallimard, 1938, p. 241.

(3) Ferdinand BRUNETIÈRE, « L'influence des femmes dans la littérature française », in *Questions de critique*, Paris, Calmann-Lévy, 1889, p. 54.

(4) Philarète CHASLES, « Sources germaniques du roman moderne. Naissance du roman au Moyen Age », in *Etudes sur les premiers temps du christianisme et sur le Moyen Age*, Paris, Amyot, 1847, p. 372. Cet essai, intitulé alors « Du roman et de ses sources dans l'Europe moderne », était d'abord paru dans la *Revue des Deux Mondes*, XXX (1842²), pp. 550-574.

Enfin, dès l'aurore du XIXe siècle, le rôle des femmes était déjà invoqué par la femme de lettres qui allait être la plus célèbre de son temps, pour expliquer le développement sans précédent du roman dans les lettres modernes. Mme de Staël écrivait, en effet, en 1800, dans un style beaucoup plus châtié, sinon beaucoup plus limpide que celui de Chasles :

Les romans, ces productions variées de l'esprit des modernes, sont un genre presque entièrement inconnu aux anciens. Ils ont composé quelques pastorales, sous la forme de romans, qui datent du temps où les Grecs cherchaient à occuper les loisirs de la servitude ; mais avant que les femmes eussent créé des intérêts dans la vie privée, les aventures particulières captivaient peu la curiosité des hommes ; ils étaient absorbés par les occupations politiques (1).

Comme l'occasion se présentera mainte fois au cours de ce chapitre de citer sur ce sujet la critique du XVIIIe siècle, qu'il suffise de dire pour le moment que cette idée ne lui était pas inconnue. En fait Huet, dont l'autorité est si fréquemment invoquée à l'époque par les partisans du roman, attribuait déjà en 1670 dans son célèbre traité *De l'origine des romans* la supériorité de la littérature romanesque française sur l'espagnole et l'italienne à la plus grande liberté de la société en France et surtout au rôle éminent joué par les femmes dans la vie de cette société. L'abbé Jaquin, par exemple, renverra son lecteur au traité de Huet sur ce point, après avoir écrit lui-même : « La liberté avec laquelle les dames se conduisent chez nous contribue plus que toute autre chose à multiplier nos romans (2). »

Ces divers témoignages aident à poser avec quelque netteté la double question que ce chapitre tentera de résoudre pour la période en cause ici : d'une part, pourquoi les femmes, lorsqu'elles écrivent, le font-elles si volontiers sous la forme du roman ? Et, d'autre part, quel fut au juste le rôle des femmes dans le développement et les progrès du roman ?

*
* *

La raison primordiale pour laquelle le développement des idées féministes est indissolublement lié à l'évolution du roman tient surtout au rôle prééminent joué dans le roman par l'amour. Dans la conférence prononcée par Brunetière en 1886 et men-

(1) Mme de STAËL, *De la littérature*, Première Partie, chap. IX.
(2) JAQUIN, *Entretiens sur les romans*, p. 116.

tionnée un peu plus haut, après avoir affirmé l'importance du
rôle joué dans la genèse du roman moderne par les femmes, le
critique rend hommage à ses aïeules, les Françaises d'autrefois,
pour avoir réussi à faire de l'amour « en France la grande affaire
de la nation » (1). Il est clair, en effet, tout au moins à l'époque
envisagée ici, que le roman ne se conçoit pas sans une intrigue
amoureuse. Beaucoup des critiques de l'époque, Montesquieu en
particulier (2), reconnaissent que le roman médiéval est né d'une
nouvelle conception de l'amour. Ce n'est qu'en notre siècle qu'on
a cru voir là un enchaînement causal inverse et qu'on a pour
ainsi dire soutenu que notre attitude moderne et occidentale
devant les choses de l'amour avait été en grande partie façonnée
par les grands romans médiévaux, et par *Tristan* tout particulièrement (3). Sous Louis XV, en tout cas, personne ne doutait
que l'amour fût organiquement indispensable au roman moderne,
comme à celui des XIIe et XIIIe siècles, quoique pour des raisons
évidemment très différentes. En fait, c'est sans doute là un des
très rares points sur lesquels soient d'accord à l'époque partisans
et adversaires du roman. Parmi les premiers mentionnons Lenglet-
Dufresnoy qui consacre tout le quatrième chapitre de son traité
De l'usage des romans à l'amour. Le titre du chapitre est à lui seul
prometteur : « L'amour, caractère essentiel d'un roman. Comme
il est en tout, il est nécessaire de le traiter. » Ce chapitre, qui ne
compte pas moins de quarante-cinq pages, commence par les
mots suivants, qui nous suffiront sans doute :

> Mais dans toutes les conditions nécessaires à la structure d'un roman,
> je n'ai rien dit de l'amour qui en est la base et sans lequel cette sorte
> d'ouvrage manquerait de ce qui lui est essentiel pour figurer dans le
> monde en qualité de roman. C'est à quoi je veux remédier par ce
> chapitre (4).

Parmi les adversaires du roman, citons simplement le P. Porée
qui, dans son discours latin de 1736, donne du genre qu'il voue
aux gémonies la définition suivante, d'après la traduction fournie
à l'époque par les jésuites de Trévoux : « Œuvre galante de pure
fiction, dont la fin n'est autre que l'amour profane (5). » De toutes
les définitions du roman que nous avons rencontrées à l'époque,
il n'en est pas une qui ne fasse de l'amour une pièce maîtresse

---

(1) BRUNETIÈRE, *op. cit.*, p. 54.
(2) MONTESQUIEU, *Esprit des lois*, liv. XXVIII, chap. XXII.
(3) Cf. Denis de ROUGEMONT, *l'Amour et l'Occident*, coll. « Présences »,
Paris, Plon, 1939.
(4) LENGLET-DUFRESNOY, *op. cit.*, t. I, p. 221.
(5) *Mémoires de Trévoux*, juin 1736, p. 1453.

essentielle de ce genre littéraire. Cette conception, du reste, devait être remarquablement durable, et, malgré les expériences sans précédent auxquelles se livrèrent les plus originaux des romanciers du XIXe siècle, il n'est pas exagéré de dire que la plupart de nos contemporains s'accorderaient sur ce point avec les critiques d'il y a deux siècles. Pierre Mille, par exemple, affirmait en 1930 que le roman date de cette « invention » de l'amour dont Seignobos, dans sa phrase fameuse, rendait grâce au XIIe siècle, « de sorte que l'histoire du roman, en France, est devenue l'histoire de l'évolution du sentiment de l'amour, en même temps que celle de l'évolution de la société (1). » Poussant son argument et, du coup, dépouillant du titre de romancier des écrivains comme Rabelais ou Swift, Mille décrète sans ambages : « Sans femme et sans amour, pas de roman (2). » Et, en effet, si l'amour est jugé essentiel au roman, les personnages de femmes sont promus du même coup à la première dignité et les héroïnes deviennent strictement les égales des héros de roman. Pas de roman sans amoureuse ou sans bien-aimée. La femme inspirant l'amour, et l'amour inspirant le roman, on s'explique les observations auxquelles invite l'histoire littéraire, comme celle-ci, par exemple, que Prévost eut beau donner au plus célèbre de ses ouvrages le titre d'*Histoire du chevalier des Grieux et de Manon Lescaut*, seules furent retenues les quatre dernières syllabes, évocatrices d'une silhouette féminine ensorceleuse. Quoiqu'il eût sans doute été plus logique et plus conforme à la technique littéraire de ce roman de lui donner pour titre abrégé le nom de son héros, on n'en parla guère que comme de *Manon Lescaut* ou de *Manon*, et cela longtemps avant les opéras de Puccini et de Massenet. A côté de cette « Manon, sphinx étonnant, véritable sirène, cœur trois fois féminin », à qui Musset consacre quatre strophes enthousiastes de *Namouna* sans trouver le moyen d'y mentionner même l'existence de des Grieux, d'autres grands romans du temps sont baptisés du nom de leur héroïne : Marianne, Pamela, Clarisse ou Julie. Que cette prédominance soudaine et frappante des personnages de femmes s'explique, comme l'assure Paul Van Tieghem (3), par le courant sensible, il n'y a pas lieu de le nier, quoique le souvenir d'Iseut la blonde, d'Astrée, de Mme de Clèves ou de la religieuse portugaise fasse penser que le

---

(1) Pierre MILLE, *le Roman français*, « Librairie de Paris », Paris, Didot, 1930, p. 12.
(2) *Ibid.*, p. 14.
(3) Paul VAN TIEGHEM, « Quelques aspects de la sensibilité préromantique dans le roman européen au XVIIIe siècle », *Edda*, XXVII (1927), pp. 146-175.

rapport du roman et des personnages féminins soit inhérent même au genre et n'ait guère été qu'accentué par l'avènement de la « sensibilité préromantique ».

Quoi qu'il en soit, le fait seul que les années 1725-1760 aient été celles du combat décisif livré par le roman contre ses adversaires, permet de juger que de toute nécessité la querelle du roman était, à l'époque, appelée à se placer sur le terrain du féminisme. Notre premier chapitre s'est fait l'écho de certaines des expressions les plus célèbres par lesquelles la critique d'obédience chrétienne avait, au xviiᵉ siècle, signifié sa réprobation du genre qui semblait être voué incurablement au thème pernicieux de la passion amoureuse. Et notre second chapitre s'est efforcé de montrer l'influence aggravante de l'évolution réaliste sur la peinture de la psychologie, voire de la technologie amoureuse. On comprend donc sans peine qu'à l'époque étudiée ici, certaine tradition antiromanesque ait été amenée à condamner plus vivement que jamais la souveraineté de l'amour dans le monde du roman, comme aussi le rôle dissolvant assigné par les romanciers aux plus magnétiques de leurs héroïnes.

II

S'il était donc dans la bonne tradition chrétienne d'un Nicole ou d'un Bourdaloue d'anathémiser le roman, comme aussi le théâtre, parce qu'il importait de condamner, non pas certes l'amour, mais sa représentation, surtout fidèle, c'était une tout autre affaire lorsqu'il s'agissait non plus de l'amour en général, mais des femmes en particulier. Toute *fax satana* qu'elle fût, la fille d'Ève ne pouvait guère, malgré l'antiféminisme farouche des premiers siècles de l'Église, être condamnée uniquement à cause de son sexe. Malgré l'horreur de certains des Pères de l'Église pour ces suppôts du démon, il convient donc d'affirmer dès l'abord que l'antiféminisme de certains des adversaires les plus véhéments du roman au temps de Louis le Bien-Aimé était l'indice de soucis fort différents de ceux de saint Paul ou de Tertullien.

C'est un fait connu et frappant que le recrutement des adversaires les plus farouches du roman se soit longtemps fait — il n'est pas sûr, d'ailleurs, que les choses soient profondément différentes de nos jours — parmi les adeptes des doctrines prêchant la suprématie du sexe masculin et le mépris de l'amour. Et lorsque ces hommes, d'aventure, écrivirent eux-mêmes des romans, ce furent des antiromans, comme ceux entre autres, de Rabelais, de Cervantes ou de Sorel. Il est tout à fait significatif, par exemple, que l'auteur du dialogue sur les *Héros de roman* soit aussi celui de la *Satire X*. De même que Boileau, Voltaire, célibataire et misogyne impénitent, sceptique en matière d'amour comme en tant d'autres, ne perd par une occasion d'exprimer son mépris moqueur pour le roman, ou pour brocarder le beau sexe. En 1764 encore, à un moment où le roman avait clairement commencé à gagner la partie et où il avait consenti lui-même à en cultiver le genre, Voltaire, dont notre introduction a cité des textes antérieurs où il exprime son peu d'estime pour ces écrits, peut encore, pour *la Gazette littéraire* du 30 mai, rédiger ces remarques désobligeantes sur les romans et celles qui les lisent : « Les femmes surtout donnent la vogue à ces ouvrages, qui les entretiennent de la seule chose qui les intéresse (1). »

Mais il ne faudrait pas attribuer exclusivement à la pauvreté de la vie amoureuse d'un Boileau ou d'un Voltaire leur dédain pour le deuxième sexe ; d'abord parce que c'est peut-être l'inverse qui est vrai, à savoir que leur peu de disposition érotique ou simplement galante se serait justifiée par une attitude d'hostilité systématique érigée après coup envers la passion amoureuse. C'est souvent ainsi, en effet, que les choses se passent, les plus belles théories du monde ne servant qu'à couvrir d'un prétexte honorable ce qui est en fait idée innée ou réflexe spontané. Et surtout les deux choses ne vont pas toujours ensemble ; il y eut des adversaires des romans et des femmes qui furent, par ailleurs, non seulement des romanciers, comme Voltaire, mais des amoureux et des amoureux de l'amour, comme Rousseau.

Car c'est surtout Jean-Jacques, beaucoup plus systématique et plus passionné dans son éloquence antiféministe que Voltaire, dont l'attitude est instructive à cet égard, et doit retenir quelque temps notre attention. Auteur d'un roman, le plus grand du siècle, il affirme dans la première préface qu'il écrit pour lui : « Jamais fille chaste n'a lu de roman » ; et dans la deuxième : « Il faut des spectacles dans les grandes villes, et des romans aux peuples corrompus. » Si l'on examine les idées que Rousseau exprime sur ce sujet à divers endroits de son œuvre, on verra sans peine se dessiner une attitude systématique et cohérente qui fait de lui un représentant peut-être inattendu, mais en tout cas parfaitement net, l'un des plus nets à son époque, de l'hostilité combinée vis-à-vis des femmes et des romans.

Le 19 novembre 1760, pour accompagner le manuscrit de la

---

(1) Ed. MOLAND, t. XXV, p. 182.

cinquième partie de *la Nouvelle Héloïse* qu'il soumet à Duclos, Rousseau écrit à celui-ci une lettre où il précise :

> Je persiste [...] à croire cette lecture [de son roman] très dangereuse aux filles. Je pense même que Richardson s'est lourdement trompé en voulant les instruire par des romans ; c'est mettre le feu à la maison pour faire jouer les pompes (1).

Cette allusion réitérée aux filles, impliquant donc clairement que le danger que constitue la lecture des romans dépend du sexe de la personne qui les lit, sous-entend sans aucun doute que, tout au moins sur cette question particulière, les sexes ne doivent pas être traités de même manière. Cette conviction, à son tour, s'appuie sur la croyance, nettement exprimée au début du cinquième livre d'*Émile*, que l'inégalité qu'on aperçoit dans la société entre les deux sexes est un fait raisonnable et naturel, même lorsqu'elle permet à l'homme une morale sexuelle moins scrupuleusement rigoureuse que celle qui est prescrite à la femme :

> La rigidité des devoirs relatifs des deux sexes n'est ni ne peut être la même. Quand la femme se plaint là-dessus de l'injuste inégalité qu'y met l'homme, elle a tort ; cette inégalité n'est point une institution humaine, ou du moins elle n'est point l'ouvrage du préjugé, mais de la raison (2).

Comme on le voit, la pensée de Rousseau semble être tout à fait cohérente et conséquente sur ce point. Elle ne présente ni les bizarreries ni les contradictions qu'on lui reproche quelquefois. Cette impression se confirme, d'ailleurs, lorsqu'on rapproche cet ensemble de textes, très voisins les uns des autres dans le temps, de témoignages un peu plus anciens qui les confirment et les éclairent. Tel est le cas, par exemple, du passage suivant du premier *Discours*, composé en 1749, où Rousseau déplore la pitoyable situation de l'artiste, réduit dans la société moderne à mendier les suffrages particuliers de la partie féminine de son public :

> Tout artiste veut être applaudi. Les éloges de ses contemporains sont la partie la plus précieuse de sa récompense. Que fera-t-il donc pour

---

(1) *Correspondance générale de J.-J. Rousseau*, éd. Th. Dufour et P.-P. Plan, Paris, Armand Colin, t. V (1926), Lettre n° 924, p. 262. Cette idée, comme son expression, se retrouve dans la deuxième préface de *la Nouvelle Héloïse*, parue le 16 février 1761, mais déjà écrite, à ce qu'il semble, en 1759 : « On a voulu rendre la lecture des romans utile à la jeunesse. Je ne connais point de projet plus insensé. C'est commencer par mettre le feu à la maison pour faire jouer les pompes » (*la Nouvelle Héloïse*, éd. D. Mornet, *op. cit.*, t. IV, p. 347 ; *Œuvres complètes*, « Bibliothèque de la Pléiade », t. II, p. 24).
(2) J.-J. ROUSSEAU, *Emile*, éd. citée, « Classiques Garnier », p. 450.

les obtenir, s'il a le malheur d'être né chez un peuple et dans des temps
où les savants devenus à la mode ont mis une jeunesse frivole en état
de donner le ton, où les hommes ont sacrifié leur goût aux tyrans de leur
liberté, où l'un des sexes, n'osant approuver que ce qui est proportionné
à la pusillanimité de l'autre, on laisse tomber des chefs-d'œuvre de
poésie dramatique et des prodiges d'harmonie sont rebutés ? Ce qu'il
fera, Messieurs ? il rabaissera son génie au niveau de son siècle (1).

Rousseau a beau dire dans une note à laquelle renvoie au
bas de la page l'expression « tyrans de leur liberté » qu'il n'est
pas opposé — bien au contraire — à l'ascendant des femmes
sur les hommes, mais qu'il souhaite seulement voir les filles
recevoir une meilleure éducation que ce n'est alors le cas, en fait
l'antiféminisme que Rousseau refoule et nie encore en 1749,
fuse et éclate en 1758 dans ce passage essentiel de sa *Lettre à
d'Alembert* où, à propos des spectacles, la rancune de Rousseau
pour les femmes, aggravée par la crise récente de l'Ermitage,
enfle comme une bouffée de colère généreuse et tourmentée.
L'amant malheureux de Sophie y exprime son dégoût simul-
tané pour l'amour et pour les femmes, et ses références au théâtre
invitent explicitement, semble-t-il, une application au roman :

Les auteurs concourent à l'envi pour l'utilité publique à donner
une nouvelle énergie et un nouveau coloris à cette passion dangereuse ;
et, depuis Molière et Corneille, on ne voit plus réussir au théâtre que
des romans, sous le nom de pièces dramatiques (2).

L'allusion à Racine se précise encore dans l'alinéa suivant
qu'il sera bon de nous rappeler lorsque, un peu plus loin dans
ce chapitre, l'occasion se présentera de considérer la perspicacité
relative des romanciers contemporains sur l'importance grandissante du rôle des femmes dans la société du temps. En tout
cas, la sincérité douteuse de la note de Rousseau au passage
qu'on vient de citer du premier *Discours*, y est démentie. L'ascendant des femmes sur les hommes, qu'il feint d'approuver
vivement en 1749, il ne pense plus qu'à le railler et à le juger
dangereux en 1758 :

L'amour est le règne des femmes. Ce sont elles qui nécessairement y
donnent la loi, parce que, selon l'ordre de la nature, la résistance leur
appartient, et que les hommes ne peuvent vaincre cette résistance

(1) J.-J. ROUSSEAU, *Discours sur les sciences et les arts*, éd. George
R. Havens, New York, M.L.A., 1946, pp. 137-138.
(2) Cette citation, comme la suivante, est empruntée à la *Lettre à d'Alembert*,
éd. M. Fuchs, « Textes littéraires français », Lille, Giard et Genève, Droz,
1948, pp. 62-63.

qu'aux dépens de leur liberté. Un effet naturel de ces sortes de pièces est donc d'étendre l'empire du sexe, de rendre des femmes et de jeunes filles les précepteurs du public, et de leur donner sur les spectateurs le même pouvoir qu'elles ont sur leurs amants. Pensez-vous, Monsieur, que cet ordre soit sans inconvénient, et qu'en augmentant avec tant de soin l'ascendant des femmes, les hommes en seront mieux gouvernés ?

On reconnaît, au début de ce passage, l'argument pseudo-scientifique qui aidera Rousseau à démontrer, dans le passage d'*Émile* cité plus haut, que c'est la nature qui a voulu que la femme fût charnellement plus fidèle que l'homme. Et surtout on sent dans ce morceau l'homme frustré dans son amour pour Mme d'Houdetot et déçu dans son amitié pour Mme d'Épinay. Les années passées à l'Ermitage — en marge de cette société si exquisément féminine, surtout après que le début de la Guerre de Sept Ans eut envoyé plusieurs des hommes aux armées — ces années ont révélé à Jean-Jacques sa propre rancune contre les femmes et contre la culture qu'elles ont façonnée, sinon créée. C'est en réactionnaire qu'il s'exprime ici plutôt qu'en révolutionnaire ; c'est en homme qui s'oppose au courant qui emporte le siècle. *Barbarus hic ego sum*, a-t-il dit fièrement quelques années plus tôt. Fidèle à ce « huronisme », il tonne contre ce que le siècle idolâtre, le théâtre, les femmes et les romans.

Cette opposition dirigée simultanément contre l'égalité des sexes et contre la légitimité du genre romanesque, ou, du moins, ces deux hostilités logiquement dérivées l'une de l'autre et donc organiquement solidaires et interdépendantes, représentent sur la question posée dans le présent chapitre une première attitude claire et nettement tranchée. Elle est la plus rétrograde, et Rousseau est un des plus rétrogrades des esprits qui l'adoptèrent, car il est chronologiquement l'un des derniers à s'y conformer avec tant de véhémence. Ses autres adeptes les plus notoires se rencontrent plus tôt dans le siècle et se recrutent en général moins parmi les simples critiques et moralistes laïcs, que parmi les penseurs qui se placent résolument sur le plan théologique ou religieux. Ce point de vue dévot est, par exemple, celui du P. Porée. Tel développement oratoire de son discours latin de 1736 donne un avant-goût précis du dernier passage cité de la *Lettre à d'Alembert*. Qu'on en juge par les lignes suivantes, transcrites encore une fois d'après la traduction officieuse que donnèrent les Trévoltiens :

Où est cet homme, né pour commander ? Où est cette femme, née pour obéir ? L'un et l'autre ont disparu, ou du moins, ils ont changé d'état : l'un obéit, l'autre domine. [...] Si les romans veulent qu'elles

[les femmes] dominent sur le genre humain et qu'elles règnent dans la société civile, que reste-t-il pour achever de ruiner la modestie ? Les honneurs divins dans l'univers, ou un culte qui en approche. Les romans ne le refuseront pas (1).

Et le P. Porée de poursuivre, avec le pédantisme spirituel de l'érudit qu'il est, en badinant sérieusement sur le *deos fecit timor* de Stace, et en avertissant son public que, faute d'une réaction et d'une répression énergiques, la formule classique « la crainte a fait des dieux », ne tardera pas, grâce aux romans, à faire place à celle, bien plus séditieuse, « l'amour a fait des déesses » !

Sur ce point encore l'abbé Jaquin se bornera en 1755 à paraphraser son illustre prédécesseur : « Les romans ne tendent pas seulement à troubler la paix des familles, ils renversent encore l'ordre le plus nécessaire pour conserver la société. La volonté du Tout-puissant, en formant la femme, était d'en faire la compagne de l'homme et l'ornement de l'univers. Les romans au contraire en font et les tyrans des hommes et les idoles du monde. [...] Que manque-t-il, en effet, dans les romans, à l'apothéose des femmes, sinon des temples et des autels (2) ? »

III

Telle est donc devant la question du roman et des femmes la première position : intransigeante, extrême, absolue, elle est sans doute à l'origine passionnée et irréfléchie, surgie d'un brusque instinct ou d'un réflexe immédiat de défense. Elle représente probablement d'abord un tempérament, plutôt qu'un raisonnement. A côté de cette première attitude, qui aboutit donc à mépriser les romans et les femmes, et celles-ci parce que ceux-là, ou ceux-là parce que celles-ci, on peut observer, dans cette nouvelle querelle des femmes, une deuxième attitude, moins

(1) *Mémoires de Trévoux*, juin 1736, pp. 1486-1487 et 1488-1489. Voici l'original latin de ce texte quelque peu abrégé dans la traduction des *Mémoires de Trévoux* : « ... ubi vir ad imperandum natus ? ubi foemina ad obtemperandum nata ? Neuter superest ; vel de utroque illud vere affirmari potest. Superest vir ; superest foemina ; sed uterque suam in conditione humana vicem mutavit. Obsequitur vir ; foemina dominatur. [...] Dato foeminis dominatu in genere humano, principatu in societate civili, quid restat ad labefactandam earum modestiam, nisi ut in mundo quoque universo divinus ipsis honor, vel divino proximus conferatur ? Neque hoc mundi *Romanensis* conditores denegabunt. Dixit aliquis impius et impurus homo : *Primus in orbe Deos fecit timor*, falsum hoc et stulte pronunciatum. *Dico ego primus in orbe Deas fecit amor, Romaniensis* videlicet... » (Porée, *De libris qui vulgò dicuntur romanses oratio...*, pp. 43-44 et 45).

(2) Jaquin, *op. cit.*, pp. 339 et 341.

systématiquement négative, quoique presque aussi défavorable :
la condescendance. Elle consiste à affecter pour le roman une
certaine indifférence méprisante, une certaine tolérance arrogante et limitée, à condition que ce genre ne prétende pas à plus
qu'à divertir ce sexe enfantin et incurablement frivole qu'est le
public féminin. Pas davantage que la précédente, cette attitude
n'est originale sous Louis XV. Elle remonte au moins à la Renaissance, puisqu'on la trouve déjà exprimée par du Bellay dans la
Deffence et illustration, lorsque le poète réprimande et semonce
« ceulx qui ne s'employent qu'à orner et amplifier nos romans,
et en font des livres, certainement en beau et fluide langaige,
mais beaucoup plus propre à bien entretenir damoizelles qu'à
doctement écrire ». A l'époque qui nous intéresse ici, un homme
comme Collé — représentant à d'autres égards de la tradition
gauloise — exprime assez clairement le point de vue condescendant, lorsqu'il note, en juin 1750, dans son *Journal* que,
si certains types de romans peuvent être acceptables, par exemple
ceux qui « donnent le portrait naïf de la société », comme *Gil Blas*,
ou, mieux encore, ceux qui illustrent « de grands préceptes »,
comme *Télémaque* ; en revanche, « le reste des romans, qui ne
sont que purement romanesques, sont méprisés des personnes
sensées et qui ont du goût, et on les abandonne volontiers aux
femmes et aux jeunes gens qui sortent du collège » (1).

Le même point de vue exactement est exprimé en 1743 par
les *Observations sur les écrits modernes*. Qu'on ne soit pas trop
sévère pour les romans moraux, demande le journaliste : ceux-ci
ne font pas plus de mal que beaucoup d'autres livres. Et s'ils ne
sont pas des chefs-d'œuvre, ils sont vite oubliés et ne sont donc
guère nuisibles : « Les romans médiocres tombent promptement
dans l'oubli ; tels qu'ils sont, ils peuvent amuser des esprits peu
délicats ; ils servent à endormir les dames, et ils se voient enfin
honnêtement métamorphosés en papillotes par leurs femmes
de chambre, après s'en être aussi amusées (2). »

Même un écrivain d'idées aussi avancées que le marquis
d'Argens, auteur, à l'époque, de bien des bagatelles romanesques,
n'hésite pas en 1738 à faire écrire de Paris une de ses *Lettres juives*
par Aaron Moneca demandant à son correspondant Isaac Onis :

Que peut-on penser dans les pays étrangers lorsqu'on voit la plupart
des ouvrages qui paraissent aujourd'hui ? Ce ne sont que des *Histoires*

(1) Charles COLLÉ, *Journal et Mémoires*, éd. Honoré Bonhomme, t. I,
p. 192.
(2) *Observations sur les écrits modernes*, t. XXXI (1742), p. 229. Extrait
de la lettre du 19 janvier 1743.

galantes, dont les meilleures ne sont tout au plus utiles que pour amuser quelques petits maîtres et quelques femmelettes (1).

L'exemple du marquis d'Argens nous invite à observer que cette deuxième attitude, relativement fréquente à l'époque, n'est pas nécessairement, comme la première, le signe d'une misogynie systématique et militante, et ne prouve pas automatiquement que celui qui l'adopte prône aussi la suprématie du sexe masculin. Quoi qu'il apparaisse, nous voilà déjà loin des préventions d'un Porée, d'un Rousseau ou même d'un Voltaire. En effet, à partir de la condescendance, on passe par une multitude de transitions insensibles à une attitude cette fois nettement et honnêtement tolérante, sinon tout à fait favorable. L'un des multiples chaînons transitoires qu'on rencontre à l'époque est, par exemple, le suivant. Si l'on admet, en conformité avec le point de vue condescendant, que les romans sont bons pour les femmes, c'est donc que les femmes en sont d'avides lectrices. N'est-il donc pas dès lors raisonnable de supposer qu'elles ont une grande expérience de ce genre littéraire et qu'elles sont, par conséquent, qualifiées pour juger avec autorité en cette matière ? Au reste, d'Argens lui-même affirmait dans la trente-cinquième des *Lettres juives* que « les dames sont les juges nés de la bonté d'un roman » (2). Autrement dit — et d'Argens en est donc la preuve vivante — de l'admission que les femmes sont les lectrices normales des romans, à celle qu'elles en sont les critiques attitrées, il n'y a qu'un pas. Un autre pas dans la même direction, et l'on admettra qu'elles en sont aussi les auteurs normales. Bref, si les romans sont bons pour les femmes, n'est-il pas juste d'en conclure que les femmes sont bonnes pour les romans ?

Si l'on en vint vite à penser ainsi, la cause qui permettait d'échafauder ce raisonnement tenait au double postulat, sans doute contestable mais assez communément accepté, que l'amour est la condition *sine qua non* du roman, et qu'il joue dans la vie des femmes un rôle prépondérant. Dans un texte de 1764 cité un peu plus haut, nous avons vu Voltaire affirmer malicieusement que si les femmes témoignent de tant de goût pour les romans c'est que ceux-ci « les entretiennent de la seule chose qui les intéresse ». Sorel déjà, déplorant en 1671 l'influence pernicieuse des romans, remarquait que leur vogue était surtout due au public féminin : « En ce qui est des femmes et des filles, elles n'ont garde qu'elles ne chérissent cette sorte de livres, puisque, outre la

(1) D'Argens, *Lettres juives*, t. VI, p. 63.
(2) *Ibid.*, t. I, p. 313.

récréation qu'elles prennent à voir leurs diversités, elles trouvent
qu'ils sont faits principalement pour leur gloire, et qu'à proprement parler, c'est le triomphe de leur sexe (1). » Cet argument
très probablement conforme à la vérité est à peu près universellement accepté à l'époque qui nous intéresse. Il faut s'adresser
à un homme aussi ignorant — et pour cause ! — du tempérament
féminin que le sodomite Desfontaines, pour trouver un critique
de l'époque qui s'étonne de ce goût des femmes pour les romans.
Mais, même dans ce cas extrême, ce goût lui-même n'est pas mis
en doute :

> Que le cœur des femmes est bon ! qu'elles sont indulgentes ! Ce sont
> elles qui donnent la vogue à des livres où l'on tourne presque toutes
> leurs pensées du côté du plaisir grossier, où l'on empoisonne toutes
> leurs actions, où l'on révèle toutes leurs faiblesses, où leur sagesse est
> donnée pour l'effet de leur laideur, où leur piété est travestie en hypo-
> crisie abominable, et corporisée par la grâce ; où les gestes les plus
> innocents, les moindres regards d'une jeune fille sont interprétés en
> mauvaise part, où enfin le cœur de toutes les femmes, malignement
> anatomisé, n'offre aux yeux du lecteur que de la corruption et de la
> turpitude. Que les femmes sont peu sensibles sur l'honneur de leur sexe,
> et qu'il est aisé de les éblouir (2) !

Malgré un cas aussi exceptionnel que celui-ci, personne dans
l'ensemble ne douta à l'époque ni de la prédilection des femmes pour
les romans, ni du bien-fondé d'une telle prédilection pour des
ouvrages dont les auteurs courtisaient ouvertement leurs suffrages.
Une autre observation, inévitable à l'époque, ajoutait sa vertu
persuasive et tendait à faire conclure que les femmes surtout
étaient douées pour le roman. Cette observation portait tout simplement sur l'exemple de tant de romancières à succès. Sans doute le
XVIIᵉ siècle avait-il déjà connu ce phénomène, même si Mlle de
Scudéry et Mme de Lafayette ne signaient pas leurs romans ;
et les épigones de cette dernière, Mme d'Aulnoy ou Mme de Villedieu avaient remporté, elles aussi, des succès impressionnants.
Mais ceux-ci n'avaient pas suffi, semble-t-il à convaincre les
esprits de la prédestination des femmes à la carrière de romancière. Même les romans, pourtant fort lus à l'époque, que Mme de
Tencin fit paraître en 1735 et 1739 n'y parvinrent que beaucoup
plus tard. Il faudra attendre, par exemple, que les *Mémoires du*

(1) Ch. SOREL, *De la connaissance des bons livres...*, p. 136.
(2) *Observations sur les écrits modernes*, t. I (1735), pp. 335-336. Le contresens de l'abbé Desfontaines est d'autant plus grave que ces lignes sont inspirées
par la Vᵉ Partie du *Paysan parvenu*. La fin du présent chapitre rappellera, au
contraire, les sentiments de profond féminisme de Marivaux.

comte de Comminge inspirent en 1767 à Dorat une de ses *Héroïdes*, pour lire, à propos de ce roman de Mme de Tencin, un commentaire comme celui-ci sous une plume masculine :

Les femmes auteurs conservent, pour la plupart, dans leur style, un caractère de tendresse et de séduction qui les distingue : elles ont, si on peut le dire, plus de souplesse dans le cœur, et possèdent mieux que nous le grand art des développements : l'on dirait que l'attrait de leur sexe se communique à leurs ouvrages : elles excellent surtout dans les peintures où l'amour est la nuance qui domine : l'habitude de ce sentiment leur en facilite l'expression ; et en général toutes les vertus, toutes les passions d'instinct sont faites pour leur âme et pour leur pinceau (1).

Mais, entre l'époque de la chanoinesse de Tencin et celle du chevalier Dorat, le siècle avait retenti des succès romanesques féminins les plus décisifs, notamment en 1747 celui des *Lettres d'une Péruvienne* de Mme de Graffigny, suivi surtout de celui des multiples *best sellers* de Mme Riccoboni, dont la série commença à paraître en 1757 avec les *Lettres de mistress Fanni Butlerd*, suivies de près par l'*Histoire de M. le marquis de Cressy* (1758), et par les *Lettres de milady Juliette Catesby* (1759) (2).

C'est, en effet, surtout l'extraordinaire succès de Mme Riccoboni, succès persistant appelé à susciter dans les années 1780 l'admiration débordante qu'auront pour son talent des écrivains aussi inattendus dans ce rôle que Restif ou Laclos, qui explique comment, dans le dernier quart du siècle, la notion de la prédestination des femmes à la carrière de romancière est devenue un véritable lieu commun de la critique. On en jugera par les quelques exemples que voici.

Quelque peu misogyne lui-même, encore que, on le sait, amateur effréné de femmes, Restif, grand admirateur de la créatrice de Fanny Butler, de Juliette Catesby et d'Ernestine, définit dans un texte publié en 1786 et que nous avons déjà cité, le roman riccobonesque : « Ce genre aimable moral, quoique léger, où le style de femme se fait sentir (3). » Sébastien Mercier termine à la même époque le chapitre qu'il consacre dans son *Tableau de Paris* aux « Femmes-Auteurs » par ces lignes douces-amères, mais sensibles et pénétrantes, sur les romancières :

Et s'il faut un luxe aux grandes sociétés, quel luxe plus heureux et plus agréable que les ouvrages d'un sexe où nous aimons à aller chercher

(1) C. J. DORAT, Préface à son héroïde : « Lettre du comte de Comminges », in *Œuvres complètes*, Neuchâtel, 6 vol., 1776, t. I, pp. 27-28.
(2) Cf. Emily CROSBY, *Une romancière oubliée, Mme Riccoboni*, Paris, Rieder, 1924, pp. 37-39.
(3) RESTIF DE LA BRETONNE, *op. cit.*, t. II, p. 346.

les idées et les sentiments qui reposent au fond de leur âme, et qui se développent peut-être avec plus de franchise dans leurs écrits que dans leurs regards et dans leurs paroles (1).

Laclos, dont la correspondance avec Mme Riccoboni à l'occasion de la publication des *Liaisons dangereuses* révèle l'admiration qu'il nourrit lui aussi pour l'œuvre de la romancière, est plus formel encore. Dans le compte rendu qu'il donne en 1784 au *Mercure* de la *Cecilia* de Fanny Burney, Laclos affirme didactiquement qu' « observer, sentir et peindre, sont les trois qualités nécessaires à tout auteur de roman », que tout romancier doit avoir « à la fois de la finesse et de la profondeur, du tact et de la délicatesse, de la grâce et de la vérité », et surtout « cette sensibilité précieuse, sans laquelle il n'existe point de talent, et qui elle seule peut les remplacer tous ». Enfin, sur la base de conditions aussi exigeantes et aussi révélatrices de leur époque, l'auteur des *Liaisons dangereuses* de conclure : « C'est d'après cette manière de voir et de penser que nous croyons les femmes particulièrement appelées à ce genre d'ouvrages (2). »

La Harpe, de son côté, critique souvent plus avisé et moins étroit qu'on ne le dit parfois, mais péchant par l'excès de pompe et de grandiloquence du style en honneur sous le Directoire, déclare tout aussi nettement que Laclos quelques années plus tard :

Les romans sont de tous les ouvrages d'esprit celui dont les femmes sont le plus capables. L'amour, qui en est toujours le sujet principal, est le sentiment qu'elles connaissent le mieux. Il y a, dans la passion, une foule de nuances délicates et imperceptibles, qu'en général elles saisissent mieux que nous, soit parce que l'amour a plus d'importance pour elles, soit parce que, plus intéressées à en tirer parti, elles en observent mieux les caractères et les effets (3).

Sade lui-même, grand admirateur et émule de Mme de Lafayette, répliquait à peu près au même moment à ceux qui pouvaient encore douter de la supériorité des femmes dans le genre romanesque : « Comme si ce sexe, naturellement plus délicat,

(1) Sébastien Mercier, *Tableau de Paris*, nouv. éd., Amsterdam, 12 vol., 1782-1788, chap. DCCCXLV, t. X, pp. 339-340. Se trouve aussi dans l'édition abrégée de Gustave Desnoireterres, Paris, Pagnerre & Lecou, 1853, p. 37.
(2) Laclos, *Œuvres complètes*, éd., Maurice Allem, Bibliothèque de la Pléiade, p. 525.
(3) La Harpe, *Lycée, ou Cours de littérature ancienne et moderne*, 1ʳᵉ éd., Paris, Agasse, 16 vol., 1799-1805, t. XIV, p. 252 ; éd. Didot, t. XIV (1822), p. 265.

plus fait pour écrire le roman, ne pouvait en ce genre, prétendre à bien plus de lauriers que nous (1). »

Enfin Mme de Genlis, en préface à son gros ouvrage *De l'influence des femmes sur la littérature française*, attribue à leur manque « d'études et de hardiesse » le fait que les Françaises aient peu cultivé le théâtre et la poésie, mais affirme qu'elles ont souvent surpassé les hommes dans d'autres genres littéraires, en particulier dans le roman : « *La Princesse de Clèves*, les *Lettres péruviennes*, les *Lettres de Mme Riccoboni*, les deux derniers romans de Mme Cottin sont infiniment supérieurs à tous ceux des romanciers français, sans en excepter ceux de Marivaux, et moins encore les ennuyeux et volumineux ouvrages de l'abbé Prévost (2). »

IV

Si, au risque même de pécher par cuistrerie, nous avons accumulé tant de citations, c'est surtout parce qu'elles permettent clairement de juger combien pauvres sont les tentatives d'explication avancées par ce concert des écrivains de la fin du siècle. Et pourtant toutes ces mauvaises raisons, par lesquelles ils prétendaient expliquer ce qui rend les femmes spécifiquement aptes à écrire des romans, ont été reprises inlassablement au cours du XIXe siècle, et pas seulement par la critique positiviste. En fait on les retrouve encore, identiques à elles-mêmes, en notre XXe siècle qui se veut et se croit si peu moutonnier en pareille matière. Jean Larnac n'hésite pas à s'en faire le porte-parole lorsque, par exemple, observant le grand nombre de femmes qui choisirent la forme du roman pour s'y exprimer, il n'hésite pas à écrire : « Parce qu'elles ont une intense vie senti-mentale, l'amour sous tous ses aspects fait le centre de leurs romans (3). » Et Pierre Mille, de son côté, ne craint pas non plus, au même moment, de généraliser et d'user d'induction pour appliquer à tout le sexe féminin les caractéristiques qu'il croit avoir observées chez quelques-unes de ses représentantes, et qu'il

(1) SADE, *Idée sur les romans*, Palimugre, pp. 27-28.
(2) Comtesse de GENLIS, *De l'influence des femmes sur la littérature française, comme protectrices des lettres et comme auteurs, ou Précis de l'histoire des femmes françaises les plus célèbres*, Paris, Maradan, 1811, p. VII. Les romans en question de Mme COTTIN sont sans doute les deux derniers qu'elle fit paraître avant sa mort : *Mathilde* (1805) et *Elisabeth* (1806). En réalité Mme de Genlis jugeait sans aucune indulgence les ouvrages de sa consœur et rivale Mme Cottin. Sur les rapports des deux dames, cf. L. C. SYKES, *Madame Cottin*, Oxford, Blackwell, 1949, pp. 224-228.
(3) Jean LARNAC, *op. cit.*, p. 252.

aurait sans doute pu observer tout aussi aisément chez divers
ressortissants de l'autre sexe :

> Toute femme, même toute petite fille, a une histoire à raconter : la
> sienne, ou même et surtout l'histoire qu'elle voudrait qu'il lui arrivât.
> Elle est ainsi essentiellement mythomane, et la mythomanie est la mère
> de l'invention ; au surplus, observatrice. Il peut seulement advenir que
> cette histoire, la sienne, telle qu'elle la veut, ou celle de son rêve, soit
> la seule qu'elle ait à nous dire (1).

Contentons-nous de ces deux témoignages de 1929 et 1930,
mais en sachant bien qu'il ne serait pas difficile de trouver, un
bon quart de siècle plus tard, des raisonnements aussi péremp-
toires, aussi suffisants, aussi creux et aussi fantaisistes que ceux-ci,
suggérés à des journalistes en mal de copie, et même parfois à de
bons critiques littéraires, par les succès sensationnels de telle ou
telle romancière du second après-guerre. Pourquoi les femmes
écrivent-elles des romans ? A la suite du passage cité plus haut,
Philarète Chasles en donnait déjà la « raison » suivante : « Elles
possèdent, comme on le sait, le don d'observation analytique et
le discernement des caractères : elles en ont besoin, étant faibles (2). » Dans sa conférence déjà citée de 1886, Brunetière, lui,
avance, sérieusement, semble-t-il, que, si les femmes jouèrent un
si grand rôle dans la formation du roman moderne, c'est parce
que, seules dans une littérature nationale « raisonnable » et
« intellectuelle », elles ont le goût du sentiment. Quant à La Harpe,
on vient de le voir, il croit que les femmes écrivent des romans
parce qu'elles sont vouées par leur nature à s'intéresser plus que
les hommes aux choses de l'amour, donc à les mieux connaître.
On est stupéfait et désarmé devant la naïveté désagréablement
arrogante et toute gonflée de la croyance fondamentale en la
suprématie du sexe masculin, avec laquelle les esprits les plus
graves et les plus pondérés peuvent, lorsqu'il s'agit du beau sexe,
colporter sur le ton de M. Prudhomme les légendes les plus ineptes.
Finesse, délicatesse, sensibilité, sentimentalité, autant de fausses
idées reçues tendant à différencier trop radicalement le sexe
féminin du masculin, et qui remontent à ces mythes de la femme que
dénonce Mlle de Beauvoir, tout en y sacrifiant parfois elle-même.
Ce n'est, toutefois, pas uniquement parce que ces prétendues
raisons remontent à des mythes qu'elles sont privées de toute
vertu explicative. En effet, dans la mesure où l'on croit à ces

(1) Pierre MILLE, *op. cit.*, pp. 124-125.
(2) Philarète CHASLES, *op. cit.*, pp. 372-373.

mythes, dans la mesure surtout où les femmes y croient, ils peuvent très bien expliquer la vocation de certaines romancières, ou, mieux encore, permettre de comprendre certaines directions dans lesquelles se sont si souvent engagées les romancières françaises d'Hélisenne de Crenne à Françoise Sagan, en passant par Mme de Lafayette, Mme de Graffigny, George Sand et Colette. Mais cela n'est évidemment pas suffisant pour affirmer qu'ainsi s'explique pourquoi les femmes sont destinées, quand elles prennent la plume, à écrire des romans.

Une autre raison avancée par Jean Larnac n'apparaît guère plus suffisante ni moins douteuse, quoique beaucoup plus intéressante :

> Dans le roman, nulle règle, en effet, n'entrave l'essor de la sensibilité et de l'imagination. Aucun Boileau n'a défini ce genre. [...] C'est en somme, un moule élastique où l'on jette tout ce que l'imagination, si dévergondée qu'elle soit, peut suggérer. Sans doute pourquoi il convient si bien aux femmes, ennemies de toute contrainte (1).

Une pareille réflexion — d'ailleurs moins erronée à tous égards sous Louis XIV ou Louis XV que de nos jours — a le mérite au moins d'éloigner la discussion du terrain socio-sexuel et, malgré la monstrueuse notion que se fait l'auteur de ce que c'est qu'un roman, de remettre la question sur le plan qui lui convient, qui est celui des idées et des formes littéraires. Il n'est pas impossible, en effet, que l'absence de règles ait été pour quelque chose dans l'attraction que le roman a exercée à certains moments sur les talents littéraires féminins. Quelques critiques, au nombre desquels se range Jean Larnac, affirment, en vertu sans doute du mot quelque peu irréfléchi de La Bruyère (2), que c'est la même

---

(1) Jean LARNAC, *op. cit.*, pp. 251-252.
(2) Parlant, à propos des lettres de Balzac et de Voiture, du genre épistolaire, LA BRUYÈRE écrit que seules les femmes savent y mettre du sentiment : « Ce sexe va plus loin que le nôtre dans ce genre d'écrire. Elles trouvent sous leur plume des tours et des expressions qui souvent en nous ne sont l'effet que d'un long travail et d'une pénible recherche. [...] Si les femmes étaient toujours correctes, j'oserais dire que les lettres de quelques-unes d'entre elles seraient peut-être ce que nous avons dans notre langue de mieux écrit » (*Caractères*, « Des ouvrages de l'esprit », 37). Malgré les fleurs, ce passage cache mal la condescendance masculine de l'auteur. Au reste, La Bruyère est cet autre célibataire qui affirme (« Du mérite personnel », 25) : « Un homme libre, et qui n'a point de femme, s'il a quelque esprit, peut s'élever au-dessus de sa fortune, se mêler dans le monde, et aller de pair avec les plus honnêtes gens. Cela est moins facile à celui qui est engagé : il semble que le mariage met tout le monde dans son ordre. » Partisan des Anciens, il réplique, dans la 7ᵉ éd. des *Caractères* (1692) aux féministes de son temps : « Pourquoi s'en prendre aux hommes de ce que les femmes ne sont pas savantes ? Par quelles lois, par quels édits, par quels rescrits leur a-t-on défendu d'ouvrir les yeux et de lire, de

absence de règle dans le genre épistolaire qui explique l'abondance des excellentes correspondances féminines. Mais n'est-ce pas une fâcheuse erreur d'optique qui induit beaucoup de critiques à s'hypnotiser sur les lettres, assurément remarquables, de Mme de Sévigné, de Mme du Deffand ou de Mlle de Lespinasse, en négligeant, parce que leurs auteurs se signalèrent aussi par d'autres talents littéraires, celles de Bussy, de Voltaire ou de Diderot ?

Même donc si le manque de règles dans le genre romanesque y attira peut-être certaines femmes de lettres, on voit mal comment ce mouvement spontané vers un genre à proprement parler irrégulier pourrait être relié logiquement à un goût hypothétique des femmes pour l'amorphe ou l'anarchique. L'impatience vis-à-vis des contraintes et des règles, l'histoire littéraire des cent cinquante dernières années — comme aussi l'expérience de toute maîtresse d'école — nous a assez appris qu'elle saisissait aussi les hommes. Et surtout est-il bien vrai que les femmes, habituées par des coutumes ancestrales à jouer un rôle social et économique inférieur, et à se soumettre aux lois des hommes, soient « ennemies de toute contrainte » ? Ne serait-il pas tentant de démontrer au contraire que leur sexe sait beaucoup mieux que le prétendu fort se plier aux contraintes et s'en accommoder ? Mais toute cette confusion est plutôt le signe que la question est tout simplement mal posée. Si l'on observe, d'une part, que le roman n'a pas de règles, et d'autre part, que les femmes écrivent des romans, pourquoi établir un rapport causal nécessaire entre la première observation et la seconde, sinon parce que préexiste dans notre esprit la notion mythique que les femmes ne reconnaissent aucune discipline ? Cherchons donc une autre voie.

Si, dès le XVIIe siècle, et, très clairement encore, au cours du XVIIIe, tant de femmes écrivirent tant de romans, ce n'est pas directement parce que ceux-ci n'étaient pas assujettis aux règles, mais bien en vertu précisément de la raison, analysée dans notre premier chapitre, pour laquelle ils n'y avaient pas été assujettis ; autrement dit parce que c'était un genre roturier, méprisé, paria,

---

retenir ce qu'elles ont lu, et d'en rendre compte ou dans leur conversation ou par leurs ouvrages ? Ne se sont-elles pas au contraire établies elles-mêmes dans cet usage de ne rien savoir, ou par la faiblesse de leur complexion, ou par la paresse de leur esprit ou par le soin de leur beauté, ou par une certaine légèreté qui les empêche de suivre une longue étude, ou par le talent et le génie qu'elles ont seulement pour les ouvrages de la main, ou par les distractions que donnent les détails d'un domestique, ou par un éloignement naturel des choses pénibles et sérieuses, ou par une curiosité toute différente de celle qui contente l'esprit, ou par un tout autre goût que celui d'exercer leur mémoire ? » (« Des femmes », 49.)

déshérité, et que les hommes leur avaient plus ou moins consciemment abandonné, un peu comme une grande dame abandonne son chapeau démodé à sa femme de chambre. Selon cette hypothèse, il s'agirait donc au fond des effets de ce curieux phénomène socio-psychologique qu'est le snobisme. Comme on ne l'ignore pas, le snobisme est une de ces forces réversibles qui peuvent tirer dans un sens ou dans l'autre alternativement, pousser ses adeptes dans la direction de la mode à condition que celle-ci soit limitée à un groupe restreint et « distingué » de pratiquants, ou les pousser au contraire contre le courant de la mode si celle-ci est devenue à proprement parler « vulgaire ».

Or ce n'est pas un hasard, pensons-nous, si *la Princesse de Clèves*, à sa date sans doute le chef-d'œuvre de son genre, est due à une femme et surtout à une grande dame. Seule, en effet — pourrions-nous dire si on nous passait l'hyperbole — une comtesse pouvait en 1678 se permettre de prendre la plume sans trop se soucier de l'opinion des cuistres et des académiciens. Seule surtout elle pouvait se permettre d'avoir du succès, un succès qui, chez un pensionné à l'affût de quelque sinécure royale, eût risqué de faire scandale, de lui fermer les portes de l'Académie et peut-être de le faire rayer de la liste des beaux-esprits émargeant au Trésor.

Si l'on accepte cette hypothèse, nous l'étendrons et dirons que ce qui est vrai de la romancière l'est aussi un peu de la lectrice. Quand on parcourt, par exemple, les lettres, déjà mises à contribution dans notre premier chapitre, écrites au cours de l'été 1671 par Mme de Sévigné, alors qu'elle relisait les douze tomes (4 153 pages !) de la *Cléopâtre* de La Calprenède, on se demandera peut-être s'il n'est pas vrai que seule une marquise pouvait se permettre alors le luxe et la coquetterie, périlleuse pour une dame de moins haut parage, d'afficher avec tant de faiblesse et de fausse modestie une pareille prédilection pour la mauvaise littérature. Qu'on en juge par ce passage de sa lettre du 5 juillet à sa fille, passage qui commence précisément par cette figure favorite du snobisme, la prétérition :

... je n'ose vous dire que je suis revenue à *Cléopâtre*, et que par le bonheur que j'ai de n'avoir point de mémoire, cette lecture me divertit encore. Cela est épouvantable ; mais vous savez que je ne m'accommode guère bien de toutes les pruderies qui ne me sont pas naturelles ; et comme celle de ne plus aimer ces livres-là ne m'est pas encore entièrement arrivée, je me laisse divertir sous le prétexte de mon fils qui m'a mise en train (1).

(1) Lettre du 5 juillet 1671, éd. citée, t. I, p. 325.

Ainsi va le snobisme à rebours des vraies marquises : la bonne société, « la ville », les beaux esprits sont au-dessus de la vogue des romans jugés tout juste bons pour les Mascarille et les « pecques provinciales ». Donc, pour se distinguer de cette bonne société et de ces beaux-esprits trop uniformes dans leur non-conformisme moutonnier, on lit des romans, mais on les juge « épouvantables ». Autrement dit, quand on est une grande dame, on ne suit pas la mode : on la lance.

Pour étouffer la mauvaise conscience qu'elle éprouve peut-être ou qu'elle croit devoir éprouver à consacrer son temps à relire les écarts de plume du prolixe romancier gascon, pour dissimuler ce qui fut peut-être un mignon petit complexe de culpabilité, Mme de Sévigné exagère de parti pris la gravité de son encanaillement volontaire, un peu comme les marquises d'aujourd'hui qui veulent fréquenter les bars louches.

En tout cas la mode que lança la comtesse de Lafayette avec *Zaïde*, plus encore sans doute qu'avec les deux *Princesses* qui l'encadrent, fut l'une des plus soudaines, des plus puissantes et des plus durables. On peut la mesurer au nombre de ses imitatrices aux noms plus ou moins aristocratiques qui, pendant un siècle, s'efforceront en vain de retrouver le secret de ces romans, qui n'étaient plus des romans, qui étaient plus que des romans, et qui réussissaient à emporter les suffrages de ceux-là mêmes qui méprisaient les romans : Mme de Villedieu et Mme d'Aulnoy, Mlle de La Rocheguilhem et Mlle de La Force, Mme Petit-Dunoyer et Mme Durand-Bédacier, Mme de Fontaines et Mme de Murat, Mlle Bernard et Mlle l'Héritier, Mme de Lubert, Mlle de Lussan, Mme de Tencin, Mme de Gomez, etc. (1). En fait, dès les dernières années du XVIIe siècle, Bayle pouvait noter dans son *Dictionnaire* : « Nos meilleurs romans français depuis long-temps se font par des filles ou par des femmes (2). » Et l'abbé de Laporte pouvait, en 1769, chanter prodigalement leurs louanges tout au long des cinq gros volumes de son *Histoire littéraire des femmes françaises*. Et Jean-François Ducis, faisant devant l'Académie française l'éloge funèbre de Voltaire, pouvait affirmer en 1779 que celui-ci avait « pour ainsi dire ôté l'empire du roman aux femmes, qui de tout temps y avaient régné (3) ». Mais tout

---

(1) Cf. par exemple, Pierre-Maurice MASSON, *Madame de Tencin*, Paris, Hachette, 1910, pp. 158-162.
(2) P. BAYLE, *Dictionnaire historique et critique*, article « Virgile », n. A.
(3) J.-F. DUCIS, « Discours prononcé dans l'Académie française, le jeudi 4 mars 1779, par M. Ducis, qui succédait à Voltaire », in *Œuvres de J.-F. Ducis*, éd. Auger, Paris, Nepveu, 1827, p. 13.

est relatif et rien ne vaut le sang-froid du compilateur de statistiques pour nous inviter à observer quelque mesure : de 1700 à 1750, M. Jones, sur l'autorité et l'érudition de qui on peut compter, a identifié 344 différents auteurs de romans, dont 43 seulement sont des femmes (1). Même réduit à ses proportions réelles ce chiffre nous semble considérable et demeurerait inexplicable, si l'on ne faisait intervenir la notion de mode et de snobisme — de snobisme, cette fois, s'exerçant dans le sens contraire à celui qu'illustrait Mme de Lafayette en se faisant romancière au temps de la *Princesse de Montpensier*.

Les femmes, qui, dit-on, soumettent si volontiers aux caprices de la mode leur coiffure, leur parure, leur toilette, leur conduite, voire le choix de leurs fournisseurs ou de leurs amants, pouvaient seules dans une société conformiste comme celle des ruelles louis-quatorziennes, se permettre — suprême élégance et bienheureux snobisme — d'afficher en littérature un non-conformisme salutaire, qui finit bien entendu par subir le sort commun, et par se transmuer en mode. La leçon de cette escarmouche serait peut-être que, lorsque la critique est assez authentiquement réactionnaire pour juger la production des écrivains contemporains d'après les critères dérivés de chefs-d'œuvre vieux d'un demi-siècle — ce fut là, nous l'avons vu, la sottise des plus obtus de nos pourfendeurs de romans et de nos misogynes des années 1725-1760 — la conséquence en est quelquefois que, loin de ralentir le courant contre lequel elle lutte, ses arguments finissent par l'accélérer. C'est ainsi que, pensant flétrir irrémédiablement le roman en le condamnant sans appel à la seule clientèle du sexe, nos contempteurs communs du roman et des femmes ne parvinrent qu'à provoquer la formation contre eux-mêmes d'une coalition invincible de leurs adversaires méprisés. Les romans, dès lors, aidés par les femmes qui en écrivaient d'excellents et mettaient tout le genre à la mode, et les femmes, aidées par les romans qui les célébraient et les adulaient, ne pouvaient pas manquer de triompher ensemble d'une critique fossilisée.

V

Quant aux critiques plus avisés et moins étroits d'esprit qui, sans être toujours enthousiastes, toléraient tout au moins les romans et les femmes, eux aussi, bien entendu, encouragèrent le développement du genre romanesque et hâtèrent peut-être aussi

(1) S. Paul JONES, *op. cit.*, p. xv.

l'émancipation croissante des femmes. Comme Simone de Beau-
voir l'a bien vu, le xvIII^e siècle fut, en effet, une époque où une
plus grande égalité des sexes fut atteinte grâce aux nouvelles
manières tout autant, sinon plus, qu'aux nouvelles idées :

> Les époques qui ont chéri le plus sincèrement les femmes, ce n'est
> pas la féodalité courtoise, ni le galant xIx^e siècle : ce sont celles — le
> xvIII^e siècle par exemple — où les hommes voyaient dans les femmes
> des semblables ; c'est alors qu'elles apparaissent comme vraiment
> romanesques (1).

La réciproque du théorème hasardé tout à l'heure, affirmant
l'équivalence entre mépris des femmes et mépris des romans,
n'est sans doute pas aussi rigoureusement vraie. L'époque connut
des féministes dont la sympathie pour les romans était fort tiède.
Montesquieu, par exemple, si nettement partisan de l'égalité de
sexes s'il faut en croire la trente-huitième de ses *Lettres persanes*,
n'est, dans ses remarques de critique littéraire, guère favorable
au genre romanesque, malgré les quelques illustrations qu'il en
donna lui-même. Un ardent féministe comme Diderot est opposé
tout au moins au roman romanesque, et se rattache donc par ce
trait à la tradition de Rabelais, de Cervantes et des burlesques,
où l'on s'attendrait plutôt à trouver des esprits considérant
ironiquement les femmes du haut de leur mâle grandeur. Et
pourtant, malgré des indications contraires comme celles-ci, il
nous semble qu'une enquête plus poussée révélerait que la plupart
des esprits féministes de l'époque envisagée ici furent tout au
moins tolérants de littérature romanesque, car les deux attitudes
à ce moment sont l'une et l'autre révélatrices d'un même esprit
novateur et progressiste (2).

Dans une très remarquable étude historique sur le développement des idées féministes en France, Georges Ascoli concluait
ses remarques sur la querelle des Anciens et des Modernes par
l'observation suivante : « *Modernisme* et *féminisme* vont donc
ensemble ; ce sont deux aspects d'un même état d'esprit (3). »
Cette réflexion judicieuse s'applique d'elle-même à l'année 1694

---

(1) Simone de BEAUVOIR, *op. cit.*, t. I, p. 393.
(2) Sur la question du féminisme au xvIII^e siècle, de préférence au célèbre
ouvrage des frères GONCOURT sur *la Femme au XVIIIe siècle*, dont l'autorité,
malgré le charme du livre, est sur bien des points douteuse, on consultera la
remarquable thèse de Léon ABENSOUR, *la Femme et le féminisme avant la Révolution*, Paris, Leroux, 1923. Au point de vue littéraire, on tirera surtout profit
des chap. II et VIII de la Première Partie, et de l'ensemble de la IIe Partie.
(3) Georges ASCOLI, « Essai sur l'histoire des idées féministes en France
du xvI^e siècle à la Révolution », *Revue de Synthèse historique*, XIII (1906),
pp. 168-169.

à laquelle songeait Ascoli, au cours de laquelle Perrault, porte-parole des Modernes, répliquait à la *Satire X* de Boileau, porte-drapeau des Anciens, par une éloquente *Apologie des femmes*. Mais elle s'applique tout aussi bien deux tiers de siècle plus tard : à ce moment, 1758-1759, si le modernisme de la fin du XVIIe siècle a finalement eu le dernier mot, il n'en reste pas moins, comme on l'a vu, que la hiérarchie des genres littéraires existe toujours, et que le roman n'en occupe pas encore le sommet. Les modernistes d'alors sont ceux qui luttent pour le faire admettre au droit de cité littéraire. On a vu d'autre part que les adversaires du roman étaient parfois aussi misogynes. Il n'y a donc pas lieu de s'étonner si les nouveaux modernistes furent, comme leur prédécesseur Perrault, féministes. Comme on l'a rappelé un peu plus haut, la *Lettre à d'Alembert*, qui marque en 1758 la rupture définitive de Rousseau avec les philosophes, contient une véhémente digression anti-féministe. Nous avons cité quelques lignes du début de cette digression, mais celle-ci devient beaucoup plus violente quelques pages plus loin et révèle déjà, comme on en trouve la confirmation au cinquième livre d'*Émile*, combien l'auteur du *Contrat social* croyait à la supériorité « naturelle » du sexe masculin. A la manière de Perrault prenant, en 1694, la défense du beau sexe ignominieusement traité par Boileau, d'Alembert, dans la réponse qu'il composa à la lettre de Rousseau, vient chevaleresquement à la défense des femmes et leur consacre plusieurs pages vibrantes d'un enthousiasme, dont il faut sans doute faire l'honneur de l'inspiration à la romanesque Julie de Lespinasse. On y remarque en particulier le passage suivant où d'Alembert vante le talent spécial des femmes pour le roman, et qui se termine par une phrase dont on appréciera tout le piquant si l'on se souvient qu'à ce moment Rousseau était en train de mettre la dernière main à sa *Julie* :

> Nous ne pouvons nous dissimuler que, dans les ouvrages de goût et d'agrément, elles [les femmes] réussiraient mieux que nous, surtout dans ceux dont le sentiment et la tendresse doivent être l'âme ; car quand vous dites qu'*elles ne savent ni décrire, ni sentir l'amour même*, il faut que vous n'ayez jamais lu les *Lettres d'Héloïse*, ou que vous ne les ayez lues que dans quelque poète qui les aura gâtées (1).

Qu'il existe donc un parallélisme certain entre l'acceptation de l'égalité des sexes et l'acceptation de l'égalité des genres

(1) D'ALEMBERT, *Œuvres complètes*, Paris, Belin, 5 vol., t. IV (1822), p. 450. L'ensemble de la lettre occupe, dans cette édition, les pp. 432-458, et la défense des femmes, les pp. 449-453.

littéraires, c'est ce qu'un rapprochement, au premier abord peut-être inattendu et pour certains même choquant, fera ressortir avec encore plus de netteté. A un siècle ou presque d'écart, deux écrivains, dont le premier est autant un idéaliste optimiste que le second est un réaliste pessimiste, écrivirent l'un et l'autre un roman unique à grand succès et à scandale, et un ouvrage libéral sur l'éducation féminine : Fénelon et Laclos. Le traité *De l'éducation des filles*, composé en 1683, parut en 1687 ; quant à *Télémaque*, composé vers 1694-1695, il fut d'abord publié à l'insu de Fénelon en 1699. Laclos, lui, fit paraître ses *Liaisons dangereuses* en 1782 et composa ses diverses réflexions sur l'éducation des femmes vers 1783-1785.

Certes Fénelon nous paraît encore très timoré lorsqu'il s'agit de l'éducation intellectuelle et littéraire des filles, et, pour une princesse, il n'aurait sans doute pas écrit de roman ; mais, quand on le compare sur ce point à ses contemporains et contemporaines, il nous paraît beaucoup moins pusillanime. On s'en rendra vite compte sur la question, par exemple, de la lecture des romans, si on rapproche à ce propos le traité de Fénelon des remarques de l'éducatrice la plus célèbre de l'époque, Mme de Maintenon, qui, par ailleurs, était un peu sa disciple en ces matières. Dans un texte daté du 1er juin 1696, la dame de Saint-Cyr décrète sans ambages :

> Il y a des livres mauvais par eux-mêmes, tels que sont les romans, parce qu'ils ne parlent que de vices et de passions ; il y en a d'autres qui, sans l'être autant, ne laissent pas d'être dangereux aux jeunes personnes, en ce qu'ils peuvent les dégoûter des livres de piété, et qu'ils enflent l'esprit, comme, par exemple, l'histoire romaine ou l'histoire universelle, du moins celle des temps fabuleux (1).

Et si l'on doute encore de la sévérité de l'opinion de Mme de Maintenon sur les capacités intellectuelles de ses consœurs du deuxième sexe, qu'on médite sur la phrase lapidaire et souvent citée qu'elle adresse à l'une des maîtresses de Saint-Cyr, Mme de Viefville, dans la lettre qu'elle lui écrit le 20 décembre 1705 : « La lecture fait plus de mal que de bien aux jeunes filles (2). » Que Mme de Maintenon ait appris à mépriser les femmes auprès de son premier époux, fidèle adepte de la tradition gauloise, ou de son second qui n'était pas loin de croire à sa propre divinité, une

(1) Mme de MAINTENON, *Entretiens sur l'éducation des filles*, éd. Th. Lavallée, Paris, Charpentier, 1854, 8e entretien, p. 21.
(2) ID., *Lettres sur l'éducation des filles*, éd. Th. Lavallée, Paris, Charpentier, 1854, p. 259.

chose est sûre : c'est qu'auprès de déclarations de ce genre, on admirera la modération extraordinaire pour un prélat de l'époque, avec laquelle Fénelon note dans le neuvième chapitre de son traité *De l'éducation des filles* que « le moyen de les dégoûter des fictions frivoles des romans est de leur donner le goût des histoires utiles et agréables ». On remarquera aussi que, avant même de songer à écrire *Télémaque*, il a consacré tout un chapitre de ce même traité, le sixième, à « L'usage des histoires pour les enfants ». Mais la principale audace de Fénelon en la matière fut, alors qu'il était un des archevêques les plus en vue du royaume, de consacrer ses veilles à écrire *Télémaque* qui, quoi qu'on en dît, semblait bien être un roman.

Laclos certes devait aller beaucoup plus loin à tous les égards, jusqu'à proclamer d'une part l'égalité rigoureuse des sexes, injustement violée par la réduction des femmes en esclavage, et, d'autre part, jusqu'à prescrire explicitement de faire une part importante à la lecture des romans dans les programmes d'éducation féminine. Son raisonnement pour justifier un précepte aussi hardi est que la connaissance des événements de la vie privée et quotidienne, qui servent généralement de sujets aux romans, complète de manière édifiante et nécessaire les généralités imprécises et insuffisantes de l'histoire qui, elle, ne se soucie que d'événements publics et politiques : « C'est aux romans à suppléer à cette insuffisance de l'histoire et sous ce point de vue, ils peuvent être d'une grande utilité (1). »

Un pareil jugement, est-il besoin de le dire, est en désaccord flagrant avec à peu près toute la pensée pédagogique du siècle d'*Émile*, même lorsqu'il ne s'agit pas exclusivement d'éducation féminine. En fait, l'une des féministes les plus ardentes et les plus avisées du début du siècle, Mme de Lambert, n'osait pas, et de beaucoup, aller aussi loin. Elle n'hésitait pas à revendiquer pour ses consœurs romancières le droit d'avoir du talent, le droit de ne pas être brocardées par les critiques mâles, ricanants et contents d'eux-mêmes, bref le droit d'être femmes de lettres ; mais elle n'en préférait pas moins que sa fille lût aussi peu de romans que possible, et de préférence aucun. Voici, en effet, comment, dès les premières lignes de ses *Réflexions nouvelles sur les femmes* parues en 1727, elle s'insurgeait contre le sort inique réservé par les citoyens de la République des lettres à leurs concitoyennes :

Il a paru depuis quelque temps des romans faits par des dames, dont les ouvrages sont aussi aimables qu'elles ; l'on ne peut mieux les louer.

(1) LACLOS, *Œuvres complètes*, éd. Maurice Allem, Bibliothèque de la Pléiade, p. 478.

Quelques personnes, au lieu d'en examiner les grâces, ont cherché à y jeter le ridicule. [...] Si l'on passe aux hommes l'amour des lettres, on ne le pardonne pas aux femmes (1).

Malgré une indignation aussi vertueuse et aussi justifiée, la même marquise de Lambert, dans ses *Avis d'une mère à sa fille*, parus en 1728, affirme, comme nous l'avons vu au cours du premier chapitre, que la lecture des romans est « plus dangereuse » que celle de la poésie. Déterminée cependant à faire preuve de modération relative, elle n'en conclut pas à une interdiction totale mais aboutit à une formule plus clairement conciliatrice : « Je ne voudrais pas que l'on en fît un grand usage (2). »

Si l'on veut se faire une idée de la pensée commune à la plupart des esprits sérieux et posés du siècle sur un sujet aussi brûlant, on pourra consulter, pas exemple, le traité célèbre et très influent de Rollin. Publié pour la première fois en 1726, il est à peu près contemporain des écrits cités ci-dessus de Mme de Lambert. Exaltant la vertu pédagogique des études historiques — il est difficile, comme on le voit, d'échapper à l'époque à la comparaison de l'histoire et du roman — et plus particulièrement celle de l'histoire profane, jugée dangereuse par Mme de Maintenon, mais qui, d'après Rollin, est riche de toutes sortes d'enseignements et inculque en particulier le goût du vrai aux jeunes gens, l'auteur du *Traité des Études* déclare :

Cet amour de la vérité, qu'on tâchera de leur inspirer en tout, peut contribuer beaucoup à les garantir d'un mauvais goût, qui autrefois était si commun : je veux dire de la lecture des romans et des histoires fabuleuses, qui étouffent peu à peu l'amour et le goût du vrai, et rendent l'esprit incapable des lectures utiles et sérieuses, qui parlent plus à la raison qu'à l'imagination.

On ne peut trop féliciter notre siècle de ce que, dès qu'on lui a fourni ou des traductions des célèbres auteurs de l'Antiquité, ou des ouvrages modernes dignes de son application, il a abandonné aussitôt, et même rejeté avec mépris, toutes ces fictions ; et de ce qu'il a reconnu que rien en effet ne dégradait davantage l'éminence de la raison humaine, qui est destinée à se nourrir de la vérité, que de se repaître des chimères d'une imagination déréglée, et de s'en rendre le jouet en la suivant dans tous ses égarements. Que si quelquefois on hasarde encore quelques ouvrages de cette nature, on voit, à la gloire de notre temps, qu'ils tombent aussi-

---

(1) Marquise de LAMBERT, *Réflexions nouvelles sur les femmes* ; dans la 2e éd. de ses *Œuvres*, Lausanne, Marc-Michel Bousquet, 1748, pp. 174-175.
(2) ID., *Avis d'une mère à sa fille*, éd. citée, p. 81. On trouvera transcrit ci-dessus, chap. Ier, p. 25, le passage où apparaît cette formule.

tôt dans l'oubli, qu'ils sont négligés de tous les gens sensés, et qu'ils ne deviennent le partage que de quelques gens frivoles (1).

Telle est l'opinion et l'illusion moyennes, communes sur ce sujet à l'écrasante majorité des gens raisonnables de l'époque. On ne peut manquer d'être frappé, par exemple, de l'écho de cette dernière phrase de Rollin tel qu'il se fait entendre dans le passage, déjà cité dans notre introduction, de celui qui allait être le plus grand historien du siècle, et, accidentellement, l'un des romanciers les plus lus. Ce texte de Voltaire, en effet, n'est postérieur que de sept années à celui de Rollin : « Si quelques romans nouveaux paraissent encore, et s'ils font pour un temps l'amusement de la jeunesse frivole, les vrais gens de lettres les méprisent (2). » Malgré l'abîme qui semble séparer le pontifiant et janséniste recteur de l'Université de Paris, du futur auteur de l'impudique *Pucelle* — où, soit dit en passant, Voltaire trouve encore le moyen de railler les romans (3) — n'oublions pas que Voltaire était, avec quelques réserves, un grand et sincère admirateur de ce Rollin, que devait encore louer Restif, et que Montesquieu surnommait avec considération « l'abeille de la France ». On trouvera peut-être piquantes à cet égard ces quelques lignes extraites d'une lettre à Thiériot du 19 janvier 1742, dans laquelle Voltaire raille avec une hauteur et une rigueur injustifiées l'un des meilleurs romans du siècle, les fameuses *Confessions du comte de* *** qu'un autre historien, Duclos, venait de faire paraître quelques mois plus tôt à Amsterdam :

Dans cent ans on lira Rollin, tout imparfait qu'il est, tout bavard, tout fautif, tout superstitieux, parce que le fonds de son livre est solide ; et on ne lira pas plus les *Confessions du comte de* *** que les honnêtes gens ne lisent celles de saint Augustin (4).

Comme toutes ces dernières citations l'indiquent, c'est toujours, semble-t-il, à la puissance hypnotique de l'antithèse solidité-frivolité qu'il faut attribuer les fautes de perspective et

(1) ROLLIN, *De la manière d'enseigner et d'étudier les belles-lettres par rapport à l'esprit et au cœur*, livr. IV, III⁰ Partie, chap. I⁰ʳ, § IV ; 4⁰ éd., Paris, Estienne, 4 vol., 1733, t. III, pp. 285-286.
(2) VOLTAIRE, *Essai sur la poésie épique* (1733), ad finem, in *Œuvres complètes*, édit. Moland, t. VIII, p. 362. Cf. ci-dessus, introduction, pp. 9-10.
(3) Ed. Moland, t. IX, p. 139 :
    ... ce fatras d'insipides romans
    Que je vois naître et mourir tous les ans
    De cerveaux creux, avortons languissants.
    (*La Pucelle d'Orléans*, chant VIII, vers 19-21.)
(4) *Ibid.*, t. XXXVI, p. 111 ; éd. Besterman, n⁰ 2422, t. XII, p. 10.

de jugement critique des grands contempteurs des romans et des femmes : le genre faible est voué au sexe faible. Il ne leur en fallait pas plus pour que la cause fût entendue.

Si donc, comme on l'a rappelé, Fénelon et Laclos sont, sur ces questions malgré tout secondaires, parmi les écrivains minoritaires qui en jugèrent différemment, il y a lieu de se demander si cette prise de position n'est pas organiquement solidaire de l'audace et du courage avec lesquels ils réussirent l'un et l'autre à mettre leur esprit à l'abri des préjugés les plus répandus à leur époque dans des domaines d'importance supérieure. Il suffit de rappeler à cet égard l'étonnant non-conformisme en matière sociale et politique de l'auteur de *Télémaque* et de la *Lettre à Louis XIV*, ou encore le rôle révolutionnaire de Laclos auprès du duc d'Orléans, sans qu'on ait besoin d'accepter entièrement la thèse marxiste et fort séduisante édifiée récemment pour expliquer l'œuvre de Laclos par la conscience de classe blessée de cet artilleur bourgeois (1). On mesure du coup comment une attitude d'esprit favorable aux droits du roman à l'égalité littéraire et des femmes à l'égalité tout au moins culturelle, voire civique, pourrait s'inscrire dans un mouvement d'idées qui transcenderait de loin la destinée épisodique des genres littéraires et même la théorie justement attachante de l'égalité des sexes.

Du même coup, le non-conformisme, qui, nous l'avons vu, est chez de grandes aristocrates comme Mme de Sévigné et Mme de Lafayette une forme paradoxale du snobisme féminin, acquerrait une envergure peut-être inattendue. Le goût et la sympathie pour des genres littéraires nouveaux et encore privés du droit de cité dans la République des lettres, préfigureraient celui plus grave pour les nouveaux cadres de pensée, voire pour les nouvelles institutions dans les domaines politique et social. Cette hypothèse permettrait de comprendre l'hostilité au premier abord si disproportionnée d'un Bossuet pour *Télémaque*, ou d'aussi fins lettrés que Bourdaloue ou Porée pour le genre romanesque en général. Du point de vue légitimement conservateur de ces ecclésiastiques, cet antagonisme serait, en effet, justifié jusque dans son extrême violence. Ce raisonnement nous permettrait de rejoindre par une autre voie l'observation « Roman et démocratie vont de pair » (2), faite par Thibaudet dans un brillant essai où il remarque combien les progrès de l'un et de

(1) Roger VAILLAND, *Laclos par lui-même*, collection « Ecrivains de toujours », Paris, Editions du Seuil, 1953.
(2) Albert THIBAUDET, *Réflexions sur le roman*, Paris, Gallimard, 1938, p. 157.

l'autre sont liés aux conquêtes sociales de la femme. De même, par une voie plus différente encore, nous rejoindrions la conclusion d'Albert Camus : « Le roman naît en même temps que l'esprit de révolte et il traduit, sur le plan esthétique, la même ambition (1). » Enfin, pour en revenir à des considérations plus esthétiques, si l'on se souvient du parallèle qu'affectionneront les romantiques entre la Révolution de 1789 et leur propre révolution littéraire, on s'accordera peut-être à penser avec André Monglond : « Chaque progrès de ce genre si longtemps dédaigné [le roman] parce qu'il n'avait pas de modèle aux âges de Périclès ou d'Auguste, sera un progrès du préromantisme lui-même (2). »

VI

Entre le féminisme modéré de Fénelon, dernier romancier du XVIIᵉ siècle, et celui rigoureux de Laclos, dernier romancier de l'Ancien Régime, quelques exemples jalonnent le siècle qui les sépare, et aideront à vérifier notre équivalence hypothétique entre féministes et partisans du roman. Si nous consultons d'abord les théoriciens, nous rencontrons en premier lieu l'inévitable abbé de Saint-Pierre, novateur impénitent et inlassable réformateur, comme le sera un demi-siècle plus tard Restif. De dix ans à peine le cadet de Fénelon, Saint-Pierre observe en 1728, dans l'un des innombrables plans de réformes qu'il édifia dans les domaines les plus divers, le *Projet pour perfectionner l'éducation des collèges*, que « le but de l'éducation des filles est le même que le but de l'éducation des garçons », mais que les autorités responsables n'ont malheureusement pas encore su reconnaître « combien les collèges de filles étaient nécessaires, et combien leur bonne éducation importe à la grande augmentation du bonheur de la société » (3). Fort de sa foi en l'égalité des sexes et prêchant par l'exemple, Saint-Pierre publie lui-même deux ans plus tard son *Projet pour perfectionner l'éducation des filles*, traité d'un libéralisme et d'un progressisme étonnants pour 1730. Il y recommande, pour les garçons aussi bien que pour les filles la composition et la lecture de ce qu'il appelle des « romans vertueux ». Ceux-ci sont destinés à suppléer aux insuffisances de l'histoire, qui ne montre que trop rarement les

---

(1) Albert CAMUS, *l'Homme révolté*, Paris, Gallimard, 1951, p. 320.
(2) André MONGLOND, *le Préromantisme français*, Grenoble, Arthaud, 2 vol., 1930, t. I, p. 106.
(3) Abbé de SAINT-PIERRE, *Projet pour perfectionner l'éducation*, chap. XIV. Dans l'édition de ses *Œuvres diverses*, Paris, Briasson, 2 vol., 1730, t. I, p. 82.

méchants punis et les justes récompensés. Pour triompher plus facilement de la difficulté qui existe à écrire de tels ouvrages, Saint-Pierre recommande qu'on en confie la composition à des équipes de deux hommes. De même que, pour faire un opéra, il faut ce qu'il appelle un poète et un musicien, de même il sera facile d'obtenir des « romans vertueux », « si l'on donne le soin à un philosophe chrétien de composer le canevas des pensées, et si l'on charge un homme d'une imagination féconde et bon écrivain de bien mettre en œuvre les observations du philosophe » (1). Ces histoires seraient, selon l'ingénieux abbé, particulièrement propres à « faire acquérir aux jeunes filles à un plus haut degré l'habitude à la justice et à la bienfaisance chrétienne » (2).

Un second abbé féministe et partisan du roman édifiant est Lenglet-Dufresnoy. Tout au long des chapitres qui précèdent, il a été fréquemment cité pour ses idées conservatrices sur le roman, mais remarquablement favorables à ce genre. Il convient de rappeler maintenant qu'il fut aussi, quoiqu'on l'ait peu remarqué, un féministe radical. Poussant l'idéologie jusqu'à l'utopie, il formule les souhaits suivants :

> Je voudrais qu'on me laissât le maître de former un nouveau gouvernement ; je voudrais qu'on me prît pour législateur d'un nouveau peuple : jamais l'autorité royale ne serait qu'entre les mains des femmes. Leurs maris seraient leurs premiers sujets ; cela est juste, mais rien plus (3).

Ainsi passe-t-on de l'inégalité à l'égalité et à l'inégalité inverse et compensatoire. Liant consciemment et rationnellement, au cours d'une longue digression, sa défense du roman et sa défense de la femme, Lenglet-Dufresnoy avoue que « la réflexion favorite qui [l'] oblige à préférer le roman à l'histoire » (4), est que seul celui-là fait au beau sexe la place qu'il mérite et qu'il occupe souvent dans la réalité, ainsi qu'il s'évertue lui-même à le démontrer en accumulant les exemples longuement commentés de la papesse Jeanne, de Mlle de Montpensier, de la duchesse de Verneuil, de Blanche de Castille et de quelques autres maîtresses femmes et grandes dames dont l'influence est célèbre dans les annales de l'histoire.

(1) Ibid., p. 183, observation XXXI.
(2) Id., Projet pour perfectionner l'éducation des filles, in éd. citée, t. II, p. 111.
(3) LENGLET-DUFRESNOY, op. cit., t. I, p. 95.
(4) Ibid., p. 83.

Une quarantaine d'années après la publication de *De l'usage des romans*, un autre écrivain s'intéressera à l'éducation des femmes. Seize ans, en effet, avant que Laclos ne songe à répondre à la question posée par l'Académie de Châlons-sur-Marne, « Quels seraient les meilleurs moyens de perfectionner l'éducation des femmes ? », Bernardin de Saint-Pierre répond en 1777 par un *Discours* à celle lancée par l'Académie de Besançon, « Comment l'éducation des femmes pourrait contribuer à rendre les hommes meilleurs ? » Ce discours ne fut pas primé, mais inspira par la suite plus d'un passage des *Études de la nature*. Le libellé même de la question bisontine, comme aussi la fidélité de l'écrivain aux doctrines de J.-J. Rousseau, l'engageaient trop à aborder la question du point de vue masculin pour permettre de grandes effusions féministes. Et pourtant, d'un bout à l'autre de cette médiocre dissertation, on sent que sa plume est animée par une vive sympathie pour les femmes. Au passage, en bon disciple de Jean-Jacques, il ne se fait faute de signaler l'effet nocif des lectures romanesques :

> Si on vient à examiner l'effet que les livres produisent en particulier sur l'esprit des femmes, il s'en trouvera peu qui leur soient utiles, même parmi ceux que l'on croit bons. Dans les romans, les uns mettent la vertu en parole, et le vice en action. Ceux-ci, plus dangereux, montrent la route des passions comme la seule que nous enseigne la nature. Les meilleurs les jettent dans un monde imaginaire, et leur font haïr celui où elles doivent vivre (1).

Dans la mesure où un passage comme celui-ci ne fait plus écho à l'arrogance masculine de Jean-Jacques Rousseau, on peut juger que l'atténuation même par le disciple de l'antiféminisme rigoureux du maître est significative, comme aussi sa transformation en une attitude de sympathie réelle.

Mais si, quittant les théoriciens, l'on interrogeait maintenant les principaux romanciers des années 1730-1750, on rencontrerait une unanimité et un enthousiasme beaucoup plus frappants encore. Aucun d'entre eux ne fera de difficulté à admettre ses préventions généreusement féministes.

Dans tous ses romans, Prévost, romancier de l'amour racinien, et créateur d'un type de héros préromantique, étale son féminisme, accorde sa sympathie et sollicite la nôtre pour ses héroïnes, même celles que les hommes ont dévoyées, et, en revanche,

(1) *Œuvres complètes de Jacques-Henri-Bernardin de Saint-Pierre*, éd. Aimé-Martin, Paris, Méquignon-Marvis, 12 vol., 1812-1820. t. XII, p. 150.

attire notre aversion sur les personnages qui n'ont pas pour le sexe les égards qui lui sont dus. Dans l'univers romanesque de Prévost, comme dans l'univers tragique de Racine, c'est la passion amoureuse, cette passion qui dresse l'homme et la femme face à face et nus dans une terrible égalité, qui est la source de tout ce qui s'accomplit de grand, en bien comme en mal.

Mais il y a mieux encore. Le Livre IV de *Cleveland*, qui expose les principes et les institutions par lesquels Cleveland, donna un gouvernement aux Abaquis, fait longuement la théorie d'un féminisme sage mais convaincu. Sur le plan de l'organisation familiale, Cleveland prescrit que « le plus âgé serait considéré comme le chef », sans distinction de sexe :

L'ordre de la naissance devait régler de même tous les autres rangs. Je ne jugeai point à propos d'exclure les femmes des droits que j'accordais aux hommes. La nature leur y donne les mêmes prétentions qu'à nous ; et si le principal fondement de l'autorité des pères sur leurs enfants est le bienfait de la naissance et de l'éducation, il semble qu'une mère y devrait avoir la meilleure part, elle à qui ces deux faveurs coûtent si cher. J'ordonnai donc, par une loi irrévocable, que le pouvoir et l'autorité suivraient l'âge, sans distinction de sexe (1).

Mais même sur le plan du gouvernement de l'État, Prévost est prêt à faire abstraction, dans toute la mesure du possible, de la différence des sexes. C'est ainsi que le Conseil de vingt citoyens, prévu par Cleveland pour les Abaquis, sera accessible aux hommes et aux femmes indifféremment, à ceci près pourtant que l'âge minimum pour y siéger variera selon le sexe.

Les hommes n'y devaient point être admis s'ils n'avaient atteint quarante ans, et les femmes si elles n'étaient au-dessus de cinquante. Cette inégalité que je mettais entre les femmes et les hommes n'était point injurieuse pour leur sexe. Elle était fondée sur la même raison qui a porté la plupart des législateurs à réserver au nôtre la connaissance et le maniement des affaires publiques, c'est-à-dire sur les incommodités de la grossesse auxquelles la nature assujettit les femmes jusqu'à un certain âge, et sur les soins qu'elles sont obligées de prendre pour la nourriture et l'éducation des enfants. Mais comme elles sont délivrées de cet embarras à cinquante ans, et que je ne voyais point d'autre raison qui les rendît moins capables que nous à cet âge des soins du gouvernement, je voulus qu'elles y prissent autant de part que les hommes. Je sais que les mauvais plaisants et les ennemis de cet aimable sexe rejettent sur d'autres causes l'usage presque généralement établi d'éloigner les femmes des affaires ; ils l'attribuent à leur faiblesse et à leur ignorance.

(1) *Cleveland*, liv. IV, in *Œuvres de Prévost*, éd. citée, t. V, p. 134.

Mais j'avais un exemple chez les Abaquis qui détruit cette injuste accusation. Les femmes y vivant sans contrainte, et n'y recevant point une autre éducation que celle des hommes, y étaient aussi vigoureuses et aussi prudentes que leurs maris, preuve assez forte que si elles le sont moins dans la plupart des autres pays du monde, c'est par un effet de l'injustice et de la tyrannie des hommes, qui les attachent, contre l'ordre de la nature, à des occupations qui les amollissent, et qui usurpent ainsi sur elles une autorité qu'elles devraient partager avec eux (1).

D'ailleurs ce féminisme caractéristique de Cleveland ne se dément pas lorsqu'on consulte les écrits non romanesques de l'auteur du *Philosophe anglais*. Pierre Trahard, dans l'excellente étude qu'il a consacrée à la sensibilité de Prévost, conclut ses remarques sur *le Pour et Contre* en montrant qu'à tous les égards son auteur se range du côté des femmes : « Visiblement Prévost penche vers le sexe faible, souvent plus fort que le sexe prétendu fort (2). »

Ce qui est vrai du romancier de l'amour fatal et irrésistible, l'est aussi de ces romanciers dits corrupteurs qui, comme Crébillon et Duclos, ne peignent plus l'amour, mais le goût, qui ne semblent plus croire à la prédestination d'un amour unique, mais qui mettent la sagesse dans la pluralité rassurante des partenaires. On taxe ces romanciers de libertinage et l'on tend donc souvent à voir en eux de ces hommes qui veulent réduire la femme en esclavage et ne la faire servir qu'à leurs plaisirs d'amour-propre et de sensualité. Rien n'est plus faux. Ce jugement, fondé d'ordinaire sur de solides préjugés confirmés par une lecture hâtive, n'est pas neuve aujourd'hui. Dès 1736, lorsque parut le premier tome des *Égarements du cœur et de l'esprit* de Crébillon, le journaliste des *Observations* dut venir au secours de celui-ci, le défendre de l'accusation que son livre « n'est pas favorable au beau sexe » (3), et démontrer sans mal que cette accusation ne repose sur rien. Contrairement, en effet, à ce qu'en pensent certains esprits chagrins et superficiels qui la jugent frivole, la philosophie du libertinage n'est pas une création de l'esprit misogyne des mâles. La preuve s'en trouve chez Crébillon et Duclos, comme encore chez Laclos et Sade. C'est l'esprit gaulois qui, lui, est masculin et volontiers misogyne, celui des fabliaux et de Rabelais, celui de Molière, voire de Voltaire. Le libertinage, au contraire, dans la mesure où il est un jeu et un jeu qui se joue

(1) *Ibid.*, pp. 135-136.
(2) Pierre TRAHARD, *les Maîtres de la sensibilité française au XVIIIe siècle*, Paris, Boivin, t. I (1931), p. 177.
(3) *Observations sur les écrits modernes*, t. IV (1736), p. 51.

le plus souvent à deux, voit la femme, dans tous les sens du mot, comme une partenaire et une égale (1). S'il arrive à un des partenaires de dominer l'autre, cela ne tient nullement à son sexe, comme l'exemple de Valmont et de la marquise de Merteuil le montre clairement. Lors même que le libertinage touche au zénith sadien, cela n'en demeure pas moins vrai : Dolmancé et Mme de Saint-Ange sont des égaux dans *la Philosophie dans le boudoir*, et, dans *Juliette*, Juliette et Clairwil n'ont rien à envier à leurs compagnons de l'autre sexe, Noirceuil ou Saint-Fond.

En fait, dans les romans dits licencieux de Crébillon et de Duclos, si l'égalité est rompue, c'est souvent, comme on va le voir, en faveur des femmes. Une surprenante et éloquente analogie, qui semble avoir été trop peu remarquée, rapproche, en effet, leurs deux meilleurs romans et doit les placer en fait parmi les ouvrages féministes de leur temps. Le chevalier de Meilcour, héros et narrateur des *Égarements du cœur et de l'esprit* (1736-1738), comme le comte anonyme, héros et narrateur des *Confessions du comte de* *** (1741), sont des libertins, des coureurs de cotillons, dissolus, volages et moralement inférieurs, sinon à toutes les femmes qui leur tiennent lieu de partenaires épisodiques, du moins à celles qui éprouvent pour eux plus qu'un simple goût passager. Et ce sont ces deux femmes, Mme de Lursay pour les héros de Crébillon, et Mme de Selve pour celui de Duclos, qui finalement convertissent les deux libertins à la monogamie qui va les sauver de la débauche. La préface des *Égarements du cœur et de l'esprit* annonce qu'après l'itinéraire tourmenté des égarements du jeune chevalier, « on le verra enfin dans les dernières [parties] devoir toutes ses vertus à une femme estimable ». De même, à la fin des *Confessions du comte de* ***, le héros de Duclos reconnaît avec une émotion intense la dette qu'il a contractée envers l'exquise Mme de Selve. La page finale, avec son émouvante profession de foi féministe, mérite d'être transcrite ici *in extenso* :

C'est Mme de Selve qui m'a fait connaître de quel prix est une femme raisonnable. Jusque-là je n'avais point connu les femmes ; j'en avais

(1) Cette observation se confirme lorsqu'on remarque qu'elle n'a pas perdu aujourd'hui son exactitude. Bertrand Carnéjoux, héritier romanesque moderne des libertins et roués du xviiie siècle, peut, en effet, encore écrire : « Il n'est pas vrai que nous possédons des êtres sans liberté. Dans ce jeu qu'est trop souvent devenu l'amour, les partenaires (mot affreux pour une belle réalité), mènent à armes égales un match où il n'y a plus ni vainqueur ni vaincu. » (Claude MAURIAC, *Toutes les femmes sont fatales*, Paris, Albin Michel, 1957, p. 108.)

jugé sur celles qui partageaient mes égarements, et j'étais injuste à l'égard de celles-là mêmes. De quel droit osons-nous leur reprocher des fautes dont nous sommes les auteurs et les complices ? La plupart ne sont tombées dans le dérèglement que pour avoir eu dans les hommes une confiance dont ils ne sont pas dignes. Plusieurs n'auraient jamais eu de faiblesses si elles n'eussent pas eu l'âme tendre, qualité qui naît encore de la vertu.

Les deux sexes ont en commun les vertus et les vices. La vertu a quelque chose de plus aimable dans les femmes, et leurs fautes sont plus dignes de grâce par la mauvaise éducation qu'elles reçoivent. Dans l'enfance, on leur parle de leurs devoirs sans leur en faire connaître les vrais principes ; les amants leur tiennent bientôt un langage opposé. Comment peuvent-elles se garantir de la séduction ?

L'éducation générale est encore bien imparfaite, pour ne pas dire barbare ; mais celle des femmes est la plus négligée : cependant, il n'y a qu'une morale pour les deux sexes.

La célèbre Ninon de Lenclos, amante légère, amie solide, honnête homme et philosophe, se plaignait de la bizarrerie et de l'injustice du préjugé à cet égard. J'ai réfléchi, disait-elle, dès mon enfance sur le partage inégal des qualités qu'on exige dans les hommes et dans les femmes. Je vis qu'on nous avait chargées de ce qu'il y avait de plus frivole, et que les hommes s'étaient réservé le droit aux qualités essentielles ; dès ce moment je me fis homme. Elle le fit, et fit bien (1).

« Femme estimable », dit Crébillon de Mme de Lursay ; « femme raisonnable », dit Duclos de Mme de Selve : des adjectifs banals à eux seuls valent mieux que de longs panégyriques. Et ces deux héroïnes de Crébillon et de Duclos ne sont aucunement isolées dans leurs œuvres romanesques : une Mme de Luz dans le roman qui porte son nom, ou encore une Aspasie dans les *Lettres athéniennes* de Crébillon démontrent à chaque page de ces livres la supériorité morale qui les distingue des héros du sexe masculin (2).

(1) DUCLOS, *Confessions du comte de ****, in *Œuvres complètes*, éd. Auger, Paris, Janet & Cotelle, 9 vol., 1820-1821, t. II, pp. 181-182. On pourra comparer cet éloge de Ninon de Lenclos par un féministe comme Duclos, à ce que dit d'elle un antiféministe de la même époque. Après avoir exalté la nécessité de la pudeur chez les femmes, J.-J. ROUSSEAU note : « Je ne sache que la seule Mlle de Lenclos qu'on ait pu citer pour exception connue à ces remarques. Aussi Mlle de Lenclos a-t-elle passé pour un prodige. Dans le mépris des vertus de son sexe, elle avait, dit-on conservé celles du nôtre : on vante sa franchise, sa droiture, la sûreté de son commerce, sa fidélité dans l'amitié ; enfin, pour achever le tableau de sa gloire, on dit qu'elle s'était faite homme. A la bonne heure. Mais, avec toute sa haute réputation, je n'aurais pas plus voulu de cet homme-là pour mon ami que pour ma maîtresse » (*Emile*, liv. V, éd. citée, p. 488).
(2) Sur l'attitude de Crébillon vis-à-vis du féminisme, cf. Clifton CHERPACK, *An Essay on Crébillon fils*, Durham (North Carolina), Duke University Press, 1962, pp. 37-40.

Quant au féminisme de Marivaux il est encore plus profond
et plus éclatant peut-être. Il est, en tout cas, mieux connu, du
fait que nous avons une courte pièce de lui sur ce thème, *la
Colonie* (1750), version abrégée d'une comédie en trois actes
aujourd'hui perdue à la suite de son échec sur la scène du Théâtre
Italien en 1729. C'est ce même féminisme qui, en 1734, inspire
à Marivaux un plaidoyer éloquent et émouvant qu'il insère dans
son *Cabinet du philosophe :* « Des femmes mariées (1). » Il y met
surtout en accusation la différence inique des règles prescrites
aux hommes et aux femmes en matière de fidélité conjugale :
« Les hommes disent que les femmes ont la faiblesse en partage ;
cela peut être vrai en soi. Mais avons-nous droit de le dire, ou
même de le croire ? Examinons, par exemple, la distribution des
devoirs que nous avons faite dans le mariage entre des créatures
si faibles, et nous qui sommes si forts ; et nous verrons si la
balance est égale. » Après quoi Marivaux rejette sur les hommes
la responsabilité de la coquetterie, de la fourberie et de la méchanceté que ceux-ci reprochent aux femmes, car ces vices ne sont
que la conséquence de l'état de sujétion où les femmes sont
maintenues par la tyrannie masculine. Même les usages sociaux
de la galanterie, observe encore Marivaux, tournent toujours à
l'avantage de l'amant et au détriment de la maîtresse.

La lecture des deux grands romans de Marivaux ne fait,
d'ailleurs, que confirmer ce qu'on peut conclure de ce qui précède.
Il est d'autant plus remarquable que Marivaux ait fait du féminisme une des idées-forces de *Marianne* et du *Paysan*, que sa
propre vie sentimentale passe pour avoir été malheureuse, et
surtout que la tradition burlesque à laquelle il se rattache délibérément par certaines de ses premières œuvres, est connue
pour faire à la femme une place inférieure, voire méprisable.
A la fin d'un article consacré à *la Vie de Marianne*, qui est peut-
être l'étude critique la plus pénétrante qui ait été consacrée à ce
roman, Leo Spitzer pouvait conclure : « Je ne suis pas loin de
penser que le sujet de *la Vie de Marianne* n'est pas tant le récit
de telle vie de jeune fille intrépide, mais la glorification *du principe
féminin dans la pensée humaine* se révélant et dans la vie et dans
la littérature (2). » Ce qui, au fond, ne fait que préciser et développer dans une direction particulière la remarque que faisait

_____

(1) *Le Cabinet du philosophe*, 5ᵉ feuille [1734], in MARIVAUX, *le Spectateur
français, suivi du Cabinet du philosophe*, 3ᵉ éd., Paris, Duchesne, 2 vol., 1761,
t. II, pp. 290-299.
(2) Leo SPITZER, « A propos de *la Vie de Marianne* », *Romanic Review*, XLIV
(1953), p. 122. Italiques dans le texte.

Brunetière, en 1884, au milieu de son excellente étude sur les romans de Marivaux :

Plus ou moins nettement, il s'est rendu compte, le premier parmi les romanciers, de l'importance sociale des passions de l'amour, du rôle que les femmes jouent dans la vie de l'homme, ce rôle si souvent oublié par l'histoire ; et il faut ajouter qu'il y a le premier deviné l'avenir du roman (1).

Ces palmes si méritées, Marivaux doit les partager avec plusieurs de ses contemporains, Prévost, Crébillon et Duclos en particulier ; et il y aurait donc fort à redire sur l'antériorité chronologique que Brunetière accorde ici à Marivaux. Mais ce n'est pas cela qui importe à notre propos : ce qui compte, c'est que tous ces hommes de lettres s'accordèrent à exalter la femme. Il va sans dire, d'ailleurs, que les romancières, de leur côté Mme de Tencin, Mme de Graffigny ou Mme Riccoboni — étaient trop orfèvres en la matière pour en juger différemment.

Ce rôle central et essentiel de l'amour, quelle que soit la nature ou le degré de cet amour, son influence capitale sur la vie des hommes, et, par leur intermédiaire, sur la vie intellectuelle, culturelle, politique et sociale de leur temps, cette souveraineté cachée du sérail, on les avait certes déjà vus avec une splendeur inégalée sur la scène racinienne ; et l'influence de Racine sur tout un siècle du roman français, de *la Princesse de Clèves* aux *Liaisons dangereuses*, et surtout sur Prévost et Marivaux (2), est sans doute primordiale. Mais la transposition de ces vérités, du monde malgré tout abstrait et théorique de l'histoire et de la légende anciennes, des palais à volonté de la décoration louis-quatorzienne, dans le Paris réaliste des boudoirs et des salons Louis XV, aussi reconnaissables dans les nouveaux romans que sur les tableaux de Lancret, de Pater ou de Boucher, cette modernisation choquante du costume et du décor, tout cela faisait cristalliser soudain ce que cette conception racinienne avait d'abstraitement subversif derrière les chandelles de l'Hôtel de Bourgogne.

Du point de vue qui, comme on vient de le rappeler, était le sien, Mme de Maintenon n'avait certes pas tort et se montrait même beaucoup plus fine qu'on ne le juge parfois, lorsqu'elle disait, selon Mme de Caylus, à Racine ces paroles rappelées dans toute préface scolaire d'*Esther* : « Nos petites filles viennent de jouer votre *Andromaque*, et l'ont si bien jouée qu'elles ne la

---

(1) F. BRUNETIÈRE, *Etudes critiques sur l'histoire de la littérature française*, Paris, Hachette, t. III (1890), p. 152.
(2) Cf. ci-dessus, chap. II, p. 69 et n. 1.

joueront de leur vie, ni aucune autre de vos pièces (1). » Tout ce qu'on peut se demander c'est si le rôle de l'impitoyable et cauteleuse Esther était bien fait pour dissiper la contagion jugée dangereuse des Ériphile et des Hermione.

* *

Si l'on essaie maintenant de situer ce débat sur le féminisme dans l'ensemble complexe des questions soulevées par le dilemme du roman, on s'apercevra, pensons-nous, qu'il lui est beaucoup plus étroitement apparenté qu'on n'est peut-être tenté d'en juger au premier abord. Car c'est bien, dans le fond, par souci de réalisme contemporain que ces divers romanciers, dont nous venons de rappeler et de souligner les idées féministes, ont souvent dans leurs romans donné la part du lion aux personnages de femmes. Chez Prévost, c'est d'abord par souci de réalisme psychologique ; chez Crébillon et Duclos, de réalisme moral ; chez Marivaux, de réalisme social. Il va sans dire que sur ce point, mieux peut-être que sur la plupart des autres, on aperçoit à la base de l'art réaliste qu'un jugement de valeur coexiste avec un jugement de réalité. C'est à cause de ce jugement de valeur, qui les pousse à réévaluer à la lumière de l'actualité sociale et culturelle la situation relative des deux sexes, que les romanciers voient alors se dresser contre eux l'antagonisme protestateur d'une critique représentative des forces du passé. Presque unanimement conservatrice, niant avec sincérité et ferveur, parce qu'elle les désapprouve et reste donc aveugle devant eux, les changements intervenus dans la civilisation et dans la société de son temps, cette critique ne peut donc que censurer les romanciers contemporains qui, illustrant ces changements dans leurs œuvres, semblent, eux, les admettre et les approuver. Le parallélisme que nous avons relevé entre l'attitude antiromanesque et l'attitude antiféministe d'une part, et de l'autre, les idées favorables au roman et celles favorables à l'égalité des sexes, s'avère du coup ne pas être une simple coïncidence.

L'affaiblissement des genres traditionnels menacés par le dynamisme des genres nouveaux, du roman en particulier, comme aussi l'amenuisement de la suprématie séculaire du sexe masculin

(1) Louis RACINE, *Mémoires sur la vie et les ouvrages de Jean Racine*, in *Œuvres complètes* de Racine, édit. R. Picard, « Bibliothèque de la Pléiade », I, p. 88.

menacée par le réveil du sexe féminin décidé à lui faire concurrence avec ses armes propres, sont pour les conservateurs et pour les novateurs des phénomènes dont les valeurs sont nettement contradictoires. Pour ceux-ci, en effet, ils représentent le passage du passé au présent, de l'illusion à la réalité, du mensonge à la vérité, et donc du mal au bien. Pour les autres, en revanche, ils marquent le changement de la solidité en frivolité, de la grandeur en faiblesse, de la noblesse en roture, de la vertu en vice, et donc du bien en mal. Dès lors, on comprend sans peine comment, dans un débat de ce genre, faute d'un accord élémentaire sur la définition des valeurs en jeu, les affirmations d'une fidélité exemplaire aux intérêts de la morale furent échangées de part et d'autre en un véritable dialogue de sourds. N'était-ce pas agir moralement, disaient les uns, que de préférer dans tous les cas la vertu au vice ? N'était-ce pas agir moralement, répliquaient les autres, que de préférer dans tous les cas la vérité au mensonge ? Entre la majorité des critiques, d'un côté, et la majorité des romanciers, de l'autre, le conflit était engagé de manière à faire malencontreusement de la question morale la pierre de touche d'une dispute qui était avant tout esthétique. Ces remarques permettent de comprendre deux phénomènes qui marquèrent, après 1760, l'histoire de ce conflit : la victoire des romanciers due, non pas à la supériorité intrinsèque de leurs arguments, mais simplement à celle de leur talent ; et la quasi-unanimité avec laquelle le roman fut alors considéré comme un genre engagé, et, plus particulièrement, comme un genre prêcheur et didactique. C'est à un très bref coup d'œil à ces phénomènes postérieurs à l'époque que nous nous étions proposée pour commencer, que nous voudrions, pour terminer, consacrer quelques pages d'épilogue.

CONCLUSION

I

S'il est vrai qu'on peut quelquefois mesurer à l'excellence de la critique l'influence de celle-ci sur la littérature, ce ne fut certes pas le cas de la critique du roman à l'époque envisagée au cours de cette étude. Malgré sa médiocrité évidente, elle joua, en effet, un rôle de premier plan dans le développement du roman français entre 1725 et 1761, et l'on peut même dire qu'elle est en partie responsable d'une des directions les plus neuves et les plus fécondes que prit alors en France le genre romanesque. Et pourtant, la simple lecture des textes qui ont été cités dans les pages de ce livre suffit à montrer la faiblesse et quelquefois l'ineptie, en tout cas l'injustice et l'aveuglement de cette critique. Une preuve corroborative découle de la difficulté et même de la quasi-impossibilité qui existe de trouver à l'époque une critique substantielle, favorable, intelligente et objective du roman. Tous les textes ou presque sont entachés de mauvaise foi ou limités par une banalité ou une superficialité excessives. Bref, si la critique eut une si grande influence et même parfois une influence si favorable sur le roman, ce fut de manière souvent involontaire et surtout négative. De même que Candide et Cacambo découvrirent El Dorado alors qu'ils essayaient seulement de fuir les jésuites du Paraguay et de sauver leur peau, de même ou presque les romanciers découvrirent les merveilles du réalisme alors que leur but principal était de fuir les attaques des critiques. Le hasard a de ces caprices. Mais ceux-ci s'expliquent presque toujours de manière satisfaisante si l'on peut analyser chaque maillon des chaînes causales. Si la critique, malgré son infériorité qualitative criante par rapport au roman, put avoir sur celui-ci une influence de grande portée, c'est parce qu'elle lui était encore hiérarchiquement supérieure, c'est parce que cette plus grande dignité du critique par rapport au romancier était si évidente à l'époque que ce dernier était lui-même obligé de la reconnaître, sinon en lui obéissant, tout au moins en s'efforçant de lui échapper. Et si les critiques hostiles au roman, au lieu de l'ignorer et de le passer

sous silence, répétèrent si fréquemment leurs chefs d'accusation
dirigés contre lui, c'est parce qu'ils étaient assez avisés pour le
juger menaçant et dangereux, et qu'ils étaient déterminés à
l'abattre. Le parallèle avec les aventures de Candide et de Cacambo
s'applique ici encore.

L'effet favorable indirect de cet acharnement de la critique
antiromanesque, les chapitres ci-dessus l'ont suffisamment évoqué
pour qu'il ne soit pas nécessaire d'y revenir bien longuement ici :
il fut d'abord d'éloigner les romanciers de l'extravagance romanesque et de les pousser vers le réalisme. Il fut ensuite de leur
donner le goût de ce réalisme, de les inciter à expérimenter dans
tous les domaines du réalisme avec une curiosité et une liberté
que le roman n'avait sans doute jamais connues plus tôt. Le
réalisme, dans la mesure où il ne mettait guère en jeu de valeurs
autres qu'esthétiques, était un tonique exceptionnellement
salutaire pour un genre nouveau qui ne s'était pas encore trouvé
lui-même, mais qui apprenait ainsi par expérience qu'il était par
nature indépendant des autres systèmes de valeurs littéraires
établies.

II

Cette remarque permet de comprendre pourquoi l'influence
de la critique sur le roman fut dans l'ensemble beaucoup plus
favorable pour celui-ci au moment où le désaccord existait entre
elle et lui — c'est en gros le cas de la période que nous avons
choisie et une des raisons pour lesquelles nous l'avons choisie —
que lorsqu'ils réussirent un peu plus tard à se mettre d'accord.
En effet, cet accord, qui se fit après le succès de *la Nouvelle
Héloïse* et sous le signe de la constellation Rousseau-Richardson,
eut le tort et le malheur de se faire, nous avons vu pourquoi,
sur la notion de roman moral. De façon à peu près universelle à
ce moment, critiques et romanciers chantèrent à l'unisson les
louanges du roman didactique, du roman sermon. Certes, les
romanciers qui les avaient précédés, les Prévost et les Mouhy,
les Marivaux et les Crébillon avaient, eux aussi, clamé dans leurs
préfaces leurs intentions morales et leur foi en la mission didactique et édifiante du roman. Mais, comme on l'a vu, il s'agissait
là surtout de manœuvres et de camouflage. Dans le fond, on peut
dire qu'entre 1725 et 1761 les bons romanciers qui n'entonnent
pas le refrain moral sont rarissimes, mais que ceux qui le firent
sans mauvaise foi aucune furent au moins aussi rares. Tandis
qu'après 1761, le même refrain est repris de la meilleure foi du
monde par Marmontel, par Restif, par Baculard d'Arnaud, par

Bernardin de Saint-Pierre. S'il faut voir là un signe d'infériorité, ce n'est évidemment pas par antipathie systématique pour la morale, mais bien parce que ce refrain repris en chœur implique une limite dangereuse à la liberté nécessaire au développement du genre romanesque. Il peut y avoir de bons romans moraux, comme il peut y avoir de bons romans immoraux. Il s'agit là de deux systèmes de valeurs différents et incomparables. Mais toute doctrine stipulant que le roman doit être nécessairement moral ou immoral ne peut qu'être nocive au développement du roman. A cet égard *Paul et Virginie* et *Justine* sont aussi détestables l'un que l'autre, en tant que romans. Leurs vrais mérites sont ailleurs.

Qu'on nous permette de citer ici et de reprendre à notre compte les dernières lignes de l'excellent article, mentionné dans notre introduction, que F. C. Green consacra en 1928, aux rapports de la critique française et du roman au xviiie siècle :

The novelists of manners from Marivaux onwards, whilst apparently respecting the doctrine of moral utility, were really approaching the liberty which the nineteenth-century realists, led by Balzac, afterwards claimed as a right. The Romantics, though they conceived the novel, not as a reflection of society, but as an expression of the author's most intimate sentiments, likewise vindicated the novelist's right to freedom in choice of subject. So the analytic novelists of fashionable manners, the Romantics and the Realists, though differing in everything else, are unexpectedly in accord in their refusal to obey the dictates of the moral utility school. To them the prohibition contained in the axiom « il faut épurer la nature » is anathema, not because they desire to be immoral in their work, but because they want to exercise their right to imitate nature in all its aspects, which frequently means to portray that « mélange de vice et de vertu » to which Marmontel and his followers object so strongly. In the words of the Marquis de Sade the novel is « le tableau des mœurs séculaires. » And, after all, that is precisely what all good novels have been. It is significant that of all the productions of the French moral utility school there is not one which interests us because of its moral lesson. Strip *Paul et Virginie* of its exotic colouring and picturesque descriptions, and you have some idea of the disastrous results which ensue when even a good writer attempts to distort human nature in the sacred name of morality. Sometimes, perhaps, the end may justify the means, but not in the case of the novel which is a picture of society and not a sermon (1).

(1) F. C. GREEN, « The Eighteenth-Century French Critic and the Contemporary Novel », *Modern Language Review*, XXIII (1928), pp. 186-187. « A partir de Marivaux, les auteurs de romans de mœurs, tout en respectant en apparence la doctrine de l'utilité morale, s'approchaient en fait de la liberté que les réalistes du xixe siècle, sous la direction de Balzac, devaient demander

III

Non seulement cette école française du roman d'utilité morale, comme l'appelle l'éminent critique britannique, a-t-elle donc échoué en aboutissant à une véritable stérilisation du roman ; mais lorsqu'elle n'aboutit pas à une issue aussi fâcheuse, elle fut victime de sa propre naïveté et parvint à galvauder l'adjectif *moral* au point d'en faire une sorte de mot de passe indispensable, mais si unanimement adoré qu'on en vint vite à négliger d'en examiner le contenu et qu'il fut dès lors possible de l'utiliser pour envelopper à peu près n'importe quelle marchandise. Cela est déjà évident du *Monde moral* de Prévost, dont le premier volume paraît en 1760, comme aussi des *Contes moraux* de Marmontel qui ne sont sauvés que dans la mesure précisément où ils ne sont pas moraux. Comme l'a fort bien noté Servais Étienne à propos de ceux-ci :

La morale se réduit à une maxime complaisante, à savoir qu' « il y a des fautes graves selon les lois, qui ne sont point telles aux yeux de la nature ». La nature, vous savez ce que c'est, passons (1).

En fait, dès avant que Marmontel commençât en 1758 à faire paraître ses nouvelles dans le *Mercure*, le glissement avait commencé, qui amena progressivement le mot *moral* et ses dérivés à désigner, non plus la morale bourgeoise ni chrétienne, cette morale austère et traditionnelle que S. Étienne appelle la

plus tard comme un droit. Quant aux romantiques, malgré leur conception du roman, non pas comme un reflet de la société, mais comme l'expression des sentiments les plus intimes de l'auteur, ils revendiquèrent eux aussi le droit du romancier à la liberté dans le choix du sujet. Ainsi les auteurs de romans d'analyse des mœurs de la bonne société, les romantiques et les réalistes, malgré ce qui les sépare sur tous les autres plans, expriment un accord inattendu dans leur refus d'obéir aux préceptes de l'école de l'utilité morale. Pour eux, l'interdiction contenue dans l'axiome « Il faut épurer la nature » est hérétique, non point parce qu'ils désirent être immoraux dans leurs ouvrages, mais parce qu'ils tiennent à exercer leur droit à imiter la nature sous tous ses aspects, ce qui implique souvent le tableau de ce « mélange de vice et de vertu » auquel font si énergiquement objection Marmontel et ses émules. Pour reprendre les termes du marquis de Sade, le roman est « le tableau des mœurs séculaires ». Et c'est bien précisément, après tout, ce qu'ont été tous les bons romans. Il est significatif que, de toutes les productions de l'école française de l'utilité morale, il n'en est pas une qui nous intéresse en raison de sa leçon morale. Videz *Paul et Virginie* de sa couleur exotique et de ses descriptions pittoresques, et vous aurez une idée des résultats désastreux qu'atteint même un bon écrivain lorsqu'il essaie de déformer la nature humaine au nom sacré de la moralité. Peut-être arrive-t-il quelquefois que la fin justifie les moyens, mais pas dans le cas du roman, qui est un tableau de la société, et non pas un sermon. » La traduction est de notre main.

(1) Servais Etienne, *op. cit.*, p. 129.

morale de Bossuet, mais cette autre morale beaucoup plus
indulgente, beaucoup plus souple et beaucoup plus contradictoire
à laquelle la philosophie des Lumières accola, comme à tant de
notions indistinctes, l'épithète de *naturelle*. C'est elle, par exemple,
que vantent dès 1747 les illustres *Lettres d'une Péruvienne* de
Mme de Graffigny. Émerveillée par la politesse comme par la
sensibilité des Français, Zilia, la jeune Péruvienne transplantée
à Paris, n'hésite pas à conclure la trentième — ou la trente-
deuxième, selon les éditions — des lettres qu'elle adresse à son
cher Aza par cette exclamation : « Heureuse la nation qui n'a
que la nature pour guide, la vérité pour mobile, et la vertu pour
principe. » Car l'équation selon laquelle tout ce qui est naturel
est par définition vertueux est implicite dans tout le livre de
Mme de Graffigny, l'un des très rares romans de son temps — soit
dit en passant — pour lesquels l'abbé Jaquin montre, en 1755,
une tolérance un peu réticente.

La réhabilitation de l'instinct et de la passion, leur installation
à la base de la vie morale, autrefois occupée par la religion révélée,
fut, on le sait, un des accomplissements les plus lourds d'avenir
des penseurs des Lumières (1). Or cette transformation essentielle,
elle est déjà accomplie dans certains des premiers romans de
l'abbé Prévost. Dès le premier livre de *Cleveland*, le héros, évoquant la facilité et la rapidité avec laquelle l'amour s'empara de
son cœur, n'hésite pas à dire :

J'étais persuadé, suivant les principes de la philosophie de ma mère,
que les mouvements simples de la nature, quand elle n'a point été
corrompue par les habitudes du vice, n'ont jamais rien de contraire à
l'innocence. Ils ne demandent point d'être réprimés, mais seulement
d'être réglés par la raison (2).

Et, soulignant bien comment une passion aussi « naturelle »
que celle de l'amour ne peut contredire en rien la morale la plus
austère, Cleveland de poursuivre :

Attaché comme j'étais à mes principes, j'aurais entrepris infailliblement de faire violence à mon cœur si j'eusse cru n'y pouvoir souffrir
ma passion sans une criminelle indulgence. Mais il me parut, après un
sincère examen, que les droits de la nature étant les premiers de tous
les droits, rien n'était assez fort pour prescrire contre eux ; que l'amour

(1) Cf., par exemple, le chap. IV : « La morale », du deuxième livre de
Paul HAZARD, *la Pensée européenne au XVIIIᵉ siècle*, Paris, Boivin, 3 vol.,
1946, t. I, pp. 217-233.
(2) *Œuvres de Prévost*, Paris, Boullain-Tardieu, 39 vol., 1823, t. IV, pp. 138-
139.

en était un des plus sacrés, puisqu'il est comme l'âme de tout ce qui
subsiste, et qu'ainsi tout ce que la raison ou l'ordre établi parmi les
hommes pouvait faire contre lui, était d'en interdire certains effets,
sans pouvoir jamais le condamner dans sa source (1).

Si l'on prend garde au fait que des textes de résonance déjà
aussi étonnamment romantiques parurent en 1731, on conçoit
que, trente ans plus tard, lorsque parut *la Nouvelle Héloïse*, le
public était, grâce au succès soutenu de Prévost et de ses imi-
tateurs, parfaitement rompu à ces manières de voir et que, s'il
était donc si assoiffé de littérature moralisante, il était prêt à se
désaltérer à la source d'une morale romanesque aussi éloignée des
morales plus traditionnelles que ces réflexions du plus influent
des héros de Prévost (2).

D'après ces deux citations on reconnaît cependant chez
Cleveland une tendance à raisonner qui, à elle seule, pourrait
suffire, si le style n'y aidait pas, à ne pas errer à l'excès dans leur
datation. Mais le recours aux lumières froides de la raison, que
révèle la dernière phrase de la première citation de *Cleveland*
ci-dessus, ne sera plus de mise trente ans plus tard après le raz
de marée du sentimentalisme à la Richardson ou à la Rousseau.
Les émotions et passions qui, si elles ne sont plus réprimées par
la raison, n'échappent cependant pas tout à fait à son contrôle
chez les personnages de Prévost et de ses émules, seront, après
Clarissa et *Grandison*, complètement émancipées afin de mieux
servir les intérêts de la vertu. Un peu plus tard encore, affranchies
de toute allégeance autre qu'aux droits de la nature, passions
et émotions, conscientes de leur immense valeur et de leur puissance, pourront, dans les romans de la fin du siècle, se révolter,
toujours au nom de la nature, contre toutes les conventions de la
morale ou de la société, et notamment dans le domaine de l'amour
et de la vie sexuelle (3). Autrement dit, le goût universel pour le
roman chargé d'illustrer les valeurs morales ne tardera pas à
donner naissance à un type de roman, encombré de prédication
et de réflexions sur la morale, mais parfaitement capable, comme

(1) *Ibid.*, pp. 146-147.
(2) Sur tout ceci on consultera avec profit le chap. IV de Servais ÉTIENNE,
op. cit., pp. 92-135. Ce chapitre examine les auteurs à la mode pendant les
dix années qui précédèrent la publication de *la Nouvelle Héloïse* : Baculard
d'Arnaud, Mme de Graffigny, Crébillon, Mme Riccoboni, Richardson, Prévost
et Marmontel, qui, tous, plus ou moins, moralisent à longueur de volumes,
mais selon les dogmes élastiques de cette morale « naturelle ».
(3) Cf. Paul VAN TIEGHEM, « Les droits de l'amour et l'union libre dans
le roman français et allemand (1760-1790) », *Neophilologus*, XII (1927), pp. 96-
103.

chez Restif ou Sade, de justifier moralement ce qui, jusque-là, avait légitimement passé pour immoral. Bref l'histoire littéraire de la fin du XVIIIᵉ siècle suffit à montrer que l'accord de la critique, des auteurs et du public sur l'excellence du roman didactique et moralisateur, orientant le roman dans une voie sans issue, se soldait par un échec. Non seulement, il encombrait tous les romans de l'époque d'un poids excessif de prédication morale ; non seulement, il privait le roman de l'indépendance d'inspiration et de forme qui semble être naturellement nécessaire à sa prospérité ; mais il aboutissait même à substituer l'immoralité à la moralité, perdant ainsi toute justification, se condamnant finalement lui-même, et ramenant par une autre voie les romanciers devant le dilemme.

IV

Les rares bons romans postérieurs à *la Nouvelle Héloïse* furent précisément ceux qui parvinrent miraculeusement à échapper à la pression convergente des critiques, des écrivains et des lecteurs. Encore n'est-il pas sûr qu'il se trouve un seul roman qui y ait tout à fait réussi. Le cas des *Liaisons dangereuses* illustre clairement cette observation. Incontestablement, semble-t-il, le meilleur roman français de son époque, le chef-d'œuvre de Laclos brille d'un éclat insolite à un moment où il est à peu près le seul à se présenter comme une œuvre d'art destinée à être jugée avant tout à l'aide de critères esthétiques. Ou, plus exactement, c'est au public posthume de Laclos que le roman apparaît tel, et le changement de point de vue entre les lecteurs de l'époque et ceux d'aujourd'hui est tout à fait significatif à cet égard. Au public de 1782 et de bien plus tard encore, *les Liaisons dangereuses* semblent être un livre abominable à cause de la dissolution morale si profonde des personnages. Au public de notre époque qui, après bientôt deux siècles, a enfin reconnu la grandeur sereine de l'œuvre, ce roman semble être un miracle de rigueur, d'équilibre, de profondeur, de composition, de style. Savoir s'il peut avoir sur la vie morale ou érotique de ses lecteurs ou de ses lectrices une influence quelconque ne nous paraît plus une question intéressante, tout au moins du point de vue littéraire ; pas plus que de savoir si le sexe féminin doit se juger offensé par le romancier qui a créé le personnage de la marquise de Merteuil — question qui faisait vibrer Mme Riccoboni d'une ardeur patriotique et vengeresse. L'on aurait plutôt tendance à voir aujourd'hui en Laclos un écrivain d'un classicisme rigoureux, soucieux d'un art très concerté mais très impersonnel, très concentré mais très détaché ; à la suite de Giraudoux, on rapprocherait volontiers *les Liaisons dangereuses* des tragédies de Racine (1) et l'on refu-serait du coup de les juger sur la morale de leurs héros et de leurs héroïnes. Accuser Laclos d'agression contre la « bonne compa-gnie », comme on le fit à l'époque de leur publication, ne nous paraîtrait guère plus intelligent aujourd'hui que d'accuser l'auteur de *Mithridate* d'hostilité envers les Romains.

Mais, malgré tout cela, le chef-d'œuvre de Laclos demeure bien un livre d'une époque où tout le monde s'entendait à faire du roman un instrument de prédication morale : il s'ouvre sur une préface qui ne détonne pas avec les écrits contemporains de Bernardin de Saint-Pierre ou de Florian ; il se ferme sur la mort du méchant, sur la ruine et l'exil de la méchante défigurée par la petite vérole. Il est facile de dire que tout cela n'est que capuci-nade et poudre aux yeux et même palinodie, puisque le roman lui-même semble démentir le contenu des premières et der-nières pages du livre. On ne se fit pas faute de le remarquer dès la publication du livre :

> Toutes les circonstances de ce dénouement, assez brusquement amenées, n'occupent guère que quatre ou cinq pages ; en conscience, peut-on présumer que ce soit assez de morale pour détruire le poison répandu dans quatre volumes de séduction, où l'art de corrompre et de tromper se trouve développé avec tout le charme que peuvent lui prêter les grâces de l'esprit et de l'imagination, l'ivresse du plaisir et le jeu très entraînant d'une intrigue aussi facile qu'ingénieuse (2).

Ainsi s'exprimait la *Correspondance littéraire* ; et, quelques années plus tard, La Harpe, à son tour, terminait ses remarques sévères sur *les Liaisons dangereuses* en en critiquant et raillant l'artificialité excessive du dénouement : « La plus honnête femme peut être défigurée par la petite vérole et ruinée par un procès. Le vice ne trouve donc pas ici sa punition en lui-même, et ce dénouement sans moralité ne vaut pas mieux que le reste (3). »

Tout cela n'est sans doute pas faux, mais, lorsqu'on replace ce roman dans son époque, le ton de cette préface et de ce dénoue-ment incriminés nous paraissent si conformes à ce qui était alors l'idée qu'on se faisait communément de la nature et de la fonction

---

(1) Nous nous sommes livré nous-même à ce petit jeu : cf. « Racine et *les Liaisons dangereuses* », *The French Review*, XXIII (1949-1950), pp. 452-461.

(2) *Correspondance littéraire*, avril 1782. Texte cité par Maurice ALLEM dans son édition des *Œuvres complètes* de LACLOS, Bibliothèque de la Pléiade, p. 724.

(3) *Correspondance littéraire* dite *russe*, lettre n° 163. Texte cité par Maurice ALLEM, éd. citée, p. 728.

du roman, qu'on se demande si Laclos n'a pas été à quelque degré
victime lui-même de sa propre comédie ; et s'il n'a pas cru, en
bon bourgeois de 1782, envoyeur de petits vers à l'*Almanach des
Muses*, auteur d'un livret d'opéra-comique tiré d'un roman de
Mme Riccoboni, qu'il avait lui aussi, comme Saint-Lambert
et Dorat, comme Baculard d'Arnaud et Mme Riccoboni, fait une
œuvre riche en leçons morales.

Quand, dans ses notes sur les personnages du roman de Laclos,
Baudelaire étiquetait la marquise de Merteuil « Tartuffe femelle,
tartuffe des mœurs, tartuffe du xviiie siècle », on comprend bien
à quoi il pensait. Songeait-il aussi à rapprocher du dénouement
de *Tartuffe* celui des *Liaisons dangereuses* ? Rien ne semble
l'indiquer ; et pourtant le rapprochement ne manquerait pas
d'intérêt, d'abord parce qu'il confirmerait l'opinion exprimée
plus haut et selon laquelle l'appartenance classique des *Liaisons
dangereuses* se marque au fait que l'œuvre demande à être jugée
sur sa facture et ses mérites intrinsèques, et non pas sur son
influence morale ou immorale. Poussé un peu plus loin, le rapprochement des deux dénouements orienterait vers une interprétations particulièrement désabusée de la pensée de Laclos.
Cette interprétation serait que le dénouement des *Liaisons
dangereuses*, comme celui de *Tartuffe* et de tant d'autres des
comédies de Molière, est délibérément grossier afin de mieux
démontrer que seul l'improbable *deus ex machina* des auteurs
en quête d'effets sensationnels est capable de distribuer cette
justice immanente qui n'existe que dans certaine littérature,
d'envoyer un exempt pour arrêter Tartuffe et la petite vérole
pour défigurer Mme de Merteuil. Plus la ficelle est grosse et mieux
on comprend que le vrai sens de ces dénouements est que, dans
le monde réel, Orgon est ruiné et Tartuffe victorieux ; que
Danceny finit aussi lamentablement que la présidente de Tourvel,
tandis que Valmont et la marquise triomphent, comme peut
triompher aussi Cécile si elle veut bien continuer à profiter des
leçons de maîtres aussi complaisants et compétents, si elle consent
à bien tromper son chevalier et à bien bafouer sa mère, comme
plus tard la petite Eugénie de Mistival de *la Philosophie dans
le boudoir*.

Bref, d'une manière comme de l'autre, qu'on juge le moralisme
des *Liaisons dangereuses* pur maquillage ou demi-sincérité, le
dénouement et la préface révèlent immanquablement la date à
laquelle le roman fut composé et publié. Même ce roman, qui
nous paraît si exceptionnel à son époque et qui est effectivement
si différent des autres, est donc marqué par cette fâcheuse una-

nimité de l'opinion faisant de la prédication morale la fonction
principale du roman. Ce qui nous semble aujourd'hui être l'aspect
le plus faible ou, en tout cas, le plus contestable du roman est
donc ce qu'il doit le plus directement et le plus certainement
aux préjugés littéraires de son époque. Ce qui, en revanche, nous
semble faire l'excellence des *Liaisons dangereuses*, le livre le doit
évidemment au génie de son auteur, mais aussi à la tradition
littéraire qui avait été celle de l'époque précédente, celle à laquelle
notre étude est consacrée. L'influence, entre autres, de Crébillon
est sans doute la plus évidente. Moufle d'Angerville n'avait eu
aucune difficulté, dès la publication du roman, à détecter cette
filiation : « Ce livre doit faire infiniment d'honneur au romancier,
qui marche dignement sur les traces de M. de Crébillon, le fils (1). »
Moufle d'Angerville, un des seuls commentateurs favorables des
Liaisons dangereuses lors de leur publication, se différencie, du
reste, des autres critiques par d'autres aspects remarquables.
Tout d'abord, il accepte, lui, la sincérité de la préface : « *Les
Liaisons dangereuses* remplissent parfaitement leur titre, et,
malgré la réclamation générale élevée contre, on doit regarder
ce roman comme très utile, puisque le vice, après avoir triomphé
durant tout le cours de l'histoire, finit par être puni cruellement (2). » Et surtout Moufle d'Angerville a le rare mérite, en 1782,
quoiqu'il fût encore sous le coup d'une première lecture, de
discerner clairement la valeur strictement esthétique et technique
du roman :

> Il y a certainement beaucoup d'art dans l'ouvrage, à ne l'examiner
> que du côté de la fabrique. [...] Un mérite fort rare dans ces sortes de
> romans en lettres, c'est que malgré la multiplicité des interlocuteurs,
> de tout sexe, de tout rang, de tout genre de morale et d'éducation,
> chacun a son style particulier et très distinct (3).

Mais le chef-d'œuvre de Laclos est trop riche et trop unique :
on pourrait épiloguer à l'infini, supputer interminablement sur
les mobiles profonds d'un écrivain aussi masqué que Laclos,
se demander, par exemple, si les multiples détails concentrés
dans les dernières lettres du roman sur les malheurs survenus
à Valmont, à Mme de Merteuil, à Cécile, à Danceny, etc., n'obéis-

---

(1) *Mémoires secrets, etc.*, 13 juin 1782. Texte cité par Maurice ALLEM,
éd. citée, p. 730.
(2) *Ibid.*
(3) *Ibid.* Sur la valeur morale du roman de Laclos, on lira avec profit
l'étude récente de William MEAD, *les Liaisons dangereuses* and moral « usefulness », *PMLA*, LXXV (1960), pp. 563-570.

sent pas, plutôt qu'au souci proclamé de montrer la punition du
vice, à la nécessité conforme à l'esthétique classique de renseigner
le public sur le sort ultime des personnages auxquels l'écrivain
l'a, au cours de son ouvrage, invité à s'intéresser.

Notre plus simple objectif n'a été ici que de prendre l'exemple
des *Liaisons dangereuses* pour montrer où pouvait conduire
l'esthétique romanesque sur laquelle la fin du xviiie siècle se
mit d'accord, sous l'impulsion de Richardson et de Rousseau,
pour résoudre le dilemme du roman. Du même coup, la destinée
posthume de ce chef-d'œuvre, responsable du limogeage de son
auteur à Brest, condamné en 1823 par la justice de la Restauration, condamné à nouveau en 1865 par celle du Second Empire,
suffira peut-être, par la vertu d'un exemple aussi prestigieux,
et sans qu'il soit besoin de songer aux avatars plus célèbres de
Madame Bovary, de *Ulysses* ou même du film tiré du roman de
Laclos, pour qu'on se demande si le dilemme du roman, tel que
nous avons essayé de le décrire à l'époque déjà lointaine de
Gil Blas et de *la Nouvelle Héloïse*, n'est pas un aspect épisodique
d'un paradoxe permanent, fondamental et organique du genre
romanesque tout entier.

BIBLIOGRAPHIE

Les listes bibliographiques qui suivent, tout en étant étroitement limitées, débordent délibérément le sujet proprement dit de ce livre. Lorsqu'il s'agit, en effet, d'études modernes sur le roman du xviiie siècle, ou sur certains romanciers ou romans, seuls les ouvrages qui nous ont été particulièrement utiles ou que nous citons apparaissent ci-dessous. Faute de cela, la IIIe Partie de cette bibliographie eût été démesurée et, de ce fait, peu utilisable. Il en va de même de la Seconde Partie, contenant les indications bibliographiques concernant les éditions originales et, le cas échéant, les quelques éditions modernes vraiment importantes, des romans mentionnés au cours de l'ouvrage. Là encore, il n'était pas question de faire concurrence aux bibliographies de Daniel Mornet ou de S. Paul Jones [ci-dessous nos 267 et 293].

En revanche cette bibliographie est fidèle à la conception d'ensemble de l'ouvrage, en ce qu'elle ne se limite strictement ni aux romans, ni aux commentaires critiques sur le roman pendant les années 1715-1761. De nombreuses études mettant en cause le xviie siècle et la fin du xviiie siècle apparaissent aussi. De la même manière, les coups d'œil jetés au cours de cet ouvrage sur d'autres genres que le roman — notamment sur le théâtre — et sur d'autres pays que la France — notamment l'Angleterre — trouvent leur contrepartie dans cette bibliographie.

I

TEXTES CRITIQUES DES XVIIe ET XVIIIe SIÈCLES
(Essais, pamphlets, préfaces, lettres, etc.)

[1] ALEMBERT (Jean LEROND d'), Lettre à J.-J. Rousseau, Citoyen de Genève (1758) [Réponse à la *Lettre sur les spectacles*], in *Œuvres complètes de d'Alembert*, Paris, Belin, 5 vol., 1821-1822, t. IV, pp. 432-458.

[2] — Éloge historique de Marivaux (1763), *ibid.*, t. III, pp. 577-621.

[3] Anonyme, *Lettre sur Paméla*, Londres, s. n., 1742.

[4] — Lettre de M. de Passe à Mme D... sur les romans, *Journal historique sur les matières du temps*, LXVI (2e semestre 1749), pp. 102-112.

[5] — Préfaces aux première et troisième parties de *Lucette, ou les Progrès du libertinage, par M. N****, t. I et II, Londres, Jean Nourse, 1765 ; t. III, Londres, s. n., 1766.

[6] ARGENS (Jean-Baptiste de BOYER, marquis d'), *Lettres juives, ou Correspondance philosophique, historique et critique entre un Juif voyageur en différents États de l'Europe et ses correspondants en divers endroits*, La Haye, Paupie, 6 vol., 1736-1738.

[7] — Discours sur les nouvelles, in *Lectures amusantes, ou les Délassements de l'esprit*, La Haye, Moetjens, 2 vol., 1739, t. I, pp. 9-69.

[8] ARNAUD (François-Marie BACULARD D'), Discours sur le roman, in *Theresa, Histoire italienne, avec un discours sur le roman, par l'auteur des Mémoires de M. de La Bédoyère*, La Haye, s. n., 2 vol., 1745-1746, t. I, pp. I-XII.

[9] AUBERT DE LA CHESNAYE DES BOIS, *Lettres amusantes et critiques sur les romans en général anglais et français, tant anciens que modernes, adressées à Mylady W***, Paris, Gissey, Bordelet & David, 1743.

[10] BARBIER D'AUCOUR (Jean), Réponse à la lettre adressée à l'auteur des Hérésies imaginaires (1666), in *Œuvres de Jean Racine*, éd. Paul Mesnard, Paris, Hachette, 8 vol., 1865-1873, t. IV, pp. 306-322.

[11] BAYLE (Pierre), *Dictionnaire historique et critique*, 1re éd., 1697.

[12] BENOUVILLE (Mme de), *les Pensées errantes, avec quelques lettres d'un Indien*, Londres, Hardy, 1758.

[13] BERNARDIN DE SAINT-PIERRE (Jacques-Henri), Discours sur cette question : comment l'éducation des femmes pourrait contribuer à rendre les hommes meilleurs (1777), in *Œuvres complètes*, éd. Aimé-Martin, Paris, Méquignon-Marvis, 12 vol., 1818-1820, t. XII, pp. 121-181.

[14] *Bibliothèque Française, ou Journal littéraire de la France*, Amsterdam, H. du Sauzet, 43 vol., 1723-1746.

[15] BOILEAU (Nicolas), *Dialogue des Héros de roman*, composé vers 1665-1666, 1re éd., 1688. *Discours* préfatoire pour l'édition de 1710, éd. Thomas Frederick Crane, Boston, Ginn, 1902.

[16] — *Satires* (1660-1705).

[17] — *Art poétique* (1674).

[18] BOSSUET (Jacques-Bénigne), *Maximes et réflexions sur la comédie* (1694).

[19] BOUGEANT (Guillaume-Hyacinthe), *Voyage merveilleux du prince Fan-Férédin dans la Romancie, contenant plusieurs observations historiques, géographiques, physiques, critiques et morales*, Paris, Le Mercier, 1735.

[20] BOURDALOUE (Louis), Sur les divertissements du monde, in *Sermons du P. Bourdaloue, de la Compagnie de Jésus, pour les dimanches*, éd. Bretonneau, Paris, Rigaud, 4 vol., 1726, t. II, pp. 64-121.

[21] BRUZEN DE LA MARTINIÈRE, Des romans, in *Introduction générale à l'étude des sciences et des belles lettres, en faveur des personnes qui ne savent que le français*, IIe Partie, § 16, 1re éd., 1731. Réimprimé en 1756 à la suite des *Conseils pour former une bibliothèque de* FORMEY, pp. 283-294 (cf. ci-dessous, n° 45).

[22] CAULET (Président de), Semonce faite le premier dimanche de janvier de l'année MDCCXLIV par M. le président de Caulet, l'un des Quarante de l'Académie des Jeux floraux, in *Recueil de plusieurs pièces d'éloquence et de poésie présentées à l'Académie des Jeux floraux pour les prix des années 1744 et 1745, avec les discours prononcés dans les assemblées publiques de l'Académie*, Toulouse, Lecamus, 1745, pp. 251-265.

[23] CHAMFORT (Nicolas-Sébastien Roch, dit de), *Pensées, maximes et anecdotes*, 1ʳᵉ éd. (posthume), 1803.

[24] CHAPELAIN (Jean), *De la lecture des vieux romans* (1647), éd. Alphonse Feillet, Paris, Aubry, 1870.

[25] CLÉMENT (Pierre), *Les cinq années littéraires, ou Lettres de M. Clément sur les ouvrages de littérature qui ont paru dans les années 1748, 1749, 1750, 1751 et 1752*, Berlin, s. n., 2 vol., 1756.

[26] COLLÉ (Charles), *Journal et Mémoires*, éd. Honoré Bonhomme, Paris, Didot, 3 vol., 1868.

[27] CONDORCET (Marie-Jean-Antoine-Nicolas de CARITAT, marquis de), *Vie de Voltaire* (1789), in *Œuvres complètes de Voltaire*, éd. Moland, t. I, pp. 189-292.

[28] CORNEILLE (Pierre), Discours et préfaces diverses, in *Œuvres de P. Corneille*, éd. Charles Marty-Laveaux, Paris, Hachette, 12 vol., 1862-1868.

[29] *Correspondance littéraire, philosophique et critique par Grimm, Diderot, Raynal, Meister, etc.*, éd. Maurice Tourneux, Paris, Garnier, 16 vol., 1877-1882.

[30] COYER (Gabriel-François), Testament littéraire de Messire Pierre-François Guyot, abbé Desfontaines, in *Bagatelles morales*, Londres-Francfort, Knoch-Eslinger, 1755, pp. 241-289.

[31] DESFONTAINES (Pierre-François Guyot-), Préface de ses : *Anecdotes galantes et tragiques de la cour de Néron*, Paris, Rollin, 1735.

[32] — *L'esprit de l'abbé Desfontaines, ou Réflexions sur différents genres de science et de littérature, avec des jugements sur quelques auteurs et sur quelques ouvrages autant anciens que modernes*, Londres et Paris, Duchesne, 4 vol., 1757.

[33] DESMOLETS, Lettre à Mme D** sur les romans, in *Continuation des mémoires de littérature et d'histoire*, Paris, Simart, t. V (1728), pp. 191-213.

[34] DIDEROT (Denis), *Éloge de Richardson* (1762).

[35] — *Lettre sur le commerce de la librairie* (1767).

[36] — *Diderot et Catherine II*, éd. Maurice Tourneux, Paris, Calmann-Lévy, 1899.

[37] — *Correspondance*, éd. Georges Roth, Paris, Éditions de Minuit, 8 vol. parus, 1955-1962.

[38] — *Œuvres complètes*, éd. Jules Assézat et Maurice Tourneux, Paris, Garnier, 20 vol., 1875-1877.

[39] DORAT (Claude-Joseph), Préface à son héroïde : Lettre du comte de Comminges (1767), in *Œuvres complètes*, Neuchâtel, Société typographique, 6 vol., 1776, t. I, pp. 21-28.

[40] — Avant-propos à ses *Sacrifices de l'amour* (1771), *ibid.*, t. IV, pp. 3-14.

[41] Ducis (Jean-François), Discours prononcé dans l'Académie Française, le jeudi 4 mars 1779, par M. Ducis, qui succédait à Voltaire, in *Œuvres de J.-F. Ducis*, éd. Auger, Paris, Nepveu, 1827, pp. 3-16.

[42] Duclos (Charles Pinot), Lettre à l'auteur de *Mme de Luz* (1741), in *Œuvres complètes*, Paris, Janet & Cotelle, t. II (1820), pp. 309-324.

[43] Duval (François), Lettre XXVIII. A Mme la comtesse de *V***, in *Lettres curieuses sur divers sujets*, Paris, Pepie, 2 vol., 1725.

[44] Fénelon (François de Salignac de La Mothe-), *Traité de l'éducation des filles* (1687).

[45] Formey (Jean-Louis-Samuel), Article VI : Romans, in *Conseils pour former une bibliothèque peu nombreuse mais choisie*, Berlin, Haude & Spener, 1756, pp. 52-61.

[46] Huet (Pierre-Daniel), *Traité de l'origine des romans* (1699), éd. Arend Kok, Amsterdam, Swets & Zeitlinger, 1942.

[47] Irailh (Augustin-Simon), Les romans, in *Querelles littéraires*, Paris, Durand, 4 vol., 1761, t. II, pp. 334-353.

[48] Jaquin (Armand-Pierre), *Entretiens sur les romans. Ouvrage moral et critique, dans lequel on traite de l'origine des romans et de leurs différentes espèces, tant par rapport à l'esprit, que par rapport au cœur*, Paris, Duchesne, 1755.

[49] Jaucourt (Louis, chevalier de), Roman (ca. 1762), *Encyclopédie*, t. XIV (1765), pp. 341-343.

[50] Jourdan (Jean-Baptiste), préface à son roman : *le Guerrier philosophe, ou Mémoires de M. le duc de ****, La Haye, de Hondt, 1744.

[51] La Bruyère (Jean de), *Les Caractères, ou les Mœurs de ce siècle*, 1ʳᵉ éd., 1688.

[52] La Calprenède (Gautier de Costes, sieur de), Préface de son roman : *Faramond, ou l'Histoire de France* (1661).

[53] Laclos (Pierre-Ambroise Choderlos de), compte rendu de *Cecilia, ou les Mémoires d'une héritière* (1784), in *Œuvres complètes*, éd. Maurice Allem, « Bibliothèque de la Pléiade », Paris, Gallimard, 1951, pp. 523-545.

[54] — De l'éducation des femmes (1783-1785), Trois essais réunis sous ce titre, *ibid.*, pp. 427-482.

[55] La Fontaine (Jean de), *les Amours de Psyché et de Cupidon*, 1ʳᵉ éd., 1669.

[56] La Harpe (Jean-François de), Les romans, in *Lycée, ou Cours de littérature ancienne et moderne*, Paris, Agasse, 14 vol., t. XIV (1799), pp. 250-285.

[57] Lambert (Anne-Thérèse de Marguenat de Courcelles, marquise de), *Réflexions nouvelles sur les femmes* (1727), in *Œuvres de Mme la marquise de Lambert*, 2ᵉ éd., Lausanne, Bousquet, 1748, pp. 174-213.

[58] — *Avis d'une mère à sa fille* (1728), *ibid.*, pp. 55-116.

[59] LAMBERT (Claude-François), Préface de son roman : *Mémoires et Aventures d'une dame de qualité qui s'est retirée du monde*, La Haye, s. n., 3 vol., 1741.

[60] LAPORTE (Joseph de), *Observations sur la littérature moderne*, La Haye, s. n., 2 vol., 1749-1750.

[61] — *Histoire littéraire des femmes françaises, ou Lettres historiques et critiques, contenant un précis de la vie et une analyse raisonnée des ouvrages des femmes qui se sont distinguées dans la littérature française*, Paris, Lacombe, 5 vol., 1769.

[62] LA SOLLE (Henri-François de), Préface de son roman : *Mémoires de deux amis, ou Aventures de MM. Barniwal et Rinville*, Londres, s. n., 1754.

[63] LENGLET-DUFRESNOY (Nicolas), *Méthode pour étudier l'histoire, avec un catalogue des principaux historiens, et des remarques sur la bonté de leurs ouvrages et sur le choix des meilleures éditions* (1713), nouv. éd., Amsterdam, s. n., 5 vol., 1737.

[64] — *De l'usage des romans, où l'on fait voir leur utilité et leurs différents caractères ; avec une bibliothèque des romans, accompagnée de remarques critiques sur leur choix et leurs éditions*, Amsterdam, chez la Veuve Poilras, à la Vérité sans fard, 2 vol., 1734.

[65] LENOBLE (Eustache), Préface de son roman : *Ildegerte, reine de Norvège, ou l'Amour magnanime*, 1re éd., 1693.

[66] — Préface de son roman : *Abra-Mulé, ou l'Histoire de la déposition de Mahomet IV, empereur des Turcs*, 1re éd., 1696, in *Amusements de la campagne, ou Récréations historiques, avec quelques anedoctes secrètes et galantes*, Paris, s. n., 7 vol., 1742-1743, t. II (1742).

[67] MAILLARD, *Les Romans appréciés, ouvrage qui n'est rien moins qu'un roman*, Amsterdam, Néaulme & Gosse, 1756.

[68] MAINTENON (Françoise d'AUBIGNÉ, marquise de), *Entretiens sur l'éducation des filles*, éd. Th. Lavallée, Paris, Charpentier, 1854.

[69] — *Lettres sur l'éducation des filles*, éd. Th. Lavallée, Paris, Charpentier, 1854.

[70] MALESHERBES (Chrétien-Guillaume de LAMOIGNON DE), *Mémoires sur la librairie et sur la liberté de la presse* (1759), Paris, Agasse, 1809.

[71] MARIVAUX (Pierre CARLET DE CHAMBLAIN DE), *le Spectateur français* (1721-1724), in *le Spectateur français, suivi du Cabinet du philosophe*, 3e éd., Paris, Duchesne, 2 vol., 1761, t. I, pp. 7-372.

[72] — *L'Indigent philosophe* (ca. 1726-1727), *ibid.*, t. II, pp. 77-192.

[73] — *Le Cabinet du philosophe* (1734), *ibid.*, t. II, pp. 193-432.

[74] MARMONTEL (Jean-François), *Essai sur les romans considérés du côté moral* (1787), in *Œuvres complètes*, Paris, Belin, 7 vol. (1819-1820), t. III, pp. 578-583.

[75] *Mémoires de Trévoux*, Trévoux, Impr. de S.A.S. et Paris, Ganeau, 265 vol., 1701-1767.

[76] MERCIER (Louis-Sébastien), *Tableau de Paris*, nouv. éd., Amsterdam, 12 vol., 1782-1788.

[77] — *Mon Bonnet de nuit*, Neuchâtel, s. n., et Lausanne, Heubach, 3 vol., 1784-1785.

[78] *Mercure de France.*

[79] Molière, *Critique de l'École des femmes* (1663).

[80] — Préface de *Tartuffe* (1669).

[81] — *Placets au Roi* (1669).

[82] Moncrif (François-Augustin Paradis de), Réflexions sur quelques ouvrages faussement appelés ouvrages d'imagination (1741), in *Œuvres*, nouv. éd., Paris, Maradan, 2 vol., 1791, t. I, pp. 306-317.

[83] Montesquieu (Charles-Louis de Secondat, baron de La Brède et de), *Lettres persanes* (1721).

[84] — *Mes pensées*, in *Œuvres complètes*, éd. Roger Caillois, « Bibliothèque de la Pléiade », Paris, Gallimard, 2 vol., 1949-1951, t. I, pp. 975-1574.

[85] — *Spicilège, ibid.*, t. II, pp. 1267-1438.

[86] Morelly, *Essai sur le cœur humain, ou Principes naturels de l'éducation*, Paris, Delespine, 1745.

[87] Mouhy (Charles de Fieux, chevalier de), Préface de son roman : *La Mouche, ou les Aventures de M. Bigand*, Paris, Dupuis, 2 vol., 1736.

[88] — *Le Mérite vengé, ou Conversations littéraires et variées sur divers écrits modernes, pour servir de réponse aux Observations de l'Ab. DesF.*, Paris, Prault, 1736.

[89] — Préface de son ouvrage : *Nouveaux motifs de conversion à l'usage des gens du monde, ou Entretiens sur la nécessité et sur les moyens de se convertir ; avec des stances pour le Vendredi saint*, Paris, Valleyre & de Poilly, 1738.

[90] — Préface, ou Essais pour servir de réponse à un ouvrage intitulé *Entretiens sur les romans*, par M. L'abbé J., in *Le Financier*, Amsterdam, Néaulme, 1755, pp. iii-xx.

[91] Nicole (Pierre), Première *Visionnaire* (déc. 1665), citée in *Œuvres de J. Racine*, éd. P. Mesnard, t. IV, p. 258.

[92] *Le Nouvelliste du Parnasse, ou Réflexions sur les ouvrages nouveaux*, Paris, Chaubert, 4 vol., 1731-1732.

[93] *Observations sur les écrits modernes*, Paris, Chaubert, 34 vol., 1735-1743.

[94] Pascal (Blaise), *Pensées.*

[95] Porée (Charles-Gabriel), *De libris qui vulgó dicuntur Romanses oratio habita die 25 Februarii anno D. 1736. in regio Ludovici magni Collegio Societatis Jesu, a Carolo Porée Societatis ejusdem Sacerdote*, Paris, Bordelet, 1736.

[96] *Le Pour et Contre, ouvrage périodique d'un goût nouveau dans lequel on s'exprime librement sur tout ce qui peut intéresser la curiosité du public en matière de sciences, d'arts, de livres, d'auteurs, etc., sans prendre aucun parti et sans offenser personne*, Paris, Didot, 20 vol., 1733-1740.

[97] Prévost (Antoine-François), *Lettres de Mentor à un jeune seigneur*, 1re éd., 1764, in *Œuvres de Prévost*, Paris, Boullain-Tardieu, 39 vol., 1823, t. XXXIV, pp. 173-387.

[98] PURE (Michel de), *La Prétieuse ou le Mystère des ruelles* (1656), éd. Émile Magne, « Société des Textes français modernes », Paris, Droz, 2 vol., 1938.

[99] RACINE (Jean), *Lettre à l'auteur des Hérésies imaginaires et des deux Visionnaires* (1666), in *Œuvres*, éd. Mesnard, t. IV, pp. 277-289.

[100] — *Lettre aux deux apologistes de l'auteur des Hérésies imaginaires* (1666) *ibid.*, pp. 326-337.

[101] *Réflexions sur les ouvrages de littérature*, Paris, Briasson, 12 vol., 1736-1740.

[102] RESTIF DE LA BRETONNE (Nicolas-Edme), Les auteurs et Les romans, in *Les Françaises* (1786), in *Œuvres complètes*, éd. Henri Bachelin, Paris, Éditions du Trianon, t. II, pp. 331-362.

[103] ROLLIN (Charles), *De la manière d'enseigner et d'étudier les belles-lettres par rapport à l'esprit et au cœur*, 4e éd., Paris, Estienne, 4 vol., 1733.

[104] ROUSSEAU (Jean-Jacques), *Discours sur les sciences et les arts* (1750), éd. George R. Havens, New York, Modern Language Association, 1946.

[105] — *Lettre à d'Alembert sur les spectacles* (1758), éd. M. Fuchs, « Textes littéraires français », Genève, Droz, 1948.

[106] — *La Nouvelle Héloïse* (1761), éd. Daniel Mornet, Paris, Hachette 4 vol., 1925 ; et éd. Bernard Guyon et Henri Coulet, « Bibliothèque de la Pléiade », *Œuvres complètes* de J.-J. ROUSSEAU, t. II, Paris, Gallimard, 1961.

[107] — *Émile* (1762), éd. François et Pierre Richard, Paris, Garnier, 1957.

[108] — *Correspondance générale*, éd. Th. Dufour et P.-P. Plan, Paris, Colin, 20 vol., 1924-1934.

[109] SADE (Donatien-Aldonse-François, marquis de), Préface de son roman : *Histoire secrète d'Isabelle de Bavière, reine de France* (1764 ?), éd. Gilbert Lely, Paris, Gallimard, 1953.

[110] — Préface de son roman : *les Infortunes de la vertu* (1787-1788), Paris, Éditions du Point du Jour, 1946.

[111] — *Idée sur les romans* (1787-1800), Paris, Palimugre, 1946.

[112] SAINT-PIERRE (Charles CASTEL, abbé de), Projet pour perfectionner l'éducation des collèges, in *Œuvres diverses*, Paris, Briasson, 2 vol., 1730, t. I.

[113] — Projet pour perfectionner l'éducation des filles, *ibid.*, t. II, pp. 90-154.

[114] SÉVIGNÉ (Marie de RABUTIN-CHANTAL, marquise de), *Lettres*, éd. Gérard Gailly, « Bibliothèque de la Pléiade », Paris, Gallimard, 3 vol., 1953-1957.

[115] SOREL (Charles), *De la connaissance des bons livres, ou Examen de plusieurs auteurs*, Paris, Pralard, 1671.

[116] THOMAS (Antoine-Léonard), *Essai sur le caractère, les mœurs et l'esprit des femmes dans les différents siècles*, 2e éd., Paris, Moutard, 1772.

[117] VAUVENARGUES (Luc de CLAPIERS, marquis de), Des romans, in *Réflexions sur divers sujets* (1746 ?), in *Œuvres de Vauvenargues*, éd. Pierre Varillon, Paris, Cité des Livres, 3 vol., 1929, t. I, pp. 89-90.

[118] VILLIERS (Pierre, abbé de), *Réflexions sur les défauts d'autrui* (1690), Amsterdam, Brunel, 1695.

[119] VOLTAIRE, *Essai sur la poésie épique* (1733).

[120] — *Le Siècle de Louis XIV* (1751).

[121] — *La Pucelle d'Orléans* (1755).

[122] — *Le Droit du seigneur* (1760).

[123] — *Œuvres complètes*, éd. L. Moland, Paris, Garnier, 52 vol., 1877-1883.

[124] — *Correspondance*, éd. Theodore Besterman, Genève, Institut et Musée Voltaire, 74 volumes parus, 1953-1962.

II

ROMANS DU XVIIIe SIÈCLE
INVOQUÉS OU DISCUTÉS AU COURS DE L'OUVRAGE

[125] Anonyme, *Prodige de vertu. Histoire de Rodolphe et de Rosemonde*, Paris, J. Édouard, 1738.

[126] — *Histoire de Gogo*, La Haye, B. Gilbert, 2 vol., 1739.

[127] — *L'Enfant trouvé, ou l'Histoire du chevalier de Repert écrite par lui-même*, Paris, s. n., 3 vol., 1738-1740.

[128] — *L'Orpheline anglaise, ou Histoire de Charlotte Summers* (traduit par l'abbé Pierre-Antoine de LA PLACE de l'anglais : *History of Charlotte Summers, the Fortunate Parish Girl*), Londres et Paris, Rollin fils, 4 vol., 1751.

[129] — *Lucette, ou les Progrès du libertinage*, Londres, Jean Nourse, 3 vol., 1765-1766.

[130] ARGENS (Jean-Baptiste de BOYER, marquis d'), *Thérèse philosophe, ou Mémoires pour servir à l'histoire du P. Dirrag et de Mlle Eradice*, La Haye, s. n., s. d., [1748].

[131] BARET (PAUL), *Mlle Javotte, ouvrage moral écrit par elle-même et publié par une de ses amies* (1758), Londres, s. n., 1782.

[132] BURNEY (Frances), *Cécilia, ou Mémoires d'une héritière* (traduit par H. RIEU de l'anglais : *Cecilia*), Neuchâtel et Genève, Imprimerie de la Société typographique, 5 vol., 1782.

[133] CAYLUS (Anne-Claude-Philippe, comte de), *Histoire de Guilleaume (sic)*, s. n., s. d., 2 vol., [1737].

[134] — *Les Écosseuses, ou les Œufs de Pâques*, Troyes, Veuve Oudot, 1739.

[135] CHASLES (Robert), *Les Illustres Françaises, histoires véritables ; où l'on trouve, dans des caractères particuliers et fort différents, un grand nombre d'exemples rares et extraordinaires des belles manières, de la politesse et de la galanterie des personnes de l'un et l'autre sexe de cette nation*, La Haye, Abraham de Hondt, 2 vol., 1713. Cf. édi-

tion critique publiée avec des documents inédits par Frédéric DELOFFRE, Paris, Belles-Lettres, 2 vol., 1959.

[136] COURTILZ (Gatien de, Sieur de SANDRAS), *Mémoires de M. d'Arta-gnan, capitaine-lieutenant dans la première compagnie des mous-quetaires du roi, contenant quantité de choses particulières et secrètes qui se sont passées sous le règne de Louis le Grand*, Cologne, P. Marteau, 3 vol., 1700.

[137] COUSTELIER (Antoine-Urbain, fils), *Lettres de Montmartre, par Jeannot Georgin*, Londres, s. n., 1750.

[138] CRÉBILLON (Claude-Prosper JOLYOT DE), *Tanzaï et Néadarné. Histoire japonaise (L'Écumoire)*, Pékin, chez Lou-Chou-Chu-La, 2 vol., 1734.

[139] — *Les Égarements du cœur et de l'esprit, ou Mémoires de M. de Meilcour*, première partie, Paris, Prault fils, 1736 ; seconde et troisième parties, La Haye, Gosse & Néaulme, 1738. Cf. édit. Étiemble, « Bibliothèque de Cluny », Paris, A. Colin, 1961.

[140] — *Le Sopha, conte moral*, Gaznah, de l'imprimerie du très pieux, très clément et très auguste sultan des Indes, L'an de l'hégire MCXX, 2 vol., [1742].

[141] — *La Nuit et le moment, ou les Matines de Cythère*, Londres, s. n., 1755.

[142] — *Lettres athéniennes, extraites du portefeuille d'Alcibiade*, Londres, s. n., 4 vol., 1771.

[143] — *Œuvres*, établissement du texte et préfaces par Pierre LIÈVRE, Paris, Le Divan, 5 vol., 1929-1930. Cette édition n'inclut pas les *Lettres athéniennes*.

[143 A] DELMAS (Augustin), *l'Amour apostat*, Metz, Veuve Brice Antoine 4 vol., 1739.

[144] DIDEROT (Denis), *les Bijoux indiscrets*, Au Monomotapa, s. d. [1748].

[145] — *La Religieuse* (composé en 1760), éd. or., Paris, Buisson, 1796. Cf. éd. Robert Mauzi, « Bibliothèque de Cluny », Paris, A. Colin, 1961.

[146] DUCLOS (Charles PINOT), *les Confessions du comte de ****. *Écrites par lui-même à un ami*, Amsterdam, s. n., 2 vol., 1741.

[147] — *Histoire de Mme de Luz ; anecdote du règne d'Henri IV*, La Haye P. de Hondt, 2 vol., 1741.

[148] DU PERRON DE CASTÉRA (Louis-Adrien), *Entretiens littéraires et galants ; avec les Aventures de Don Palmerin et de Thamire*, Paris, Veuve Pissot, 2 vol., 1738.

[149] FIELDING (Henry), *les Aventures de Joseph Andrews et du ministre Abraham Adams* (traduit par Pierre-François GUYOT, abbé DESFONTAINES de l'anglais : *The History of the Adventures of Joseph Andrews and of his friend, Mr. Abraham Adams*), Londres, A. Millar, 2 vol., 1743.

[150] — *Histoire de Tom Jones, ou l'Enfant trouvé* (traduit par l'abbé Pierre-Antoine de LA PLACE de l'anglais : *The History of Tom Jones, a Foundling*), Londres, J. Nourse, 4 vol., 1750.

[151] FIELDING (Sarah), *le Véritable ami, ou la Vie de David Simple* (traduit par l'abbé Pierre-Antoine de LA PLACE de l'anglais : *The Adventures of David Simple*), Amsterdam, s. n., 2 vol., 1749.

[152] FOUGERET DE MONTBRON (Louis-Charles), *Margot la ravaudeuse* (1750), Hambourg, s. n., 1800.

[153] GERVAISE DE LATOUCHE (Jean-Charles), *Histoire de Dom B..., portier des Chartreux, écrite par lui-même*, Rome, Philotanus, s. d. [1745 ?].

[154] GIMAT DE BONNEVAL (Jean-Baptiste), *Fanfiche, ou les Mémoires de Mlle de ****, A. Peine, 2 vol., 1748.

[155] GRAFFIGNY (Françoise d'ISSEMBOURG D'HAPPONCOURT, dame de), *Lettres d'une Péruvienne*, A. Peine, s. d. [1747].

[156] HAMILTON (Anthony), *Mémoires de la vie du comte de Grammont, contenant particulièrement l'histoire amoureuse de la cour d'Angleterre sous le règne de Charles II*, Cologne, P. Marteau, 1713. Cf. éd. Étiemble, « Bibliothèque de la Pléiade », *Romanciers du XVIIIe siècle*, t. I, Paris, Gallimard, 1960.

[157] HAYWOOD (Eliza), *l'Étourdie, ou histoire de Mrs. Betsy Tatless* (traduit par le chevalier de FLEURIAU de l'anglais : *The History of Miss Betsy Thoughtless*), Paris, Prault l'aîné, 4 vol., 1754.

[158] LACLOS (Pierre-Ambroise CHODERLOS DE), *les Liaisons dangereuses, ou Lettres recueillies dans une société et publiées pour l'instruction de quelques autres*, Amsterdam, s. n., 4 vol., 1782.

[159] LENNOX (Charlotte) *Henriette* (traduit par G. J. MONOD de l'anglais : *Henrietta*), Amsterdam, Rey, 2 vol., 1758.

[160] LESAGE (Alain-René), *le Diable boiteux*, Paris, Veuve Barbin, 1707, nouv. éd. corrigée, refondue, ornée de figures et augmentée d'un volume, Paris, Veuve Ribou, 2 vol., 1726.

[161] — *Histoire de Gil Blas de Santillane*, Paris, Ribou, 4 vol., 1715-1735. Cf. éd. Étiemble, « Bibliothèque de la Pléiade », *Romanciers du XVIIIe siècle*, t. I, Paris, Gallimard, 1960.

[162] LUSSAN (Marguerite de), *Anecdotes de la cour de Philippe-Auguste*, Paris, Veuve Pissot, 3 vol., 1733.

[163] — *Suite des anecdotes de la cour de Philippe-Auguste*, Paris, Veuve Pissot, 3 vol., 1738.

[164] — *Anecdotes de la cour de François Ier*, Londres, J. Nourse, 3 vol., 1748.

[165] — *Annales galantes de la cour de Henri second*, Amsterdam, J. Desbordes, 1749.

[166] MARIVAUX (Pierre CARLET DE CHAMBLAIN DE), *la Vie de Marianne, ou les Aventures de Mme la comtesse de ****, sept premières parties, Paris, Prault, 1731-1737 ; 8e, La Haye, Gosse & Néaulme, 1737 ; 9e et 10e, s. l., s. n., 1741 ; 11e, La Haye, Jean Néaulme, 1741. Cf. éd. Frédéric Deloffre, Paris, Garnier, 1957.

[167] — *Le Paysan parvenu, ou les Mémoires de M****, Paris, Prault, 5 vol., 1734-1735. Cf. éd. Frédéric Deloffre, Paris, Garnier, 1959.

[168] — *Pharsamon, ou les Nouvelles folies romanesques*, La Haye, s. n., 2 vol., 1737.

[169] MARMONT DU HAUTCHAMP ((Barthélemi), *Mizirida, princesse du Firando*, vol. I-III, Paris, Veuve Musier, 1738 ; vol. IV-VI, Paris, Rouy & Damonneville, 1743.

[170] MARMONTEL (Jean-François), *Contes moraux*, La Haye, s. n., 2 vol., 1761.

[171] — *Nouveaux contes moraux*, Paris, Merlin, 3 vol., 1765.

[172] — *Bélisaire*, Paris, Merlin, 1767.

[173] MILON DE LAVALLE, *Mémoires de la comtesse Linska, histoire polonaise*, Paris, Mesnier, 2 vol., 1739.

[174] MONCRIF (François-Augustin PARADIS DE), *Essais sur la nécessité et sur les moyens de plaire*, Paris, Prault fils, 1738.

[175] MOUHY (Charles de FIEUX, chevalier de), *Lamekis, ou les Voyages extraordinaires d'un Égyptien dans la terre intérieure, avec la découverte de l'île des Sylphides*, vol. I-II, Paris, L. Dupuis, 1735-1736 ; vol. III-IV, Paris, Poilly, 1737, vol. V-VIII, La Haye, Néaulme, 1738.

[176] — *Mémoires de M. le marquis de Fieux*, vol. I, Paris, Prault fils, 1735 ; vol. II-IV, Paris, Dupuis, 1736.

[177] — *Mémoires posthumes du comte de D... B... avant son retour à Dieu, fondé sur l'expérience des vanités humaines*, vol. I, Paris, P. Ribou, 1735 ; vol. II-III, Paris, G.-A. Dupuis, 1737 ; vol. IV, La Haye, J. Néaulme, 1741.

[178] — *Paris, ou le Mentor à la mode*, Paris, P. Ribou, 2 vol., 1735-1736.

[179] — *La Paysanne parvenue, ou les Mémoires de Mme la marquise de L. V.*, Paris, Prault fils, 7 vol., 1735-1736.

[180] — *Le Répertoire, ouvrage périodique*, t. Ier, Paris, frères Dupuis, 1735.

[181] — *La Mouche, ou les Aventures de M. Bigand*, Paris, L. Dupuis, 2 vol., 1736.

[182] — *La vie de Chimène Spinelli, histoire véritable*, Paris, Ribou, 6 vol., 1737.

[183] PERRIN (Jean-Antoine-René), *les Égarements de Julie*, Londres, s. n., 3 vol., 1756.

[184] PRÉVOST (Antoine-François), *Mémoires et aventures d'un homme de qualité qui s'est retiré du monde*, vol. I-IV, Paris, G. Martin, 1728-1729 ; vol. V-VI, Amsterdam, s. n., 1731 ; vol. VII *(Histoire du chevalier Des Grieux et de Manon Lescaut)*, Amsterdam, s. n., 1733. (1731 ?).

[185] — *Le philosophe anglais, ou Histoire de M. Cleveland, fils naturel de Cromwell, écrite par lui-même...*, vol. I-II, Paris, Didot, 1731 ; vol. III-V, Paris, Didot (ou J. Guérin), 1732 ; vol. VI, Utrecht, E. Néaulme, 1738 ; vol. VII, Utrecht, E. Néaulme, 1739 ; vol. VIII, s. l., s. n., 1739.

[186] — *Le Doyen de Killerine, histoire morale composée sur les mémoires d'une illustre famille d'Irlande, et ornée de tout ce qui peut rendre une lecture utile et agréable*, vol. I, Paris, Didot, 1735 ; vol. II, La Haye, P. Poppy, 1739 ; vol. III-VI, s. l., s. n., 1739-1740.

[187] — *Histoire d'une Grecque moderne,* Amsterdam, Desbordes, 2 vol., 1740.

[188] — *Histoire de Marguerite d'Anjou, reine d'Angleterre,* Amsterdam, F. Desbordes, 4 vol., 1740.

[189] — *Campagnes philosophiques, ou Mémoires de M. de Montcal, aide-de-camp de M. le maréchal de Schomberg, contenant l'histoire de la guerre d'Irlande,* Amsterdam, Desbordes, 4 vol., 1741.

[190] — *Mémoires pour servir à l'histoire de Malte, ou Histoire de la jeunesse du commandeur de ***,* Amsterdam, F. Desbordes, 2 vol., 1741.

[191] — *Histoire de Guillaume le Conquérant, duc de Normandie et roi d'Angleterre,* Paris, Prault fils, 2 vol., 1742.

[192] — *Voyages du capitaine Robert Lade en différentes parties de l'Afrique, de l'Asie et de l'Amérique ; contenant l'histoire de sa fortune, et ses observations sur les colonies et le commerce des Espagnols, des Anglais, des Hollandais, etc.,* Paris, Didot, 2 vol., 1744.

[193] — *Mémoires d'un honnête homme,* Amsterdam, s. n., 2 vol., 1745.

[194] — *Le Monde moral, ou Mémoires pour servir à l'histoire du cœur humain, par M...,* ancien résident de France, dans plusieurs cours étrangères, Genève, s. n., 2 vol., 1760.

[195] RAMSAY (Andrew Michael), *les Voyages de Cyrus, avec un discours sur la mythologie,* Paris, Quillau, 3 vol., 1727.

[196] RICCOBONI (Marie-Jeanne LABORAS DE MÉZIÈRES, dame), *Lettres de Mistress Fanni Butlerd à Milord Charles Alfred de Caitombridge,* Amsterdam, s. n., 1757.

[197] — *Histoire de M. le marquis de Cressy,* Amsterdam, s. n., 1758.

[198] — *Lettres de Milady Juliette Catesby à Milady Henriette Campley, son amie,* Amsterdam, s. n., 1759.

[199] — *Les Vrais caractères du sentiment, ou Histoire d'Ernestine,* Liège, Boubers, 1765.

[200] RICHARDSON (Samuel), *Pamela, ou la Vertu récompensée* (traduit par l'abbé PRÉVOST de l'anglais : *Pamela, or Virtue Rewarded*), Londres, Osborne, 2 vol., 1742.

[201] — *Lettre anglaise, ou Histoire de Miss Clarisse Harlove* (traduit par l'abbé PRÉVOST de l'anglais : *Clarissa, or The History of a Young Lady*), Londres, Nourse, 6 vol., 1751.

[202] — *Nouvelles lettres anglaises, ou Histoire du Chevalier Grandisson* (traduit par l'abbé PRÉVOST de l'anglais : *The History of Sir Charles Grandison*), Amsterdam, s. n., 4 vol., 1755-1756.

[203] ROUSSEAU (Jean-Jacques), *Julie, ou la Nouvelle Héloïse. Lettres de deux amants, habitants d'une petite ville au pied des Alpes,* Amsterdam, Marc-Michel Rey, 6 vol., 1761. Cf. éd. D. Mornet (ci-dessus n° 106) ; et éd. Bernard Guyon et Henri Coulet, « Bibliothèque de la Pléiade », *Œuvres complètes* de J.-J. ROUSSEAU, t. II, Paris, Gallimard, 1961.

[204] SADE (Donatien-Aldonse-François, marquis de), *Justine, ou les Malheurs de la vertu,* en Hollande, Libraires associés, 1791.

[205] — *Histoire de Juliette, ou les Prospérités du vice,* en Hollande, s. n., 1797.

[206] — *La Philosophie dans le boudoir,* Londres, s. n., 1795.

[207] SMOLLETT (Tobias), *Aventures de Roderik Random* (traduites par P. HERNANDEZ et P.-F. PUISIEUX de l'anglais : *The Adventures of Roderick Random*), Londres, Nourse, 3 vol., 1761.

[208] — *Histoire et aventures de Sir Williams Pickle* (traduit par François-Vincent TOUSSAINT de l'anglais : *The Adventures of Peregrine Pickle, in Which Are Included Memoirs of a Lady of Quality*), Amsterdam, s. n., 4 vol., 1753.

[209] — *Fathom et Melvil* (traduit par T.-P. BERTIN de l'anglais : *The Adventures of Ferdinand Count Fathom*), Paris, Gueffier, 4 vol., an VI [1798].

[210] TENCIN (Claudine-Alexandrine de), *Mémoires du comte de Comminge,* La Haye, J. Néaulme, 1735.

[211] VADÉ (Jean-Joseph), *Lettres de La Grenouillère, entre M. Jérosme Dubois, pêcheux du Gros-Caillou, et Mlle Nanette Dubut, blanchisseuse de linge fin,* La Grenouillère, s. d., [1749], cf. *Œuvres de Vadé,* éd. Julien Lemer, Paris, Garnier, 1875 (?).

[212] VOLTAIRE, *Candide ou l'Optimisme, traduit de l'allemand de M. le Dr Ralph,* s. l., s. n., 1759, cf. éd. A. Morize, « Société des textes français modernes », Paris, Droz, 1913.

[213] — *L'Ingénu, Histoire véritable, tirée des manuscrits du P. Quesnel,* Utrecht, s. n., 1767, cf. éd. William R. Jones, « Textes Littéraires français », Genève, Droz, 1957.

III

ÉTUDES MODERNES (XIXe ET XXe SIÈCLES)

[214] ABENSOUR (Léon), *la Femme et le féminisme avant la Révolution,* Paris, Leroux, 1923.

[215] ADAM (Antoine), *Histoire de la littérature française au XVIIe siècle,* Paris, Domat, 5 vol., 1948-1956.

[216] ASCOLI (Georges), Essai sur l'histoire des idées féministes en France du XVIe siècle à la Révolution, *Revue de Synthèse historique,* XIII (1906), pp. 25-57, 99-106 et 161-184.

[217] BACHMAN (Albert), *Censorship in France from 1715 to 1750 : Voltaire's Opposition,* New York, Publications of the Institute of French Studies, Inc., 1934.

[218] BARRAS (Moses), *The Stage Controversy in France from Corneille to Rousseau,* New York, Publications of the Institute of French Studies, Inc., 1933.

[219] BEAUVOIR (Simone de), *le Deuxième sexe,* Paris, Gallimard, 2 vol., 1949.

[220] BIRNBAUM (Johanna, geb. Göhr), *Die « Memoirs » um 1700 ; eine Studie zur Entwicklung der realistischen Romankunst vor Richardson,* Halle, Niemeyer, 1934.

[221] Blanchard (Frederic T.), *Fielding the Novelist; a Study in Historical Criticism*, New Haven, Yale University Press, 1926.

[222] Bonno (Gabriel), Liste chronologique des périodiques de langue française du xviiie siècle, *Modern Language Quarterly*, V (1944), pp. 3-35.

[223] Boullée (Auguste Aimé), *Histoire de la vie et des ouvrages du chancelier d'Aguesseau*, Paris, Desenne, 2 vol., 1835.

[224] Bray (René), *la Formation de la doctrine classique en France*, Paris, Hachette, 1927.

[225] Brunetière (Ferdinand), Le Sage (1883), in *Études critiques sur l'histoire de la littérature française*, 3e série, Paris, Hachette, 1890, pp. 63-120.

[226] — Marivaux (1884), *ibid.*, pp. 121-187.

[227] — L'abbé Prévost (1885), *ibid.*, pp. 189-258.

[228] — Le roman français au xviie siècle (1890), in *Études critiques sur l'histoire de la littérature française*, 4e série, Paris, Hachette, 1891, pp. 27-50.

[229] — L'influence des femmes dans la littérature française (1886), in *Questions de critique*, Paris, Calmann-Lévy, 1889, pp. 23-61.

[229 A] Bundy (Jean), Fréron and the English Novel, *Revue de littérature comparée*, XXXVI (1962), pp. 258-265.

[229 B] Busson (Henri), La théologie de l'abbé Prévost, in *Littérature et théologie*, Paris, Presses Universitaires de France, 1962, pp. 195-242. *Publications de la Faculté des Lettres et des Sciences humaines d'Alger*, XLII.

[230] Caboche (Charles), *les Mémoires et l'histoire en France*, Paris, Charpentier, 2 vol. 1863.

[231] Cahen (Albert), Introduction à son édition de *Télémaque*, Paris, Hachette, 1920.

[232] Calverton (Victor Francis), *Sex Expression in Literature*, New York, Boni & Liveright, 1926.

[233] Camus (Albert), Roman et révolte, in *l'Homme révolté*, Paris, Gallimard, 1951, pp. 319-331.

[234] Chasles (Philarète), Du roman et de ses sources dans l'Europe moderne, *Revue des Deux Mondes*, XXX (1842²), pp. 550-574. Réimprimé sous le double titre de « Sources germaniques du roman moderne » et « Naissance du roman au Moyen Age », in *Études sur les premiers temps du christianisme et sur le Moyen Age*, Paris, Amyot, 1847, pp. 340-376.

[235] Cherbuliez (Victor), *l'Idéal romanesque en France (1610-1816)*, Paris, Hachette, 1911.

[236] Chérel (Albert), *Fénelon au XVIIIe en France (1715-1820) son prestige, son influence*, Paris, Hachette, 1918.

[236 A] Cherpack (Clifton), *An Essay on Crébillon Fils*, Durham (North Carolina), Duke University Press, 1962.

[237] Clapp (John M.), An 18th century attempt at a critical view of the novel : the *Bibliothèque Universelle des Romans*, *Publications of the Modern Language Association*, XXV (1910), pp. 60-96.

[238] CLARETIE (Léo), *Essai sur Lesage romancier*, Paris, Colin, 1890.

[239] CLARK (Ruth), *Anthony Hamilton (Author of Memoirs of Count Grammont), His Life and Works and His Family*, Londres et New York, John Lane, 1921.

[240] CROSBY (Emily A.), *Une romancière oubliée : Mme Riccoboni ; sa vie, ses œuvres, sa place dans la littérature anglaise et française du XVIIIᵉ siècle*, Paris, Rieder, 1924.

[241] DALLAS (Dorothy Frances), *le Roman français de 1660 à 1680*, Paris, J. Gamber, 1932.

[242] DELOFFRE (Frédéric), *Marivaux et le marivaudage ; étude de langue et de style*, Paris, Belles-Lettres, 1955.

[243] — Le problème de l'illusion romanesque et le renouvellement des techniques narratives de 1700 à 1715, in *La Littérature narrative d'imagination ; des genres littéraires aux techniques d'expression* (colloque de Strasbourg, 23-25 avril 1959), Paris, Presses Universitaires de France, 1961, pp. 115-133.

[243 A] — Un morceau de critique en quête d'auteur : le jugement du *Pour et Contre* sur *Manon Lescaut. Revue des Sciences humaines*, fasc. 106 (avril-juin 1962), pp. 203-212.

[244] DUCARRE (Joseph), Une « supercherie littéraire » de l'abbé Prévost : *Les Voyages de Robert Lade, Revue de littérature comparée*, XVI (1936), pp. 465-476.

[245] DULONG (Gustave), *L'abbé de Saint-Réal ; étude sur les rapports de l'histoire et du roman au XVIIᵉ siècle*, Paris, Champion, 2 vol., 1921.

[246] ENGEL (Claire-Éliane), *le Véritable abbé Prévost*, Monaco, Éditions du Rocher, 1958.

[247] ESTRÉE (Paul d'), Un journaliste policier : le chevalier de Mouhy, *Revue d'Histoire littéraire de la France*, IV (1897), pp. 195-238.

[248] ÉTIEMBLE (René), Textes critiques accompagnant son édition des *Romanciers français du XVIIIᵉ siècle*, « Bibliothèque de la Pléiade », Paris, Gallimard, t. I (1960).

[249] ÉTIENNE (Servais), *le Genre romanesque en France depuis l'apparition de la Nouvelle Héloïse jusqu'aux approches de la Révolution*, Bruxelles, Lamartin, 1922, in *Mémoires de l'Académie royale de Belgique*, 2ᵉ série, t. XVII, premier mémoire.

[250] FOSTER (James R.), *History of the Pre-Romantic Novel in England*, New York, The Modern Language Association of America, 1949.

[251] GENLIS (Félicité Stéphanie, comtesse de BRUSBART DE), *De l'influence des femmes sur la littérature française, comme protectrices des lettres et comme auteurs, ou Précis de l'histoire des femmes françaises les plus célèbres*, Paris, Maradan, 1811.

[252] GONCOURT (Edmond et Jules de), *la Femme au XVIIIᵉ siècle*, Paris, Charpentier, 1862.

[253] GREEN (Frederick Charles), A forgotten novel of manners of the eighteenth century : *la Paysanne parvenue* by le Chevalier de Mouhy, *Modern Language Review*, XVIII (1923), pp. 309-316.

[254] — Realism in the French novel of the first half of the 18th century *Modern Language Notes*, XXXVIII (1923), pp. 321-329.

[255] — *La Peinture des mœurs de la bonne société dans le roman français de 1715 à 1761*, Paris, Presses Universitaires de France, 1924.

[256] — The Chevalier de Mouhy, an eighteenth century French novelist, *Modern Philology*, XXII (1924-1925), pp. 225-237.

[257] — Further evidence of realism in the French novel of the 18th century, *Modern Language Notes*, XL (1925), pp. 257-270.

[258] — The critic of the seventeenth century and his attitude toward the French novel, *Modern Philology*, XXIV (1927), pp. 285-295.

[259] — The eighteenth century French critic and the contemporary novel, *Modern Language Review*, XXIII (1928), pp. 174-187.

[260] — *French Novelists, Manners and Ideas ; From the Renaissance to the Revolution*, Londres et Toronto, J. M. Dent & Sons, 1928.

[261] — *Minuet; a Critical Survey of French and English Literary Ideas in the Eighteenth Century*, Londres, J. M. Dent & Sons, 1935.

[261 A] HAAC (Oscar A.), L'amour dans les collèges jésuites : une satire anonyme du dix-huitième siècle, *Studies on Voltaire and the Eighteenth Century*, t. XVIII, pp. 95-111, Genève, Institut et Musée Voltaire, 1961.

[262] HAZARD (Paul), *la Pensée européenne au XVIIIe siècle*, Paris, Boivin, 3 vol., 1946.

[263] HEINZ (Hans), Gil Blas und das zeitgenössische Leben in Frankreich, *Romanische Forschungen*, XXXVII (1916), pp. 778-953.

[264] HORNER (Joyce), *The English Women Novelists and their Connection with the Feminist Movement (1688-1797)*. Smith College Studies in Modern Languages (Northampton, Massachusetts), XI (1929-1930).

[265] JOLIAT (Eugène), *Smollett et la France*, Paris, Champion, 1935.

[266] JONES (Claude E.), The English novel : a critical view, 1756-1785, *Modern Language Quaterly*, XIX (1958), pp. 147-159 et 213-224.

[267] JONES (Silas Paul), *A List of French Prose Fiction from 1700 to 1750*, New York, H. W. Wilson Co., 1939.

[268] LANCASTER (Henry Carrington), *French Tragedy in the Time of Louis XV and Voltaire (1715-1774)*, Baltimore, Johns Hopkins Press, 2 vol., 1957.

[269] LANSON (Gustave), Étude sur *Gil Blas*, in *Hommes et livres, études morales et littéraires*, Paris, Lecène et Oudin, 1895, pp. 185-214.

[270] LARNAC (Jean), *Histoire de la littérature féminine en France*, Paris, Kra, 1929.

[271] LEAVIS (Queenie D.), *Fiction and the Reading Public*, Londres, Chatto & Windus, 1932.

[272] LE BRETON (André), *le Roman français au XVIIe siècle*, Paris, Boivin, 1890.

[273] — *Le Roman français au XVIIIe siècle*, Paris, Boivin, 1898.

[274] LELY (Gilbert), *Vie du marquis de Sade*, Paris, Gallimard, 2 vol., 1952-1957.

[275] — Une supercherie littéraire de Sade : *Isabelle de Bavière, Mercure de France*, CCCXL (Novembre 1960), pp. 476-488.

[276] LEVESQUE (Eugène), cf. Urbain, Charles.

[277] MAGENDIE (Maurice), *le Roman français au XVIIe siècle, de l'Astrée au Grand Cyrus*, Paris, Droz, 1932.

[278] MASSON (Pierre-Maurice), *Une vie de femme au XVIIIe siècle : Mme de Tencin (1682-1749)*, Paris, Hachette, 1909.

[279] MAURY (Fernand), *Étude sur la vie et les œuvres de Bernardin de Saint-Pierre*, Paris, Hachette, 1892.

[280] MAUZI (Robert), *l'Idée de bonheur au XVIIIe siècle*, Paris, Colin, 1960.

[281] MAY (Georges), Racine et *les Liaisons dangereuses, French Review*, XXIII (1949-1950), pp. 452-461.

[282] — *Quatre Visages de Denis Diderot*, Paris, Boivin, 1951.

[283] — L'histoire a-t-elle engendré le roman ? Aspects français de la question au seuil du Siècle des Lumières *Revue d'Histoire Littéraire de la France*, LV (1955), pp. 155-176.

[284] MEAD (William), *Les Liaisons dangereuses* and moral « usefulness », *PMLA*, LXXV (1960), pp. 563-570.

[285] MEISTER (Paul), *Charles Duclos (1704-1772)*, Genève, Droz, 1956.

[286] MILLE (Pierre), *le Roman français*, « Librairie de Paris », Paris, Didot, 1930.

[287] MONGLOND (André), *le Préromantisme français*, Grenoble, Arthaud, 2 vol., 1930.

[288] MONNIER (Francis), *Le Chancelier d'Aguesseau, sa conduite et ses idées politiques, et son influence sur le mouvement des esprits pendant la première moitié du XVIIIe siècle*, Paris, Didier, 1860.

[289] MOOIJ (Anne Louis Anton), *Caractères principaux et tendances des romans psychologiques chez quelques femmes-auteurs, de Mme Ricco-boni à Mme de Souza (1757-1826)*, Groningue, de Waal, 1949.

[290] MOORE (Alexander P.), *The « Genre poissard » and the French Stage of the Eighteenth Century*, New York, Publications of the Institute of French Studies, Inc., 1935.

[291] MORILLOT (Paul), *le Roman en France de 1610 jusqu'à nos jours*, Paris, Masson, 1893.

[292] MORNET (Daniel), Les enseignements des bibliothèques privées (1750-1780), *Revue d'Histoire littéraire de la France*, XVII (1910), pp. 449-496.

[293] — Introduction à son édition de *la Nouvelle Héloïse*, Paris Hachette, t. I (1925).

[294] — *Les Origines intellectuelles de la Révolution française (1715-1787)*, Paris, Colin, 1933.

[295] MORRIS (Thelma), *L'abbé Desfontaines et son rôle dans la littérature de son temps* (*Studies on Voltaire and the Eighteenth Century*, t. XIX), Genève, Institut et Musée Voltaire, 1961.

[296] MORRISSETTE (Bruce Archer), *The Life and Works of Marie-Catherine Desjardins (Mme de Villedieu) 1632-1683*, Saint-Louis, Washington University, 1947.

[297] PHELPS (William Lyon), *The Advance of the English Novel*, New York, Dodd, Mead & Co., 1916.

[298] PICARD (Raymond), L'univers de *Manon Lescaut*, *Mercure de France*, CCXLI (avril 1961), pp. 606-622 ; et CCXLII (mai 1961), pp. 87-105.

[299] POTTINGER (David T.), *The French Book Trade in the Ancien Régime (1500-1791)*, Cambridge, Harvard University Press, 1958.

[300] RATNER (Moses), *Theory and Criticism of the Novel in France from l' « Astrée » to 1750*, New York, thèse de doctorat de New York University, 1938.

[301] REYNIER (Gustave), *le Roman réaliste au XVII* siècle*, Paris, Hachette, 1914.

[302] — *La Femme au XVII* siècle ; ses ennemis et ses défenseurs*, Paris, Plon, 1933.

[303] RICHARD (Pierre), *La Bruyère et ses « Caractères »*, Amiens, Malfère, 1946.

[304] ROCHEBLAVE (Samuel), *Essai sur le comte de Caylus, l'homme, l'artiste, l'antiquaire*, Paris, Hachette, 1889.

[305] RODDIER (Henri), *l'Abbé Prévost, l'homme et l'œuvre*, Paris, Hatier-Boivin, 1955.

[306] ROUGEMONT (Denis de), *l'Amour et l'Occident*, Paris, Plon, 1939.

[307] RUTHERFORD (Marie-Rose), Un inédit sur l'abbé Prévost, *French Studies*, IX (1955), pp. 227-237.

[307 A] — (LABRIOLLE-RUTHERFORD, M.-R. de), *Le Pour et Contre* et les romans de l'abbé Prévost (1733-1740), *Revue d'Histoire littéraire de la France*, LXII (1962), pp. 28-40.

[308] SAINTE-BEUVE (Charles Augustin de), *Portraits littéraires* (1844), éd. Maxime Leroy, « Bibliothèque de la Pléiade », Paris, Gallimard, 2 vol., 1949-1951.

[309] — *Causeries du lundi* (1851-1862).

[310] SAINT-RENÉ TAILLANDIER (René-Gaspard-Ernest), Un poète comique du temps de Molière : Boursault, sa vie et ses œuvres, in *Études littéraires*, Paris, Plon, 1881, pp. 1-197.

[311] SAINTSBURY (George), *A History of the French Novel*, t. I : *From the Beginning to 1800*, Londres, McMillan, 1917.

[312] SCHMIDT (Albert-Marie), Duclos, Sade et la littérature féroce, *Revue des Sciences humaines*, fasc. 62-63 (avril-septembre 1951), pp. 146-155.

[313] SEILLIÈRE (Ernest), *le Péril mystique dans l'inspiration des démocraties contemporaines*, Paris, Renaissances du Livre, 1918.

[314] — *Les Étapes du mysticisme passionné (de Saint-Preux à Manfred)* Paris, Renaissance du Livre, 1919.

[315] — *Les Origines romanesques de la morale et de la politique romantiques*, Paris, Renaissance du Livre, 1920.

[316] SHAW (E. P.), A Note on the temporary suppression of *Tom Jones* in France, *Modern Language Notes*, LXXII (1957), p. 41.

[317] SPITZER (Leo), A propos de *la Vie de Marianne*, *Romanic Review*, XLIV (1953), pp. 102-126.

[318] Staël (Germaine Necker, baronne de), *De la littérature considérée dans ses rapports avec les institutions sociales* (1800).

[319] Stauffer (Donald A.), *The Art of Biography in 18th Century England*. Princeton, Princeton University Press, 1941.

[320] Storer (Mary Elizabeth), *Un épisode littéraire de la fin du XVIIᵉ siècle, la mode des contes de fées (1685-1700)*, Paris, Champion, 1928.

[321] Streeter (Harold Wade), *The 18th Century English Novel in French Translation. A Bibliographical Study*, New York, Publications of the Institute of French Studies, Inc., 1926.

[322] Switten (Marlou), *L'histoire* and *la poésie* in Diderot's writings on the novel, *Romanic Review*, XLVII (1956), pp. 259-269.

[323] Sykes (Leslie Clifford), *Madame Cottin*, Oxford, Blackwell, 1949.

[324] Taine (Hippolyte), *les Origines de la France contemporaine : l'Ancien Régime* (1875).

[325] Texte (Joseph), *Jean-Jacques Rousseau et les origines du cosmopolitisme littéraire*, Paris, Hachette, 1895.

[326] Thibaudet (Albert), *Réflexions sur le roman*, Paris, Gallimard, 1938.

[327] Tieghem (Paul Van), La sensibilité et la passion dans le roman européen au xviiiᵉ siècle, *Revue de Littérature comparée*, VI (1926), pp. 424-435.

[328] — Les droits de l'amour et l'union libre dans le roman français et allemand (1760-1790), *Neophilologus*, XII, (1927), pp. 96-103.

[329] — Quelques aspects de la sensibilité préromantique dans le roman européen au xviiiᵉ siècle, *Edda*, XXVII (1927), pp. 146-175.

[330] — Le roman sentimental en France de Richardson à Rousseau (1740-1761), *Revue de Littérature comparée*, XX (1940), pp. 129-151.

[331] Toth (Karl), *Woman and Rococo in France, Seen through the Life and Works of a Contemporary, Charles-Pinot Duclos* [traduit de l'allemand par Roger Abingdon], Londres, Harrap, 1931.

[332] Trahard (Pierre), *les Maîtres de la sensibilité française au XVIIIᵉ siècle*, Paris, Boivin, 4 vol., 1931-1933.

[333] Urbain (Charles) et Levesque (Eugène), *l'Église et le théâtre*, Paris, Grasset, 1930.

[334] Vailland (Roger), *Laclos par lui-même*, Paris, Éditions du Seuil, 1953.

[335] Versini (L.), De quelques noms de personnages dans le roman du xviiiᵉ siècle, *Revue d'Histoire littéraire de la France*, LXI (1961), pp. 177-187.

[336] Waldberg (Max, Freiherr von), *Der empfindsame Roman in Frankreich*, Berlin et Strasbourg, Trübner, 1906.

[337] Watt (Ian), *The Rise of the Novel; Studies in Defoe, Richardson and Fielding*, Berkeley et Los Angeles, University of California Press, 1957.

[338] Woodbridge (Benjamin Mather), *Gatien de Courtilz, Sieur du Verger*, Baltimore, Johns Hopkins Press, 1925.

INDEX

Les chiffres renvoient aux pages
les chiffres en italique aux notes au bas des pages

TABLE DES MATIÈRES

1963. — Imprimerie des Presses Universitaires de France. — Vendôme (France)
ÉDIT. N° 26 983   IMPRIMÉ EN FRANCE   IMP. N° 17 610